ZBRODNIA NIEDOSKONAŁA

Katarzyna
Bonda

Bogdan
Lach

ZBRODNIA NIEDOSKONAŁA

Projekt okładki: *Paweł Panczakiewicz/PANCZAKIEWICZ ART.DESIGN*
Redaktor prowadzący: *Sławomira Gibka*
Redakcja techniczna: *Sylwia Rogowska-Kusz*
Korekta: *Zespół*

Zdjęcie na okładce:
© JPagetRFPhotos/Shutterstock

ISBN 978-83-287-0174-8

MUZA SA
Warszawa 2015

Książkę dedykujemy wszystkim
profilującym i policjantom

WSTĘP

Czy istnieje zbrodnia doskonała? To pytanie zadają sobie od wieków kryminolodzy, wiktymolodzy, psychologowie, policjanci, a nawet autorzy powieści kryminalnych.

Ja także się nad tym głowiłam. Pracując jako sprawozdawca sądowy w jednym z ogólnopolskich dzienników, a potem przygotowując kryminalne *cover story* do różnych pism, badałam akta spraw wielu przestępców. Spędziłam mnóstwo czasu na rozmowach z zabójcami, oszustami, sprawcami przestępstw seksualnych. Dziś z pełnym przekonaniem mogę powiedzieć: zbrodnia doskonała nie istnieje. Są tylko nieskutecznie działające organy ścigania, popełniający błędy lub bezsilni policjanci, prokuratorzy i sędziowie oraz źle zabezpieczone dowody. Każda sprawa, nawet ta sprzed lat, ma szansę znaleźć swój finał w sądzie. A jeśli na początku śledztwa zaangażuje się do niej profilera, wyjaśnienie jest niemal gwarantowane.

Kim jest profiler? Tym obco brzmiącym słowem, pochodzącym z języka angielskiego, określa się psychologa policyjnego, który zajmuje się tworzeniem psychologicznego portretu nieznanego sprawcy, tzw. profilu. W Polsce są już tacy nieliczni eksperci. Jednym z pionierów, którzy przecierali szlak w tej dziedzinie wiedzy, jest – bodaj jedyny w Polsce zatrudniony na etacie w pionie kryminalnym policji – nadkomisarz Bogdan Lach z Komendy Wojewódzkiej Policji w Katowicach. O pomoc w najtrudniejszych sprawach zwracają się do niego policjanci z całej Polski. Jego praca jest po prostu skuteczna. Wynika to z wieloletniego doświadczenia eksperta oraz setek profili, które wykonał. A profilowanie jest dziedziną, w której wiedzę zdobywa się właśnie przez doświadczenie. Nadkomisarz Lach – oprócz profilowania – przygotowuje taktyki przesłuchań, analizuje dane o ofiarach, występuje jako biegły sądowy oraz służy pomocą psychologiczną poszkodowanym i policjantom. Miałam zaszczyt poznać go kilka lat temu.

Przygotowywałam wówczas reportaż o zbrodni popełnionej na młodej kobiecie z Rawicza. Pojechałam na miejsce, rozmawiałam z jej rodzicami. Oglądałam zdjęcia ślicznej blondynki i nie mogłam przestać myśleć o tym, że miała przed sobą całe życie, a zupełny przypadek sprawił, że skończyło się tak tragicznie.

Marzena była uczciwa i dzielna. Należała do Ochotniczej Straży Pożarnej. Wychowywała się we wspaniałej rodzinie, całkowicie pozbawionej cech patologicznych. Po śmierci córki ci spokojni, mili ludzie wyrzucali sobie, że nie nauczyli dziewczyny agresji.

Losy Marzeny i jej oprawcy skrzyżowały się w przydrożnym sklepiku na obrzeżach Rawicza, gdzie dziewczyna dorabiała sobie podczas wakacji. On wszedł po piwo. Ona stała za ladą. On zażądał pieniędzy z kasy. Ona się sprzeciwiła. On chwycił nóż do krojenia chleba. Ona się broniła, krzyczała, wzywała pomocy. Bezskutecznie. Zadał jej siedemnaście ciosów. Nie miała szans, by przeżyć. Potem on przez kilka godzin siedział z jej zwłokami w sklepie, a w końcu wymknął się niezauważony.

To brutalne i bezsensowne morderstwo poruszyło mieszkańców miasteczka. Zbrodniarza szukali policjanci, strażnicy miejscy, strażacy zawodowi i ochotnicy – na znak solidarności z koleżanką. Zawiązano patrole społeczne, wyznaczono nagrodę.

Rysopis sprawcy zawisł na wszystkich słupach ogłoszeniowych. Sprawdzano każdy trop, każdą – nawet najbardziej nieprawdopodobną – poszlakę. Niestety, mijały tygodnie, miesiące, a śledztwo nie posuwało się do przodu. Komendant policji obiecał ludziom, że znajdzie zbrodniarza, choćby miał go wytropić osobiście. W desperacji wezwał jasnowidza, co jednak tylko sprowadziło dochodzenie na ślepe tory. Z czasem o zabójstwie Marzeny mówiono coraz mniej, w końcu sprawa ucichła na dobre. Chyba tylko jej rodzice nie przestali wierzyć, że zabójca kiedyś zostanie ujęty.

Mniej więcej pół roku od tragedii w regionalnej gazecie znalazłam niewielką notatkę wciśniętą w szpaltę z „kryminałkami". Sprawca został ujęty i przyznał się do zbrodni. Właśnie skierowano do sądu akt oskarżenia. Okazało się, że mężczyzna zabił nie tylko Marzenę, ale jeszcze trzy inne osoby. Dziewczyna padła ofiarą seryjnego mordercy. Był zaledwie o rok starszy od niej. Od dzieciństwa funkcjonował w patologii: ojciec alkoholik dotkliwie bił jego, rodzeństwo i matkę. Dorastał w atmosferze krzyków, domu pełnym przemocy i ubóstwie.

Już następnego dnia siedziałam w gabinecie komendanta policji w Rawiczu. Moje pytanie brzmiało: „Jak go złapaliście?". I wtedy po raz pierwszy w życiu usłyszałam słowo: „profiler".

Chociaż określenie brzmi enigmatycznie, każdy z was z pewnością miał okazję poznać charakter jego pracy – choćby oglądając *Milczenie owiec*, *Czerwonego Smoka*, czy *Miasteczko Twin Peaks*. Tyle że fabuły filmów i ich bohaterowie – agenci FBI: Clarise Starling, Will Graham lub Dale Cooper – są wpisani w realia amerykańskie. W USA psycholog policyjny jest jak guru. Ściśle współpracuje z detektywami, podsuwając im wskazówki, w jakim kierunku powinno iść dochodzenie. Zupełnie inaczej niż w Polsce. Komendant z Rawicza przekonywał mnie, że nie jestem jedyną osobą, która nie ma pojęcia, że i u nas pracują tacy eksperci. Pocieszał, że nawet policjanci wydziałów kryminalnych nie spotkali się z terminami: profil, profiler, profilowanie, a co dopiero laik, na dodatek kobieta.

Opuściłam Rawicz z numerem telefonu psychologa śledczego, jak się potem okazało nadkomisarza Bogdana Lacha. I choć z ciekawości aż mnie skręcało, tak bardzo chciałam poznać tego człowieka, długo zwlekałam, by zadzwonić i poprosić go o wywiad. Postanowiłam najpierw dobrze się do tej rozmowy przygotować. Zaczęłam szukać informacji na temat profilowania – książek, artykułów w prasie psychologicznej, lecz okazało się, że zgromadzenie nawet podstawowej wiedzy jest bardzo trudne. Po prostu z tej dziedziny nie ukazało się w naszym kraju zbyt wiele publikacji. Nie miałam wyjścia – pojechałam do Katowic uzbrojona jedynie w dyktafon, dwie przeczytane książki, kilka stereotypów i głowę pełną pytań.

Kiedy policjant mnie zobaczył, oświadczył, że jest bardzo zajęty i nie ma czasu na pogaduszki z dziennikarzami – może mi poświęcić jedynie pół godziny. Drugie tyle udało mi się wynegocjować na zrobienie zdjęć do materiału. Dziś – kiedy wiem, jak bardzo zarzucany jest aktami niewykrytych zbrodni – rozumiem jego niechęć. Ale wtedy byłam wściekła. Postanowiłam maksymalnie wykorzystać „ofiarowany" czas i zaczęliśmy rozmawiać. Chyba udało mi się przekonać profilera, że odróżniam podejrzanego od oskarżonego i że tematyka zbrodni nie jest mi obca, bo nie zakończył rozmowy po półgodzinie. Ja też zmieniłam swój stosunek do policjanta. Okazało się, że da się lubić, a dziedzina, którą się zajmuje, jest po prostu fascynująca. Ostatecznie nasze pierwsze spotkanie trwało kilka godzin.

I choć wtedy Bogdan Lach zdążył uchylić zaledwie rąbka tajemnicy swojego zawodu, zaszczepił mi bakcyla psychologii śledczej. Dwa lata później to właśnie profilera uczyniłam bohaterem mojego literackiego debiutu – powieści kryminalnej pt. *Sprawa Niny Frank*. Po kolejnych dwóch latach postanowiliśmy wspólnie napisać książkę o profilowaniu.

Zbrodnia niedoskonała to pierwsza pozycja nienaukowa w języku polskim oparta na autentycznych sprawach. Wszystkie elementy związane ze sposobem „dojścia" do przestępcy są prawdziwe. Jednak ze względu na dobro ofiar, świadków i rodzin zamordowanych w niektórych sprawach zmieniliśmy personalia i okoliczności opisywanych zbrodni. Pozostałe – zakończone prawomocnymi wyrokami – są prawdziwe.

Książka jest wynikiem moich wielogodzinnych rozmów z polskim profilerem o jego pracy. Wszystkie fragmenty zapisane kursywą to przytoczone jego wypowiedzi.

Opisywane sprawy podzieliliśmy ze względu na motyw wiodący. Psychologia śledcza dawno już odeszła od definicji motywu, która funkcjonuje w prawie. Prawnik musi zaklasyfikować daną sprawę pod określony paragraf. Odpowiada sobie na jedno pytanie: „Dlaczego ten człowiek zabił?". Nie ma tu miejsca na wnikliwe rozważania i analizowanie hipotez. Psycholog zastanawia się nad odpowiedziami na wiele pytań i rozpatruje wiele wątków, zanim wskaże, „co pchało tego człowieka do popełnienia zbrodni, jakie okoliczności przesądziły o tym, że zabił". Profiler bada proces polimotywacyjny, czyli grupę motywów z motywem wiodącym na czele.

Największe kryminalne zagadki ostatnich lat rozwiązane przez polskiego profilera starałam się opisać rzetelnie i bez emocji. Każdy z rozdziałów jest opatrzony komentarzem, w którym opisuję charakterystyczne cechy ofiar i sprawców zbrodni z danego motywu, a także typowe okoliczności i przebieg tych przestępstw.

Mam nadzieję, że książka wzbudzi Wasz autentyczny podziw dla pracy profilera, zachwyci Was umysł człowieka, który z wydawałoby się niewiele znaczących szczegółów potrafi wyciągnąć wnioski, pozwalające bezbłędnie wskazać zabójcę w tłumie podejrzanych. Wierzę, że poznawanie procesu tworzenia profilu, śledzenie toku myślenia eksperta podczas analizy dowodów i tropów okaże się niezwykłym przeżyciem. Zapraszam do lektury. Przekonajcie się sami, dlaczego zbrodnia nie jest doskonała.

Katarzyna Bonda

ROZDZIAŁ I

HISTORIA PROFILOWANIA

STAŃ ZE SPRAWCĄ TWARZĄ W TWARZ

Czy Kuba Rozpruwacz był lekarzem? – Co łączy „Szalonego Bombiarza" i „Dusiciela z Bostonu"? – Szukajcie rudego Irlandczyka. Będzie miał na sobie dwurzędowy garnitur – Quantico Center

Bond kontra Kuba Rozpruwacz

Za pierwszy psychologiczny portret nieznanego sprawcy uważa się profil seryjnego zabójcy, działającego w londyńskiej dzielnicy Whitechapel, znanego jako Kuba Rozpruwacz. Zabójca ten pomiędzy 31 sierpnia a 9 listopada 1888 roku zamordował pięć kobiet trudniących się nierządem: czterdziestotrzyletnią Mary Ann Nichols, zwaną „Polly", czterdziestosiedmioletnią Annie Chapman, zwaną „Dark Annie", czterdziestopięcioletnią Elizabeth Stride, zwaną „Long Liz", czterdziestosześcioletnią Catherine Eddowes, zwaną „Kate Kelly" lub „Mary Ann Kelly" (od nazwiska jej klienta, a potem męża Johna Kelly'ego) oraz dwudziestopięcioletnią Mary Jane Kelly, zwaną „Ginger". Potem przypisywano mu jeszcze wiele innych przestępstw, jednak badacze uważają, że Kuba miał na swoim koncie tylko te pięć ofiar.

W śledztwie w sprawie najsłynniejszego seryjnego zabójcy uczestniczył amerykański psychiatra i chirurg, dr Thomas Bond. W przygotowanym profilu wskazywał na zaburzenia mordercy, zwłaszcza w sferze seksualnej. Zrobił analizę tego, gdzie Kuba Rozpruwacz może mieszkać, w jakim środowisku przebywać i jaki może być jego status społeczny. Te informacje wyraźnie zawężały krąg podejrzanych oraz nadawały kierunek śledztwu. Była to pierwsza precyzyjna opinia zawierająca opis cech psychofizycznych poszukiwanego.

Bond twierdził, że zabójstwa Kuby Rozpruwacza mają charakter seksualny. Wskazywał, że zachowania dewiacyjne wiązały się z jego urazem do kobiet, bo w przeszłości został źle potraktowany przez jedną z nich (do tego grona należy także matka, zaś relację z nią należy zaliczyć do tzw. toksycznych). Dziś, gdy wiedza psychologiczna jest ogromna, teza ta wydaje się truizmem, jednak w tamtych czasach było to rewolucyjne odkrycie.

Sprawcy nadano przydomek „Rozpruwacz", ponieważ wytrzewiał ciała mordowanych kobiet: wyjmował żeńskie narządy płciowe i pozostawiał je w widocznym miejscu. Były to bardzo brutalne zbrodnie. Na przykład jednej z ofiar – Mary Kelly – morderca nie tylko poderżnął gardło, ale też obciął piersi, usunął skórę i mięśnie brzucha oraz ud. Płaty odciętego ciała ułożył na stole przy łóżku. Wyjął też wszystkie wnętrzności, które rozmieścił na posłaniu dookoła zwłok. Zmasakrował ofierze twarz, zamieniając ją w masę krwawej tkanki. Nigdy nie odnaleziono serca kobiety. Przypuszcza się, że Rozpruwacz zabrał je jako trofeum lub spalił w kominku, gdzie odkryto ślady dużego ognia.

Dziś psychologowie potwierdzają, że taki sposób zabijania świadczył o jego nienawiści do kobiet. Uważał, że wszystkie przedstawicielki płci pięknej są zimne emocjonalnie, roszczeniowe, wyrachowane i wykorzystują mężczyzn do własnych celów. Niczym prostytutki.

Mimo zaangażowanego śledztwa zabójca nie został schwytany. Nigdy nie udało się ustalić jego tożsamości. Zresztą wkrótce po przygotowaniu profilu przez Thomasa Bonda Kuba Rozpruwacz przestał zabijać. Do dziś trwa dyskusja, kim mógł być.

Korzystając z dzisiejszej wiedzy z dziedziny psychologii śledczej, można zrobić kilka założeń. Jedno z nich wydaje się bardzo prawdopodobne, że był to lekarz lub osoba zaznajomiona z anatomią. Niestety, nie przeprowadzono dokładnej analizy obrażeń – medycyna sądowa była wówczas w powijakach. Prawdopodobnie większość ran zadał, kiedy ofiara jeszcze żyła. Wytrzewianie zwłok wynikało z dewiacji seksualnych. Sprawcę podniecał sam proces umierania ofiary. Wyraźnie koncentrował się na sferach seksualnych (wycinał macice i pochwy), ale nie gwałcił. Prawdopodobnie nie dochodziło do stosunku, ewentualnie wykorzystywał do tego celu przedmioty. Podniecało go zadawanie bólu, gdyż zaspokajało potrzeby seksualne i było substytutem stosunku. Pierwszorzędną potrzebą sprawcy była jednak potrzeba kontroli, władzy i dominowania nad ofiarą. Zabijając, utwierdzał się w przekonaniu: „Jestem Bogiem!".

Ta niedoskonała, lecz przełomowa analiza jest uznawana za pierwszy psychologiczny portret sprawcy. Potem oczywiście podejmowano różne próby profilowania, ale dość nieudolne i nieskuteczne. Nie są warte tego, by o nich wspominać.

Sylwetka psychologiczna Hitlera

Na początku dwudziestego wieku wzrosło zainteresowanie profilowaniem. W czasie drugiej wojny światowej wykonano wiele analiz cech psychofizycznych zbrodniarzy wojennych. Niestety, nie zachowały się w archiwach. Istnieje za to niezwykle ciekawy „portret" wykonany na zlecenie biur strategicznych Stanów Zjednoczonych. Przygotował go William Langer, znany amerykański psychiatra i doktor psychologii, wieloletni pracownik jednego z nowojorskich uniwersytetów, który zdobył sławę dzięki pracy nad psychoanalizą. Stworzył on ekspertyzę psychologiczną Adolfa Hitlera.

Langer skupiał się na tych elementach zachowania niemieckiego przywódcy, które pomogłyby go zidentyfikować, gdyby nagle zniknął – np. wyjechał do innego kraju lub zmienił image.

Kontrwywiad potrzebował tych informacji, żeby w takiej sytuacji go odnaleźć. Langer szukał wyłącznie charakterystycznych zachowań Hitlera. Analizował treści zawarte w jego książce *Mein Kampf* oraz upodobania, zainteresowania, sposób ubierania się i przedmioty, którymi lubił się otaczać. Ponieważ Hitler popełnił samobójstwo i nie było potrzeby, aby go szukać, materiału nie wykorzystano.

James Brussel – ojciec profilowania

Początki profesjonalnego profilowania datuje się na lata pięćdziesiąte i sześćdziesiąte dwudziestego wieku, kiedy zaangażowano najlepszych psychologów i psychiatrów do pracy przy głośnych sprawach w Stanach Zjednoczonych: Dusiciela z Bostonu czy Szalonego Bombiarza (zwanego też Bombiarzem z Chicago). Uczestniczył w nich między innymi amerykański psychiatra, stosujący w swojej pracy metody psychoanalityczne – James Brussel, uważany za prekursora i ojca profilowania.

W latach 1940 do 1956 na terenie Chicago nieznany sprawca podłożył trzydzieści trzy ładunki wybuchowe. Zaatakował między innymi Grand Central Terminal, Pennsylvania Station, Radio City Music Hall oraz kilkanaście innych obiektów użyteczności publicznej. Spośród podłożonych ładunków aż dwadzieścia dwa eksplodowały, raniąc piętnaście osób. Szalonego Bombiarza szukało ponad dwadzieścia tysięcy policjantów. Bezskutecznie. Kiedy po trzecim, czwartym ataku sprawca nie został ujęty, zaczęły „lecieć głowy" – posadę stracili komendant, burmistrz i kilku innych miejskich włodarzy. Śledztwo nadal stało w miejscu, zaś sprawca pozostał nieuchwytny przez szesnaście lat.

Dopiero w 1956 roku zwrócono się o pomoc do psychologa. Dla organów ścigania była to ostatnia deska ratunku. James Brussel charakteryzował poszukiwanego na podstawie akt sprawy, dokumentacji fotograficznej, którą zgromadzono z miejsc zdarzeń i listów, w których sprawca wyśmiewał nieudolność organów ścigania w jego wykryciu.

Na podstawie dokumentów, relacji świadków, ludzi, którzy widzieli lub byli tam, gdzie wybuchały bomby, Brussel wykonał zwięzłą charakterystykę, o której dziś można powiedzieć, że była pierwszym profilem terrorysty. Oto jego fragment: „Szukajcie mocno zbudowanego mężczyzny, w średnim wieku, katolika, cudzoziemca, mieszkającego na terenie Connecticut, New Hampshire lub Maine. Najprawdopodobniej Irlandczyka, mieszkającego z bratem lub przyrodnią siostrą. A gdy go znajdziecie, będzie ubrany w dwurzędowy garnitur".

Brussel przygotował profil w trzy tygodnie. Pół roku zajęło policjantom ujęcie Szalonego Bombiarza – George'a Metesky. W dniu zatrzymania, podejrzany faktycznie miał na sobie dwurzędową marynarkę. Zarówno wtedy, jak i dziś, wielu doświadczonych funkcjonariuszy nie pojmuje, na jakiej podstawie psycholog był w stanie to przewidzieć? By odpowiedzieć na to pytanie, trzeba podkreślić, że psycholog miał do zanalizowania wiele udokumentowanych przypadków działania sprawcy. W takiej sytuacji jest dużo łatwiej profilować, niż kiedy ma się do czynienia z jednym zdarzeniem. Kilka dokonanych przestępstw przez jednego sprawcę daje wiele wskazówek dotyczących jego zachowania i funkcjonowania. Podstawą zaś pracy profilera jest analiza tzw. śladów behawioralnych. Dlatego też zatrzymany George Metesky odpowiadał wiernie profilowi, który nakreślił Brussel. Włącznie z dwurzędowym garniturem. Profilowanie w żaden sposób nie jest spokrewnione z magią, lecz sięga do różnego rodzaju trendów, które funkcjonują w danej społeczności i które profilujący musi znać. Szalony Bombiarz atakował urzędy. Świadkowie mówili o tym, że nie zauważyli niczego, co by ich zainteresowało, wzbudziło lęk i co nie pasowałoby do tego miejsca. Podejrzany skutecznie wtapiał się w tłum pracowników biur. Musiał więc stosować sztuczki kamuflażu.Przed wydaniem opinii Brussel obserwował pracowników wchodzących do tych instytucji i ich zachowanie podczas kontroli. Sprawdzał, jak można wychwycić osoby, które do tego obrazu nie pasują. W tym czasie najmodniejszym strojem urzędniczym była dwurzędówka. I dlatego profiler uznał, że sprawca – by pozostać niezauważonym – nosił się podobnie.

Skąd psycholog wiedział, że przestępca jest cudzoziemcem? Tutaj przydała się analiza językowa i merytoryczna listów wysyłanych do policji, w których sprawca posługiwał się sformułowaniami niepasującymi do żargonu amerykańskiego. Wskazywały na człowieka, który wprawdzie posługuje się językiem angielskim, lecz używa zwrotów typowych dla obcokrajowca. Kiedy Brussel już wiedział, że ma do czynienia z cudzoziemcem, przeanalizował specyficzne naleciałości dla każdej z nacji, które występowały w korespondencji. Lata pięćdziesiąte to masowa emigracja Irlandczyków do Stanów Zjednoczonych. Wniosek nasuwał się sam. Dlaczego psycholog dodał, że sprawca jest rudy? Tutaj także hipoteza nie opierała się na przypuszczeniach, lecz rachunku prawdopodobieństwa. Większość irlandzkich emigrantów miała rude włosy.

Kolejna kwestia – zamieszkiwanie z bratem lub siostrą. Brussel prześledził, jak cudzoziemcy aklimatyzują się w nowych warunkach. W tym czasie niemal każdy, kto przyjeżdżał do Ameryki, mieszkał u rodziny, która przybyła tu wcześniej i była dość dobrze zakotwiczona w społeczeństwie. Dlaczego akurat z bratem lub siostrą, a nie na przykład z matką? Otóż kontekst słowa „my" w listach Bombiarza wskazywał, że mówi o osobie równej mu wiekiem – czyli bracie lub siostrze tej samej narodowości.

Choć Brussel wskazał tylko kilka cech, jego profil był niezwykle dokładny. I każda wskazana cecha się potwierdziła. Trzeba jeszcze zaznaczyć, że psycholog nie wiedział nic o działaniach operacyjnych policji. Nie widział listy podejrzanych, nie rozmawiał o nich ze śledczymi. Mimo to stworzył profil, dzięki któremu w ciągu zaledwie trzech tygodni policjantom udało się zawęzić grono podejrzanych z ponad tysiąca osób do trzech. I wobec tej trójki podjęto stosowne działania. Do dziś profil ma właśnie takie znaczenie: zawęzić grono podejrzanych. To policja ma w swoich kartotekach dane osób związanych ze sprawą. Profil może ich z niej wykluczyć bądź potwierdzić ich udział w przestępstwie.

Portret Szalonego Bombiarza był wielkim przełomem w nauce profilowania. Ujawnił śledczym, że warto współpracować z psychologiem, który potrafi określić cechy znamienne dla potencjalnego sprawcy, bo ta wiedza pozwala dojść do tej konkretnej osoby.

Dusiciel z Bostonu

Kilka lat później ponownie zwrócono się o pomoc do Brussela. Od czerwca 1962 do stycznia 1964 roku na terenie Bostonu w podobny sposób zamordowano i zgwałcono trzynaście samotnie mieszkających kobiet. Przy tej sprawie pracował specjalny zespół bostońskiej policji. Zamówiono kilka opinii na temat przyczyn popełniania zbrodni, lecz jedyne, co udało się ustalić, to motyw – przestępstwa zostały dokonane na tle seksualnym.

Ofiary różniło wszystko. Kobiety miały od dziewiętnastu do osiemdziesięciu pięciu lat, nie były do siebie podobne. Tylko sposób zadania śmierci łączył te sprawy, dlatego też dziennikarze opisujący je w mediach nadali seryjnemu zabójcy przydomek „Dusiciela z Bostonu" (Boston Strangler).

By złapać przestępcę, powołano komitet medyczno-psychiatryczny, w którego skład wchodzili najznamienitsi psychiatrzy i psychologowie kliniczni. Początkowo składał się on z czternastu osób, w miarę postępowania prac ulegał zmniejszeniu. Brussel miał być w nim jedynie doradcą. Poszczególni członkowie komitetu analizowali informacje związane z funkcjonowaniem ofiar, próbowali przewidzieć, jaki będzie kolejny ruch sprawcy, skupiali się na jego pochodzeniu oraz związku z ofiarami. Wykonano również analizę prawdopodobnego przemieszczania się sprawcy.

Podstawowym zagadnieniem, nad którym zastanawiali się eksperci, było to, czy sprawca działa sam, czy też zabójców jest kilku. Morderstwa łączyła wyłącznie płeć ofiar. Poza tym każda zbrodnia została dokonana inaczej, a ofiary były w różnym wieku i miały odmienne życiorysy. Powołani psychologowie zakładali, że zabójców jest dwóch lub trzech. Tylko Brussel przekonywał, że mamy do czynienia z jednym człowiekiem, ponieważ każdej zbrodni dokonano w starannie wybranym miejscu.

Prace nad sprawą trwały około pół roku. W gronie ekspertów dochodziło do poważnych kłótni. Jeden z psychiatrów odszedł z komitetu śmiertelnie obrażony – nie był w stanie zaakceptować hipotezy Brussela, że zabójstw dokonuje ten sam człowiek.

Przygotowany przez psychiatrów i psychologów portret okazał się przydatny w typowaniu sprawcy i pokrywał się z opisanymi cechami. Brussel ustalił, że zabójca pochodzi z terenu, na którym dokonuje zbrodni – zna go bardzo dobrze, mieszka tu lub pracuje.

Jest po trzydziestce, żyje w związku małżeńskim, choć nie daje mu on satysfakcji. Ofiary wybiera w sposób przypadkowy, pod wpływem chwili. Przed podjęciem działań przez krótki czas je obserwuje. Wybiera mieszkające samotnie – to stanowi główne kryterium doboru. Eksperci określili rejon jego zamieszkania. Dalej sprawę przejęli śledczy.

Sprawcą okazał się Albert Henry DeSalvo urodzony trzeciego września 1931 roku. Przyznał się do zbrodni w 1965 roku (po prawie półtora roku od ostatniego morderstwa) podczas przesłuchania w związku z podejrzeniem o molestowanie seksualne. Nie udało się ustalić przyczyn rozpoczęcia serii zbrodni ani powodów rezygnacji mordercy z jej kontynuowania. Sam Dusiciel z Bostonu zeznał, że zrezygnował z zabijania, ponieważ purytańska żona stała się dla niego milsza. Pytany, dlaczego popełniał zabójstwa w weekendy, odpowiedział: „W soboty zawsze mogłem wyrwać się z domu, mówiąc żonie, że idę do pracy". Wyjaśnił także tajemnicę swojej nieuchwytności: „Nigdy nie miałem pojęcia, dokąd jadę. Nie wiedziałem, co zrobię i dlatego nigdy mnie nie przygwoździliście. Skoro ja nie miałem pojęcia, gdzie uderzę, to i wy nie mogliście tego przewidzieć". Niestety, DeSalvo nie udało się udowodnić przed sądem wszystkich zarzucanych czynów. Spędził osiem lat, aż do śmierci dwudziestego piątego listopada 1973 roku, w tymczasowym areszcie. Nigdy nie został postawiony w stan oskarżenia. Był to bodaj najdłuższy areszt w historii Stanów Zjednoczonych.

Quantico Center

Mimo wspomnianych sukcesów profilowanie do lat siedemdziesiątych było sporadyczne. Dopiero w 1978 roku Wydział Badań nad Zachowaniem Akademii FBI w Quantico wprowadził Program Profilowania Psychologicznego, stworzony przez Johna Douglasa i Roberta Resslera, agentów FBI. W ciągu dziesięciu lat przeprowadzili oni wywiady z osiemdziesięcioma sześcioma najbardziej niebezpiecznymi seryjnymi przestępcami osadzonymi w amerykańskich więzieniach oraz z trzydziestoma sześcioma, którzy popełnili zbrodnie na tle seksualnym. Wśród badanych byli: Charles Manson[1], Arthur Bremer[2], David Berkowitz[3], zwany Synem Sama, Ted Bundy[4] i inni. Douglas studiował ich życiorysy, sposób zabijania i motywy, jakie nimi kierowały. Wszystko po to, by stykając się z kolejną brutalną sprawą, wiedzieć, dlaczego dochodzi do zbrodni, i móc określić, kim

---

[1] Większość życia spędził w więzieniu, skazywany za drobne przestępstwa (kradzieże, wyłudzenia), a w 1970 na dożywocie za namawianie do morderstwa Sharon Tate. Nigdy nie udowodniono mu zabójstw.

[2] Niedoszły zabójca Richarda Nixona.

[3] Przyznał się do zabicia sześciu osób i ranienia kilku innych w Nowym Jorku. Pierwszego ataku dokonał w wigilię 1975. Do czasu aresztowania 10 sierpnia 1977 zabił 6 osób w wieku od 16 do 26 lat, za co został skazany na sześciokrotne dożywocie. Słyszał głosy, które kazały mu zabijać. Już jako dziecko bardzo podniecał się widokiem ciał wynoszonych z płonącego budynku. Często jako dziecko podkładał ogień. Opisywał swoją pierwszą udaną zbrodnię: „Dwie kobiety siedziały w samochodzie. Czułem, że muszę je dorwać. Strzeliłem przez szybę. Potem naciskałem spust, nawet po tym, jak skończyły się naboje. Nie mogłem oderwać oczu od rozpryskującej się szyby". Po dokonaniu morderstwa poszedł do domu i położył się do łóżka. Z telewizji dowiedział się, że zabił Donnę Laurie. Wyobrażał sobie potem, że zakochał się w Laurie i duchy zaaranżowały małżeństwo między nim a jej duszą.

[4] Teodor Bundy, niedoszły absolwent prawa. Czarujący z wyglądu. Zwabiał kobiety do samochodu. Żeby sprawiać wrażenie niegroźnej osoby, zawijał sobie ręce bandażem. Bił kobiety do nieprzytomności, gwałcił je, odgryzał im sutki, a potem zabijał. Zamordował 28 kobiet. Wpadł na przypadkowej kradzieży. Przypisuje mu się około 100 zabójstw. Przyznał się do 29, podczas procesu zrezygnował z pomocy adwokata i bronił się sam. Jego mowa końcowa zrobiła duże wrażenie na ławie przysięgłych. Wykonano na nim wyrok śmierci.

może być morderca. Tak powstał system profilowania osobowości nieznanych sprawców, stosowany do dziś na całym świecie.

Mistrzowie profilowania

W Quantico Center pracowali najlepsi amerykańscy psychologowie z wiedzą detektywów, a późniejsze sławy profilowania. Każdy z nich w czymś się specjalizował.

Robert Ressler

Emerytowany pułkownik FBI. Specjalizował się w analizie przestępstw brutalnych. Zapoczątkował funkcjonowanie katedry Centrum Analizy Przestępstw Brutalnych w Quantico (NCAVC – National Center Analisist Violent Criminal) i jest jednym z twórców metody profilowania nieznanych sprawców – VICAP – Violent Criminal Apprehension Program. Podstawą były rozmowy z zabójcami oraz analiza akt, co pozwalało na weryfikowanie wiarygodności relacji. Przesłuchania były prowadzone w sposób dokładny i analityczny. Jedna rozmowa trwała osiem do dziewięciu godzin. Potem weryfikowano uzyskane informacje, klasyfikowano je i wprowadzano do kwestionariusza. W 1984 roku została zbudowana baza danych oraz kwestionariusz liczący siedemdziesiąt stron. Stanowił on fundament nowoczesnego systemu profilowania. Ressler jest także jednym z twórców katedry na Uniwersytecie w Quantico, która zajmuje się kształceniem agentów policyjnych, zajmujących się tworzeniem profili.

John Douglas

Agent specjalny FBI, współautor książek i scenariuszy filmowych o profilowaniu, przez wiele lat pracował jako profiler. Podczas rozmów z najsłynniejszymi amerykańskimi zbrodniarzami kierował się zasadą: jeśli zrozumie się motyw, można rozwikłać tajemnicę zbrodni. Przekonywał, że każda zbrodnia ma motyw, a jeśli profilerowi uda się odkryć, co działo się w umyśle przestępców, którzy ją popełniali, będzie w stanie udzielić odpowiedzi na pytanie: kto zabił. Dzięki jego pomocy udało się ująć wielu najgroźniejszych przestępców w USA: „Szalonego Bombiarza", Davida Berkowitza, zwanego Synem Sama, snajpera-zamachowca Josepha Paula Franklina, który atakował czarnoskórych mieszkańców Stanów Zjednoczonych, Charlesa Josepha Whitmana, zwanego „Snajperem z wieży", zabójcę Gianniego Versacego, a także Jamesa Lewisa, którego media nazwały „Trucicielem z Chicago", ponieważ zatruwał na chybił trafił sprzedawane w supermarketach lekarstwa, i wielu innych.

David Canter

Profesor psychologii związany z Uniwersytetem w Liverpoolu, gdzie pracuje w katedrze psychologii behawioralnej i założyciel Instytutu Psychologii Śledczej w Huddersfield. Twórca profilowania geograficznego. Stworzył kwestionariusz, który jest używany i funkcjonuje w centralnej bazie danych behawioralnych, czyli związanych z zachowaniami sprawców o nazwie Pytia 4. Do dziś każdy prowadzący dochodzenie policjant w Stanach odpowiada na pytania ułożone w 1981 roku przez Cantera, choć oczywiście zmodyfikowane. Wpisuje między innymi: „sprawca układa ciała pod drzewami", „zostawia czerwone wstążki albo żółte kwiatki". Potem dane te trafiają do komputera i są dostępne w każdej jednostce policji. Amerykanie dysponują programem komputerowym, ułatwiającym profilowanie. Załóżmy, że policjanci pracują nad sprawą zabójstwa, w której sprawca skrępował ofiarę sznurkiem. Tego samego dnia, kiedy odkryli zwłoki, mogą sprawdzić w komputerze wszystkich zarejestrowanych w bazie komputerowej podejrzanych i skazanych, którzy wykazywali tego typu zachowania. Jeśli wpiszą dziesięć cech typu „wiąże ofiary sznurkiem", opiszą miejsca, w których sprawca działa, w jaki sposób pozostawia ofiary, jakie zadaje im rany, na ekranie wyskakuje określona lista podejrzanych. Komputer typuje potencjalnych sprawców, co bardzo ułatwia pracę policjantom i oszczędza czas. Ten system zaczął działać w Stanach Zjednoczonych w latach dziewięćdziesiątych ubiegłego wieku.

W ramach współpracy pomiędzy policjantami państw Unii Europejskiej funkcjonuje dziś system komputerowy VICLAS (Violent Crime Linkage Analysis System). Kolejne litery nazwy oznaczają V – brutalność, C – przestępstwo, L – powiązania, A – analiza, S – system.

Ułatwia on policjantom znajdowanie powiązań przestępczych w różnych sprawach. Kiedy policjanci mają do czynienia z brutalnym zabójstwem, wpisują do komputera podstawowe dane: gdzie dokonano zbrodni, w jaki sposób, jakiego użyto narzędzia, prawdopodobny motyw, jak pozostawiono miejsce zdarzenia itd. Specjalny program komputerowy wyszukuje podobieństwa w innych wprowadzonych wcześniej do systemu sprawach, a następnie wskazuje osoby w bazach policyjnych, które mogą być brane pod uwagę jako podejrzani. Można powiedzieć, że system komputerowy ułatwia pracę śledczym, a dzięki niemu profiler jest angażowany tylko do spraw niezwykle trudnych.

W 1996 roku Amerykanie zaproponowali udostępnienie podobnego programu komputerowego na potrzeby polskiej policji. Aby jednak nasi śledczy mogli z niego korzystać, trzeba wprowadzić do niego setki tysięcy danych, co wymaga czasu i nakładu środków.

ROZDZIAŁ II

PSYCHOLOGICZNY PORTRET NIEZNANEGO SPRAWCY (PROFIL)

TRUDNO UŁOŻYĆ UKŁADANKĘ, JEŚLI BRAKUJE W NIEJ ELEMENTÓW

Mapy mentalne – Jak wciągnął ją w swój psychologiczny rewir działania – Trupy pod osiką – Fotografowanie cebulkowe – Rytuały sprawcy – Gra w szachy z podejrzanym

Profil

To rodzaj krótkiej charakterystyki stworzonej na podstawie zostawionych przez zabójcę śladów behawioralnych, czyli śladów jego zachowania przed zbrodnią, w trakcie i po. Są one inne niż ślady typu odciski palców, pot czy włosy zostawione na miejscu zdarzenia. Załóżmy, że w pokoju, w którym dokonano zbrodni, panuje wielki nieład. Profilujący zastanawia się, które przedmioty mogły być porozrzucane jako pierwsze, a które potem, i stara się odpowiedzieć na pytanie, jak przebiegało spotkanie sprawcy z ofiarą.

Ślad behawioralny jest śladem indywidualnym, typowym tylko dla tej jednej poszukiwanej osoby. Jest także śladem dynamicznym. Co to znaczy? Na przykład, jeśli sprawca próbował zetrzeć swoje odciski palców z pistoletu lub zmył krew z noża, profiler z tych zachowań wywnioskuje wiele o cechach jego osobowości.

Profil wykonuje się, ponieważ:

- Znacznie ogranicza liczbę podejrzanych. Wobec kilku osób policjantom łatwiej prowadzić czynności operacyjne niż wobec setki czy tysiąca.
- Pozwala nadać właściwy kierunek śledztwu. Zdarza się dość często, że sprawcy pozorują motyw zbrodni. Chcą, by śledztwo poszło w zupełnie innym kierunku. Liczą na to, że śledczy będą penetrować inne środowisko niż to, w którym oni funkcjonują. Dzięki temu mają czas, żeby pozacierać ślady, upłynnić fanty (skradzione przedmioty),

załatwić sobie alibi i psychologicznie poradzić ze świadomością, że jest się zabójcą.
- Potwierdza lub nie motyw narzucający się w pierwszej chwili.
- Pozwala oszczędzić czas. Dzięki tej analizie policjanci nie podejmują niepotrzebnych działań. To ważne, bo prawdopodobieństwo wykrycia sprawcy jest największe w ciągu pierwszych 48 godzin po zdarzeniu.
- Pomaga zlokalizować miejsce zamieszkania lub miejsce pracy poszukiwanej osoby.
- Pomaga w identyfikacji indywidualnych cech sprawcy. W charakterystyce policjanci otrzymują informacje o przedziale wiekowym sprawcy, jego wykształceniu, wyglądzie zewnętrznym czy wzroście, bo profiler jest w stanie takie informacje podać.

Profil jest szczegółową analizą nieznanego sprawcy z psychologicznego punktu widzenia. W każdym portrecie policjanci otrzymują przeanalizowane pod kątem psychologicznym wszystkie zgromadzone dowody, argumenty, hipotezy i przesłanki, które wiążą się z poszukiwanym sprawcą. Nie ma żadnej innej analizy, gdzie w pigułce policjanci mieliby pełen obraz danych. Znajdą tam informacje, ilu było sprawców, jaki był motyw wiodący oraz szczegółową charakterystykę osobowości poszukiwanej osoby lub osób. Psycholog wskazuje w niej na najistotniejsze cechy sprawcy, rzadko spotykane i indywidualne w populacji, a czasami typowe tylko dla jednej poszukiwanej osoby. Na przykład w profilu jest zawarta informacja, że sprawca sprawnie posługuje się nożem, bo w swoim życiu trudnił się ubojem zwierząt. Jest to cecha niezwykle ograniczająca grupę podejrzanych. Ta informacja jest dużo bardziej istotna niż podanie, że osoba ta ma inteligencję przeciętną.

Profil jest istotnym elementem śledztwa, lecz wskazania profilera nie stanowią w nim dowodu.

Nauka o profilowaniu

Profilowanie ma własną metodologię, choć korzysta ze zdobyczy wielu innych dziedzin: wiktymologii[1], kryminalistyki[2], kryminologii[3] – zwłaszcza u tych sprawców, którzy pozostawiają na miejscu zbrodni kartę wizytową[4], jakby mówili: „Patrzcie, właśnie dlatego to zrobiłem". To nie jest oczywiście wizytówka: nazywam się Jan Kowalski oraz jego adres, telefon, e-mail. Choć i tak się zdarza. Kiedyś Bogdan Lach pracował nad sprawą, w której technicy zabezpieczyli na miejscu zbrodni dokument ze wszystkimi danymi pewnego mężczyzny. Było tam jego imię, nazwisko, data urodzenia, nawet lista przebytych chorób. I choć sprawca natrudził się, by ukryć ciało ofiary, wpadł w ręce organów ścigania, bo zgubił zaświadczenie lekarskie, w którym były wszystkie dotyczące go dane. Ale nic o takiej karcie wizytowej mowa.

---

[1] Wiedza o ofierze, trendach, rytuałach, tendencjach zachowań ofiary, miejscach zdarzeń, gdzie najczęściej ofiary były i są atakowane.

[2] Nauka o taktycznych zasadach i sposobach oraz o technicznych metodach i środkach rozpoznawania, a także wykrywania prawnie określonych ujemnych zjawisk społecznych, a w szczególności przestępstw i ich sprawców oraz udowadniania istnienia lub braku związku między osobami a zdarzeniami.

[3] Zajmuje się osobą sprawcy przestępstwa, przyczynami jego czynu i warunkami społecznymi, w jakich go dokonał. To nauka społeczna, zajmująca się badaniem i gromadzeniem całościowej wiedzy na temat przestępstwa jako pewnej szczególnej formy zachowania dewiacyjnego, przestępczości jako pewnego zjawiska społecznego, a także osoby sprawcy przestępstwa, jak również ofiary przestępstwa, a także instytucji i mechanizmów kontrolnych, jakie tworzą społeczeństwa w celu zapobiegania i zwalczania przestępczości.

[4] Swoisty rodzaj stałego zachowania przestępczego sprawcy.

„Wizytówkę", którą posługuje się sprawca, profiler opisuje na podstawie swojej wiedzy i zgromadzonych dowodów, które interpretuje na potrzeby śledztwa. Pewien seryjny morderca z Meksyku po zabójstwie układał ciała ofiar pod drzewami. Nie musiał tego robić, bo już wprowadził je w swój psychologiczny rewir działania, czyli miejsce bezpieczne z jego punktu widzenia – kojarzące się z jego miłymi wspomnieniami oraz oceniane przez niego jako wygodne do anonimowego działania. Z jakichś jednak przyczyn było to dla niego ważne, więc zadał sobie więcej trudu, choć ryzykował w ten sposób szybsze złapanie i zidentyfikowanie. To była niezwykle ciekawa informacja dla psychologa: „dlaczego miał w sobie taki wewnętrzny przymus?". Ani wybór drzewa, ani sposób pozostawiania zwłok nie były przypadkowe. Po pierwsze, sprawca czuł się najbezpieczniej na zadrzewionym terenie. Po drugie, gatunek drzewa był specjalnie dobrany. Sprawca przemieszczał i zostawiał ciała nie pod jakimkolwiek drzewem, tylko pod osiką. Profiler uznał, że przestępca musiał dużo wiedzieć o gatunkach drzew, bo osika rodzi owoce tylko rodzaju żeńskiego, a to z kolei symbolizowało uraz sprawcy do kobiet.

Zabójca okazał się leśnikiem. W lesie czuł się najbezpieczniej. Udowodniono mu trzy zbrodnie. Trwają czynności, by tego człowieka powiązać z innymi sprawami i doprowadzić do tego, by się przyznał. Sprawa jest w toku.

Profiler zawsze sprawdza dokładnie miejsce zdarzenia i poszukuje wszelkiego rodzaju informacji na jego temat. Sprawcy przestępstw nie działają na terenach, które są dla nich trudne i niebezpieczne. Przeciwnie. Zazwyczaj dokonują przestępstw w miejscach sobie znanych, które odzwierciedlają ich mapy mentalne. Każdy z nas je ma. Czy nie jest przypadkiem tak, że na piwo do ulubionej knajpy zawsze chodzimy tą samą drogą? Jest ona typowa jedynie dla tej jednej osoby: może spotkać na niej znajomych, może jest najkrótsza lub prowadzi przez takie miejsca, które budzą ciepłe uczucia, kojarzą się z miłymi wspomnieniami. Ta trasa zmienia się tylko pod wpływem wyjątkowych okoliczności. **Mapy mentalne** to powielane elementy naszego funkcjonowania w życiu, np. pokonywania odległości. Schematy działania, do których nie przywiązujemy wagi. Są tak głęboko w nas, że nie zastanawiamy się, dlaczego postępujemy w taki, a nie inny sposób. Są one względnie trwałe i rzadko ulegają zmianie. Na zasadzie przetartych szlaków.

Profiler korzysta rzecz jasna z kryminalistyki[1], ponieważ ta dziedzina gromadzi dowody. A kwestia zabezpieczenia śladów i umiejętnego ich czytania umożliwia powiązanie zabójcy ze zdarzeniem. Jeśli na jego miejscu zabezpieczono dowody: odciski palców sprawcy, ślady biologiczne, naskórek, czerwień wargowa – to mamy pewność, że one zwiążą go z tym zdarzeniem. I jeśli nie będzie potrafił w żaden racjonalny sposób wyjaśnić, jak się tam znalazły, nie uniknie odpowiedzialności. Wiele spraw nie zostało nigdy wykrytych, ponieważ dowody były nieczytelne lub nieumiejętnie zabezpieczone. Najtrudniejsze do wykrycia są sprawy, gdzie tych ewidentnych śladów nie ma. Zwłaszcza wtedy przydaje się psycholog śledczy, który przygotuje właściwą taktykę przesłuchania[2].

---

[1] Twórczo wykorzystuje osiągnięcia i metody innych dziedzin wiedzy (np. medycyny, chemii, fizyki), jak też tworzy własne; wymieńmy chociażby daktyloskopię, odorologię czy psychologię kryminalną.

[2] Opracowanie tematycznego planu przeprowadzenia przesłuchania, co pozwala na uzyskanie wyczerpujących informacji. Ponadto osoba przesłuchująca musi dobrze znać zgromadzony już w postępowaniu przygotowawczym materiał dowodowy, co z kolei może się przyczynić do łatwiejszej i pełniejszej weryfikacji przedstawianych informacji. Konieczne jest również zebranie odpowiednich i możliwie jak najpełniejszych informacji o samym podejrzanym. Istnieje również swoista kolejność zadawania pytań.

Psycholog w śledztwie

Psycholog zbiera informacje zupełnie inaczej niż policjanci. Aby wykonać analizę, musi bardzo dokładnie zapoznać się z aktami sprawy oraz osobiście zebrać informacje na temat ofiary, świadków i okoliczności zdarzenia.

Nadkomisarz Lach wspomina, że kilka lat temu odwiedził go kolega ze Stanów Zjednoczonych, też profiler. I właśnie tego wieczoru zamordowano taksówkarza. Lach musiał jechać do pracy, więc Amerykanin zaproponował, że pojedzie razem z nim. Kiedy dotarli na miejsce zdarzenia, okazało się, że sprawca po zabójstwie wywlókł zwłoki z auta i zostawił je obok. Amerykanin ukląkł przy ofierze i zadawał na głos pytania: „Kto ci to zrobił? Jak ci to zrobił? Dlaczego ci to zrobił?". Technicy zabezpieczający miejsce zbrodni obserwowali to z daleka i stukali się w głowę: „Zwariował facet, rozmawia z trupem". Ale Lach wiedział, że byli w błędzie. Jeśli profiler widzi brutalne zabójstwo, myśli o wielu rzeczach. Zobaczy jakiś porzucony przedmiot, specyficzne ułożenie ciała, coś mu przychodzi do głowy w związku z obrażeniami. Rejestruje wszystkie dane i zastanawia się nad ich kontekstem psychologicznym. Te pytania zadawane ofierze na głos służą tak zwanej systematyzacji danych. Nie można odpowiedzieć jednocześnie na wszystkie pytania, trzeba to zrobić w określonej kolejności. Trzeba usystematyzować pytania, które w wyniku przeżywanych emocji cisną się człowiekowi do głowy.

Policjanci, którzy byli wtedy przy zdarzeniu, nie wiedzieli, dlaczego i po co się tak robi. Nic dziwnego. Podczas oględzin każdy z członków ekipy śledczej ma zupełnie inny cel. Technik kryminalistyki myśli: „Co zrobić, żeby zabezpieczyć jak największą ilość śladów?". Prowadzący oględziny: „Co zrobić, żeby szybko złapać sprawcę? Kogo przeszukać, kogo będziemy brać pod uwagę?". A psycholog: „Jak to najlepiej opisać? Jak wyłonić cechy indywidualne sprawcy?". I dlatego na bieżąco systematyzuje zebrane informacje. Jakie tej zbrodni towarzyszyły mechanizmy psychologiczne? Jak te ślady z miejsca zdarzenia zinterpretować lub jeśli podjęto próbę ich zatarcia, z czego to wynikało? Próbuje wniknąć w umysł konkretnej osoby, by odpowiedzieć sobie na kluczowe pytanie: „Dlaczego sprawca zachował się w taki sposób?". Bo przecież mógł zachować się zupełnie inaczej. Mógł zabić daną osobę w domu położonym na pustkowiu – tam jego działanie byłoby bardziej anonimowe niż w parku, gdzie tej zbrodni dokonał.

Tym wszystkim ludziom, którzy spotykają się na miejscu zdarzenia, przyświecają zupełnie inne cele. W tym samym momencie każdy z nich myśli o czymś innym i inaczej zbiera materiał do sprawy. Po jakimś czasie z tych klocków powstaje interesująca budowla. Choć pozornie mogłoby się to wydawać niedorzeczne, każdy z nich ma inny pomysł na to, jak tę sprawę rozpracować. Każdy swoimi drogami zdąża do jednego celu – wykrycia sprawcy.

Analiza akt

Jeśli do sprawy jest powołany profiler, zanim ekspert zrobi jakikolwiek ruch, musi zapoznać się z całością akt sprawy. Nawet jeśli tę weryfikuje się ponownie[1], powinien wszystko analizować

---

[1] Jeśli sprawa była wcześniej umorzona, a teraz wznowiona, albo pojawia się kolejna ofiara – istnieje prawdopodobieństwo, że to sprawca seryjny albo nowe wątki w sprawie.

od początku, wziąć pod uwagę cały materiał, a nie tylko nowe aspekty. Zachowanie człowieka stanowi pewną ciągłość i jeśli pojawia się nowa informacja, zmienia się kontekst pozostałych danych.

Kiedyś policjanci poprosili Lacha o wykonanie portretu sprawcy zabójstwa, a trzy miesiące później – kilkadziesiąt metrów dalej – znaleziono w zagajniku siekierę. Wykonano badania i okazało się, że ślady biologiczne pasują do ofiary. Ustalono bezdyskusyjnie, że to sprawca ją tam pozostawił. W obliczu takiej wiedzy profiler już nie zakłada, że sprawca użył przedmiotu tępokrawędzistego, tylko dokładnie wie, jakiego – tej konkretnej siekiery. A ona sama, jej obuch i trzonek „mówią" profilerowi bardzo wiele: czy była używana i jak długo, czy też była nowa, a sprawca nabył ją w określonym celu? W tym wypadku zabójca wykorzystał siekierę, która była używana w gospodarstwie. To z kolei pozwoliło postawić hipotezę, że mieszka we wsi, w której się to stało. Dopiero kiedy psycholog znalazł jeszcze kilka innych cech sprawcy, wskazujących, że może on mieszkać w danej wsi, napisał profil.

Miejsce zdarzenia

Najważniejszą bazą informacji dla psychologa jest miejsce zbrodni, ponieważ odzwierciedla jego mapy mentalne. Czasem policjanci, czytając opinię, dziwią się: „Jak to? Napisane jest, że to dla niego miejsce bezpieczne, a przecież zaatakował w parku, po południu, kiedy w okolicy jest najwięcej ludzi. Była ogromna szansa, że zostanie odkryty". Wtedy psycholog odpowiada, że prawdopodobnie ten człowiek potrzebuje wzrostu adrenaliny, dodatkowych bodźców, stymulatorów, dzięki którym ostatnie blokady psychiczne puszczają i jest w stanie dokonać zbrodni.

Profiler patrzy na zdarzenie oczami sprawcy. I choćby większość ludzi uważała, że najlepszym miejscem na dokonanie zbrodni jest pustkowie, to zabójca może myśleć zupełnie inaczej. Wybór miejsca do ataku jest subiektywny. Wpływa nań indywidualne doświadczenie zabójcy, jego zdolności postrzegania oraz cel, jaki chce osiągnąć. Park jest miejscem niebezpiecznym z punktu widzenia policjanta, ale może nie być takim z perspektywy sprawcy.

Ponieważ profiler patrzy na miejsce zbrodni również oczami ofiary – zastanawia się, jak dane miejsce postrzegała ofiara. Odtwarza jej tok myślenia. Zabójcę i ofiarę łączy pewna komplementarność. Dlatego dopiero kiedy profiler zdobędzie wiedzę z obu stron – sprawcy i ofiary – może stworzyć miarodajną ekspertyzę.

Ideałem jest, by psycholog był osobiście na każdym „ciepłym" (zbrodni dokonano w niedalekiej przeszłości) miejscu zdarzenia. Czasem jednak jest to niemożliwe choćby ze względu na natłok dziejących się spraw. Na przykład w Komendzie Wojewódzkiej Policji w Katowicach jest tylko jeden profiler, tymczasem rocznie w województwie śląskim ma miejsce sto czterdzieści zbrodni. Z prostego wyliczenia wynika, że co drugi dzień profiler musiałby być na miejscu zabójstwa. To niewykonalne! Dlatego Bogdan Lach ustalił kryteria, według których policjanci powinni go wezwać na miejsce zdarzenia. Oto dwa z nich, dla przykładu:

- Jeśli na miejscu zbrodni są ewidentne ślady wskazujące na patologiczne działania sprawcy. Zadana duża ilość ran, czyli taka, która przekracza znacznie ich liczbę konieczną do pozbawienia ofiary życia. Miejsce i charakter obrażeń wskazują na zaburzenia psychiczne, np. wytrzewione zwłoki kobiety, ślady pastwienia się nad ciałem.
- Jeśli sprawca przemieścił ciało. Miejsce zbrodni jest inne niż miejsce odkrycia zwłok.

Dlaczego profiler powinien na własne oczy zobaczyć miejsce zbrodni?

W trudnych sprawach psycholog nie tylko musi obejrzeć sam miejsce zbrodni (nawet jeśli minął już jakiś czas od zdarzenia), ale także jego otoczenie. Musi wiedzieć, jak usytuowane jest mieszkanie ofiary w stosunku do miejsca zbrodni. W jaki sposób ofiara dotarła do tego miejsca, gdzie została zaatakowana? Po co wyszła lub jak to się stało, że wpuściła zabójcę do swojego domu? Tych informacji nie znajdzie w aktach, bo policjanci ich nie zbierają. Nie są im potrzebne do wykonywania dalszych czynności. Zresztą, nie mają na to czasu. Dla nich liczą się tylko „twarde dane": ślady biologiczne, daktyloskopijne, narzędzie zbrodni, DNA. Tylko to, co ma wartość procesową, a więc pozwoli na postawienie zarzutów podejrzanemu i udowodnienie winy oskarżonego przed sądem.

Profiler sam musi zadbać o zdobycie danych behawioralnych i tylko on może fragmenty układanki ułożyć w całość. Profiler, będąc osobiście na miejscu zdarzenia, bada umiejscowienie szpitali, jednostek wojskowych, zakładów karnych, ośrodków użyteczności publicznej i innych wielkich instytucji w pobliżu miejsca zbrodni. Wszystkie te informacje zaznacza na tzw. mapach okolicy. Zwraca szczególną uwagę na duże skupiska ludzi, które zapewniają sprawcy anonimowość działania. Zabójca chce się czuć jednym z kilkudziesięciu, kilkuset, bo to daje mu swoiste poczucie bezpieczeństwa. Dlatego psycholog ustala, jak daleko i w jakiej odległości znajdują się powyższe instytucje, ponieważ sprawca może pochodzić właśnie z tych miejsc. Na przykład wyszedł ze szpitala psychiatrycznego podczas remisji choroby, odbywa służbę wojskową lub siedzi w więzieniu, a kolejnych zbrodni dokonuje, będąc na przepustce.

Psycholog zbiera też informacje o innych czynach na danym terenie, bo zdarza się, że sprawca dokonywał do tej pory gwałtów, a w następnym przypadku na miejscu zdarzenia doszło do eskalacji agresji i ofiara nie przeżyła ataku.

Wiele spraw nigdy nie zostałoby wykrytych, gdyby profiler nie pojechał na miejsce zdarzenia. Pewnych okoliczności i szczegółów dotyczących okolicy nawet najzdolniejszy i obdarzony największą intuicją psycholog nie jest w stanie przewidzieć, jeśli ich nie zobaczy.

Kiedyś pracowałem nad sprawą zabójstwa, w której żaden ze świadków nic nie widział ani nie słyszał. Zdziwiło mnie to, więc pojechałem do tej miejscowości, mimo iż od zbrodni minęło już pół roku. Zbrodnia miała miejsce w zimę stulecia, kiedy po obu stronach drogi leżały dwumetrowe pryzmy śniegu. Zabójca wykorzystał je jako kamuflaż. Ten przypadek pokazujc, jak ważne jest zobaczenie na własne oczy okolicy. Nawet dzielnicowy nie zna swojego terenu na tyle dobrze, by opisać każdą dziurę.

Dokumentacja fotograficzna

Jeśli profiler nie może być na miejscu zdarzenia zaraz po zabójstwie, musi mu wystarczyć dokumentacja fotograficzna lub nagranie. To jest również istotne narzędzie do zbierania danych wiktymologicznych[1].

[1] Informacje na temat ofiary, sposobu jej funkcjonowania, rytuałów, zainteresowań, umiejętności, sposobu bycia, potrzeb.

Do niedawna normą była wyłącznie dokumentacja fotograficzna. Niezwykle rzadko rejestrowano oględziny na filmie, co dla psychologa jest bardzo pomocne w trakcie pracy nad portretem nieznanego sprawcy. Zdjęcie jest jedynie fragmentem rzeczywistości. Nie odzwierciedla kontekstu, w jakim ślad został pozostawiony. Powiedzmy, że mamy sfotografowaną puszkę po piwie, którą sprawca zostawił na miejscu zdarzenia. Mamy puszkę, ale nie mamy informacji, w jakiej odległości znajdowała się od ciała, w jakiej konfiguracji, czy niedaleko była droga, czy porzucił ją w zagajniku, czy była na odsłoniętym terenie, czy raczej ukryta. Taki ślad jest dla profilera trudny do interpretacji, bo nie można go z niczym powiązać.

Pamiętam, że do tej sprawy dostałem cały plik zdjęć. Nie tylko tej jednej puszki, ale też innych przedmiotów. Układałem je w różne konfiguracje, próbowałem z nich stworzyć obraz miejsca zbrodni, ale nie mogłem. Wciąż coś mi nie pasowało. W końcu idę do technika, pytam, czy coś tu nie gra, czy mi się tylko wydaje. A on na to: – Panie, ja od tej pory byłem na dziesięciu zdarzeniach. Co pan myśli, że ja pamiętam takie szczegóły? Żebym to ja wiedział, gdzie leżała jakaś puszka.

I to są istotne braki, które powodują, że profil może być obarczony błędem. Profiler działa, jakby układał puzzle. Trudno jest je ułożyć, jeśli brakuje poszczególnych elementów.

Dlatego, kiedy taka sytuacja się powtórzyła, Bogdan Lach przekonał komendanta śląskiej policji, żeby oględziny z miejsca zbrodni nagrywać kamerą. Ponadto wiedza, w jakim kontekście pozostawiono ślad, przydaje się nie tylko profilerowi, lecz także prowadzącemu dochodzenie, prokuratorowi, a potem sędziemu podczas procesu. Film można odtworzyć w każdym momencie, podczas gdy ludzka pamięć jest zawodna. Ludzie awansują, zmieniają stanowiska, a ich następcy, którzy dostają sprawę do prowadzenia, są pozbawieni najistotniejszych informacji.

Od tej pory w województwie śląskim z każdych oględzin zwłok powstaje film, który pozostaje w aktach. Policjanci, którzy pracują w komendach innych województw, a zwracali się o pomoc do śląskiego profilera, również zaczęli stosować tę technikę.

Drugą – nie mniej istotną – skarbnicą wiedzy są fotografie z nienaruszonego miejsca przestępstwa, wykonane metodą cebulkową. To metoda zapożyczona od agentów FBI. Technik kryminalistyki wykonuje plik zdjęć. Najpierw ofiara z daleka, w szerszym planie, a potem coraz bliżej, aż do istotnych szczegółów – kolejnych części garderoby, rozdartej bluzki czy dziury w rajstopach. Ten sposób fotografowania pozwala dostrzec, w jakim ładzie bądź nieładzie jest odzież ofiary oraz gdzie pozostawiono i zabezpieczono narzędzie zbrodni lub ślady biologiczne. Także to, jak sprawca pozostawił zwłoki – co dla psychologa jest niezwykle cenną informacją.

Oględziny na miejscu zbrodni są czynnością niepowtarzalną. Nie da się ich powtórzyć i jest to często jedyne źródło danych, jak doszło do odkrycia zwłok oraz jak ofiara wtedy wyglądała. Ten sposób fotografowania jest pomocny zwłaszcza w przypadku przestępstw dokonanych na otwartej przestrzeni.

Jeśli takie zdjęcia nie powstaną, za jakiś czas technik kryminalistyki, który był na miejscu zdarzenia i wykonywał te fotografie, nie będzie pamiętał szczegółów. Ciało trafia do prosektorium i już nigdy nie dowiemy się, czy ofiara miała podarte pończochy, czy ciosy zadawano, zadzierając ubranie, czy też nie. A może sprawca ubrał ofiarę po śmierci?

Mapa śmierci

Nawet jeśli dokumentacje fotograficzna i filmowa są wykonane na wysokim poziomie, profiler zawsze tworzy **mapę śmierci**. Zaznacza na niej, gdzie doszło do zbrodni (w kuchni, pokoju, na klatce schodowej, w piwnicy), gdzie znaleziono zwłoki ofiary, gdzie odnaleziono ślady sprawcy. Z takiej mapy odczytuje, czy atak nastąpił znienacka, czy sprawca zastraszał ofiarę, pastwił się nad nią, panował nad nią, czy ofiara powoli wchodziła w sytuację lękową, a może nagle znieruchomiała i przyjęła bierną postawę? Jaka była interakcja między sprawcą a ofiarą? Czy przebieg zbrodni był szybki, czy długi? Czy w innych pomieszczeniach są porozrzucane przedmioty, co by wskazywało na to, że ofiara np. uciekała. Czy ofiara podjęła jakąkolwiek obronę? Czy na miejscu zdarzenia zostały ślady biologiczne (włosy, ślina, sperma, fragmenty skóry za paznokciami).

Każda z wymienianych okoliczności pomaga udzielić odpowiedzi na pytanie, czy sprawca znał ofiarę, a jeśli tak – jaki był między nimi związek.

Profiler to nie wróżka i musi wskazać wiele przesłanek potwierdzających daną hipotezę. Każdą z nich poddaje weryfikacji. Dlatego oprócz mapy śmierci robi też **szkice miejsca zbrodni**, czyli zaznacza umiejscowienie przedmiotów wokół ofiary oraz zastanawia się nad ich znaczeniem. Głównym celem takich szkiców jest określenie, co działo się pomiędzy ofiarą a sprawcą. Jeśli w odległości dziewięćdziesięciu metrów od miejsca odkrycia zwłok znaleziono puszkę po piwie, dla psychologa jest ewidentne, że sprawca opuszczający miejsce zdarzenia był pod wpływem silnych emocji. Wypił piwo, ponieważ chciał zminimalizować stres. To bardzo ważny element, bo pozwala na indywidualną identyfikację sprawcy. W takiej sytuacji można też analizować markę piwa. Czy to rzadka marka, regionalna, ekskluzywna, czy też tania lub popularna w określonych kręgach bądź dostępna w pobliskim sklepie? Profiler zastanawia się, czy ofiara również piła z tej samej puszki. A może są na niej jakieś ślady? Miejsce porzucenia puszki może wskazywać także, w którym kierunku sprawca się oddalił. Z tej jednej puszki profiler „czyta" bardzo wiele.

Ofiara

Aby dobrze wykonać opinię, profiler powinien poznać osobowość ofiary. Ważna jest każda informacja: zwyczaje ofiary, jej nawyki, ambicje, marzenia. Tę wiedzę gromadzi sam. Bardzo rzadko takie dane są w aktach. Policjanci, jeśli w ogóle rozmawiają z rodzinami ofiar, zadają im głównie pytania dotyczące okoliczności poprzedzających zdarzenie. Bywa też i tak, że nie pozwalają bliskim na swobodną wypowiedź, nie przykładają wagi do ich emocji, do tego, co ci ludzie czują, myślą, w jakim są położeniu. Zbierają tylko fakty, które wiążą się bezpośrednio ze sprawą. Pozostałe informacje z ich perspektywy nie mają większego znaczenia dla śledztwa.

W efekcie wizerunek ofiary zawarty w aktach bywa zniekształcony lub go w ogóle nie ma, a w efekcie psycholog nie potrafi jej sobie wyobrazić, nie mówiąc o postawieniu hipotez, jak sprawca „wszedł w jej posiadanie", czy znał jej rytuały i przyzwyczajenia, dlaczego i w jakich okolicznościach zaatakował.

Dlatego zanim psycholog przystąpi do wykonania profilu, odwiedza rodzinę ofiary. Rozmowa z ludźmi, którzy w tragicznych okolicznościach stracili bliską osobę, jest niezwykle trudna i podobnie jak oględziny jest to czynność niepowtarzalna. Dlatego zanim profiler przystąpi do zbierania danych, skupia się na odczuciach bliskich, wrażeniach i emocjach, które wiążą się ze stratą. Takiego zainteresowania prawie nikt im nie daje. Prowadzących sprawę obchodzi wyłącznie szukanie zabójcy, a nie snucie rozważań jak czują się bliscy i jak wspominają ofiarę.

Ja także nie mam czasu na przeprowadzanie długoterminowych terapii, jednak przynajmniej w jakimś stopniu staram się im zapewnić to emocjonalne wsparcie. Czasem nasza rozmowa przeciąga się do kilku bądź kilkunastu godzin. To przynosi efekty nie tylko dla rodzin ofiar, ale i owocuje bardzo pozytywną współpracą w kwestii śledztwa. Działa tutaj reguła wzajemności[1]*: jeśli ja jestem do kogoś dobrze nastawiony, to temu komuś nie wypada traktować mnie źle.*

Choćby jednak rodzina była kopalnią informacji o ofierze, z punktu widzenia psychologa równie ważne jest zbieranie danych z różnych źródeł: sąsiadów, kolegów, dalszych znajomych. Psycholog potrzebuje całego spektrum informacji o ofierze, a nie ckliwych wspominek. Konieczne jest ustalenie obiektywnej wiedzy, jak dana osoba była postrzegana w różnych rodzajach kontaktów. Psycholog weryfikuje, na ile obraz ofiary różni się z punktu widzenia osób, które znały ją bliżej, a jak pobieżniej. Załóżmy, że mamy do czynienia z opinią rodziny, iż dziewczyna była niezwykle cnotliwa, nieśmiała, stroniła od mężczyzn. Z kolei jej dalsi znajomi mówią, że była to największa puszczalska w okolicy. Mamy tutaj do czynienia z olbrzymią rozbieżnością.

---

1 W psychologii społecznej zasada, którą kierują się ludzie. W skrócie mówi ona, że należy odwzajemniać się osobie, która coś dla nas zrobiła. Reguła ta jest bardzo silna i powszechna, nabywamy ją bardzo wcześnie w procesie socjalizacji.

Wtedy profiler zadaje sobie pytanie, czym spowodowane są tak odmienne opinie. Następnie powinien ustalić, gdzie leży prawda. Czy na przykład zamordowana kobieta nie zwabiła sprawcy do swojego życia poprzez swoje zachowanie? Jeżeli natomiast pojawiają się przesłanki, że jej losy były zwichrowane, to psycholog musi mieć pewność, że faktycznie tak było, a nie opierać się na plotkach.

Prowadziłem sprawę zamordowanej studentki z bardzo dobrej rodziny. Bliscy przekonywali, że nigdzie nie wychodziła, nie miała chłopaka. Tymczasem okazało się, że miała opinię „łatwej" i prawie wszyscy koledzy uprawiali z nią seks. Ktoś stwierdził, że jeśli nie odbyła trzech, czterech stosunków seksualnych tygodniowo, była zgryźliwa, nieprzyjemna i nie do życia. Jakie więc mamy dane? Właściwie dwie twarze tej samej osoby. Z jednej strony dbałość dziewczyny o swój nieskazitelny wizerunek w domu, z drugiej – seksualne wybryki, które starała się zachować w tajemnicy. Można z tego wyciągnąć wniosek, że seks i mężczyźni, z którymi go uprawiała, odgrywał znaczącą rolę w jej życiu. I być może właśnie w tej grupie osób należy poszukiwać sprawcy.

Na podstawie tak zdobytej wiedzy psycholog tworzy **portret wiktymologiczny**[1]. Znajdują się w nim informacje na temat osobowości, charakteru i stylu życia ofiary, stanu cywilnego, rodzaju i liczby przyjaciół, przeszłości kryminalnej. Psycholog sprawdza, czy w ostatnim czasie w życiu ofiary nie nastąpiły jakieś zmiany. Jest to niezwykle istotne, bo każda zmiana w naszym życiu z czegoś wynika i profiler powinien

[1] Swoista baza danych o zamordowanej osobie.

odpowiedzieć na pytanie, czy poszukiwany sprawca nie funkcjonuje jako osoba ważna dla ofiary. A może to właśnie on był bodźcem do zmiany?

Ustala także, czy przed śmiercią ofiary miały miejsce jakieś ważne zdarzenia: śmierć członka rodziny, rozwód, zwolnienie z pracy, porzucenie przez kochanka, przeprowadzka. Czy nastąpiły zmiany w dochodach, ruchy na kontach bankowych. Sprawdza, czy nie cierpiała na tzw. syndrom ofiary – zachowywała się tak, że była dla sprawcy „łatwym celem". Czy wreszcie ostatnio dużo schudła bądź przytyła. Wahania wagi są jedną z ważniejszych przesłanek, że ofiara mogła cierpieć na depresję, przeżywać stres etc., a to z kolei spowodowało, że stała się łatwym łupem, gdyż sprawca stwierdził, że chętnie i stosunkowo łatwo może wejść w jej „posiadanie".

Profiler stara się poznać historię zatrudnienia zamordowanej osoby, ponieważ sprawca może wywodzić się z tego środowiska. Ważne jest także, jakie ofiara ma wykształcenie, do jakich chodziła szkół, ponieważ zdarza się, że sprawca znał ją z dawnych lat, choćby z podstawówki. Ustala też, czym się przemieszczała. Jeździła autem czy środkami komunikacji miejskiej? Psycholog określa rodzaje barów, restauracji i ogólnie miejsc, do których chodziła, w których bywała. Jeśli na przykład stwierdza, że była widziana w barze „Narcyz", a rodzina zapewnia, że dziewczyna po barach nie chodziła, to jest to niezwykle istotna informacja. Zastanawia się: Dlaczego nagle zaczęła tam bywać? Szuka informacji: Z kim tam przesiadywała?

Oczywiście w **portrecie wiktymologicznym** nie może zabraknąć danych o wyglądzie i rozwoju fizycznym ofiary. Dlatego profiler zawsze prosi rodzinę o jej zdjęcia. Fotografia dostarcza kolejnych informacji. Istotne jest, czy osoba była atrakcyjna, jaki miała styl ubierania się, jak była postrzegana. Czy miała jakieś ułomności (np. kulała), bo jeśli została ofiarą przestępcy seksualnego, to właśnie ten fakt mógł zadecydować o tym, że wybrał ją spośród wielu potencjalnych osób. Człowiek, fotografując się, wybiera stosowne miejsca odzwierciedlające jego osobowość i sposób życia. Większość ludzi nie zrobiłaby sobie zdjęcia w garażu albo piwnicy czy z człowiekiem, który jest brudny. Raczej instynktownie szukamy przestrzeni jasnych, czystych, ale są ludzie, którym to nie przeszkadza. I to też stanowi cenną wskazówkę.

W aktach znajduje się wiele informacji na temat ofiary, które są zniekształcone, ponieważ w naszej kulturze funkcjonuje stereotyp, że o zmarłym nie mówi się źle. Jeśli osoba została zamordowana, nikt nie odważy się o niej powiedzieć ani jednego krytycznego słowa. Taka osoba niemal zawsze jest idealizowana. Tymczasem fotografie zrobione przed śmiercią ofiary pozwolą psychologowi wyobrazić sobie, jaką osobą była naprawdę. Profiler sam musi zebrać powyższe dane, choćby od zabójstwa minęło kilka dni czy nawet tygodni. Ogląda otoczenie ofiary, dowiaduje się, w jakich warunkach mieszkała, co było dla niej ważne, w jakiej okolicy funkcjonowała i z jakimi ludźmi się stykała. Ta wiedza pozwoli mu ustalić **rytuały**, czyli zachowania typowe dla tej konkretnej osoby. Są ludzie, którzy każdą wypowiedź zaczynają od „a więc", ktoś inny po wytarciu nosa zawsze składa chusteczkę lub codziennie rano kupuje dwie bułki na śniadanie. Każdy z nas coś takiego ma. Sprawca zawsze ukrywa się w tle pewnych wydarzeń z życia ofiary: wydarzeń, światopoglądu, sytuacji, relacji, czynności, które ofiara wykonywała. I trzeba to tło przybliżyć.

Zwłoki

Ofiary brutalnego zabójstwa zupełnie nie przypominają estetycznie wyglądających nieruchomych lalek, które pokazywane są na filmach kryminalnych. Jeśli na dodatek ofierze zadano wiele ciosów – a tak zdarza się najczęściej – nawet najzdolniejszy profiler nie wyczyta z miazgi mięsa nic o cechach osobowości zamordowanej osoby.

Bogdan Lach mawia, że ciało ofiary jest książką, którą trzeba umieć czytać. Charakter zadanych przez zabójcę ciosów, ich lokalizacja oraz kolejność zadawania mają istotne znaczenie w określaniu osobowości poszukiwanej osoby. Inaczej dokonują zabójstwa sprawcy, którymi kierują motywy ekonomiczne, seksualne, jeszcze inaczej, jeśli chodzi o pobudki urojeniowe czy zemstę. W każdym z tych przypadków rany mają inną lokalizację. Będzie to omawiane w dalszych rozdziałach książki.

Profiler stara się zgromadzić wszystkie informacje dotyczące śmierci danej osoby – co było bezpośrednią przyczyną zgonu, ile było obrażeń dodatkowych, jak długo ofiara umierała itd. Dlatego konieczna jest ścisła współpraca z medykami sądowymi. Oni odpowiadają na kluczowe pytania dotyczące zgonu.

Sprawca

W osiemdziesięciu procentach przypadków[1] ofiara nie jest przypadkowa, a nawet znała swojego zabójcę. Może kiedyś chodzili razem do szkoły, byli parą, mieli wspólnych znajomych.

---

[1] Badania IES oraz badania własne B. Lach.

Może to być człowiek, który zaczął interesować się ofiarą, bo mu się podobała, a został odrzucony. Może ją śledził, podglądał, próbował zdobyć informacje na temat jej życia i w jego fantazjach odgrywała ona wielką rolę. Ofiara zawsze jest powiązana ze sprawcą „w jakikolwiek sposób". Bardzo rzadko się zdarza, że jest dla zabójcy zupełnie obcą osobą.

Tak jednak było w przypadku Wampira z Zagłębia. Zamordował trzy kobiety. Atak zawsze następował znienacka w otwartej przestrzeni, w porze wieczorowonocnej[1]. Policjanci nie chcieli wierzyć, że dokonał tego jeden sprawca. Trudno było znaleźć wspólne cechy ofiar. Zaatakował dwudziestolatkę, kolejnym razem trzydziesto-, potem pięćdziesięciolatkę.

Wtedy im powiedziałem, że w jego zachowaniu jest pewien ***skrypt***[2]*, którym się posługuje i który jest dla niego ważny. Trzeba go jedynie odszukać. I rzeczywiście, kiedy go zatrzymano, okazało się, że atakował ofiary po burzliwych kłótniach z żoną. Wychodził z mieszkania pod nieznacznym wpływem alkoholu, w stanie silnego wzburzenia i szukał odreagowania. Wybierał ofiary, których postaci przypominały sylwetkę jego żony. Doszedłem do takiego wniosku, kiedy odkryłem, że każda z nich w dniu śmierci miała na sobie płaszcz. I jeśli ustawić je wszystkie w ciemności tyłem, zarys postaci widzianych z daleka jest bardzo podobny. Doszedłem do wniosku, że dla niego nie miało znaczenia, jak one wyglądały i ile miały lat. Sprawca patrzył na cień i jeśli ten*

---

[1] Zamordował trzy ofiary, atak następował znienacka w otwartej przestrzeni, w porze wieczorowonocnej. Patrz 1. sprawa – Motyw seksualny.
[2] Tendencja do ataku, charakteryzująca się wspólnymi cechami.

cień przypominał mu jego żonę, atakował. Były doskonałym podmiotem do agresji przemieszczonej[1]*; jak często określa się potocznie – wyżywał się na nich.*

W ustaleniu, kim jest sprawca zbrodni, bardzo ważną rolę odgrywa zbadanie ostatniej lokalizacji ofiary, czyli miejsca, gdzie po raz ostatni była widziana za życia. Być może właśnie tam została wprowadzona w psychologiczny rewir działania sprawcy[2]. Na przykład dziewczyna wychodzi ze znajomymi z baru. Żegna się z nimi na rozstaju dróg, do domu ma dwieście metrów i właśnie na tym odcinku zostaje zaatakowana. To bardzo ważny element. Świadczy o tym, że sprawca znał jej rytuały, sposób działania, miejsce zamieszkania i wiedział, o której godzinie będzie wracać. A to z kolei może oznaczać, że sprawca ją znał i to zdecydowanie zawęża grono podejrzanych.

Profiler musi zbadać ostatnie podróże ofiary przed śmiercią. Poznać miejsca, w których była w ostatnim czasie, bo tam sprawca mógł ją poznać. Jest nawet zapis matematyczny[3],

---

[1] Agresja przemieszczona – rodzaj zachowania, który jest skierowany na osoby i przedmioty niebędące przyczyną ani właściwym obiektem tych zachowań. W takiej sytuacji może ulec zniszczeniu np. przedmiot należący do osoby będącej źródłem agresji lub może być skrzywdzony ktoś w ogóle niezaangażowany w dane zachowanie, najczęściej będący kimś słabszym od agresora.

[2] Miejsce oceniane przez sprawcę jako bezpieczne, pozwalające mu pozostać anonimowym.

[3] Jeśli oś rzędnych stanowi ryzyko ofiary, a oś odciętych ryzyko działania sprawcy, to wszelkie dane wiktymologiczne, sytuacyjne i motywacyjne można umieścić na tym wykresie. Tak więc jeśli ofiara znalazła się w parku w późnych godzinach, miejsce to było jej słabo znane, ubrana w minispódniczkę oraz buty na wysokim obcasie i była pod nieznacznym wpływem alkoholu, to dane te gromadzić się będą w dolnym prawym obszarze wykresu. Analitykowi daje to informację dotyczącą obszaru skupiska zapisanych w ten sposób danych. Profiler, odpowiednio nazywając te dane oraz analizując takie skupienia danych, wyciąga na tej podstawie dodatkowe informacje.

z którego wynika, że jeśli ktoś dużo podróżuje, ryzyko, że zostanie ofiarą, wzrasta.

Taktyka przesłuchania

Jeśli policjanci chcą mieć rzetelnie wykonany profil, nie mogą zdradzać psychologowi żadnych informacji o osobach podejrzanych. Profiler jest tylko człowiekiem, a takie dane mają wielką siłę sugestii. Wystarczy, że mimochodem zostanie rzucone słowo na temat któregoś z podejrzanych, a profiler wykona portret tej osoby, a nie sprawcy. Lach zawsze zastrzega, by nie informować go o niczym do czasu stworzenia profilu.

Kiedy już portret powstanie i policjanci mają kilku podejrzanych, którym warto się przyjrzeć, psycholog może pomóc nie tylko w eliminowaniu podejrzanych, ale też w przygotowaniu indywidualnej taktyki przesłuchania, która powinna uwzględniać cechy danej osoby, umiejętności, poglądy i potrzeby.

Profiler musi wtedy przestudiować akta ponownie, lecz tym razem pod zupełnie innym kątem: Co podejrzany wniósł do sprawy, gdzie i kiedy występował, w jakim charakterze, co o nim wiemy, czy w ogóle jest z tą sprawą powiązany, jaka jest jego obecna sytuacja, jak wygląda jego życie rodzinne. Jeśli sprawa miała miejsce trzy lata temu, wszystko mogło się zmienić. W tym czasie sprawca mógł się ożenić, a jego żona spodziewa się dziecka, więc tym bardziej nie będzie leżało w jego interesie, by się do zbrodni przyznać. Profiler, przygotowując taktykę przesłuchania, musi podsunąć policjantom takie sposoby, by udało się dotrzeć do podejrzanego i nakłonić go do współpracy. W tym celu profiler stosuje **kotwice**, czyli sposoby na to, by sprawca przyznał się do popełnionego przestępstwa, a jednak miał poczucie, że wychodzi z całej sprawy z „godnością". Tylko dyletant nie skorzysta z wiedzy dotyczącej życia osoby podejrzanej, z którą będzie za chwilę rozmawiał. Znaczna część spraw trafia na półkę z niewykrytymi, ponieważ sprawca nie przyznał się do winy, a dowody były tak słabe, że nie pozwalały na postawienie go w stan oskarżenia.

Dla mnie rozmowa z osobą podejrzaną jest jak gra w szachy. Trzeba znaleźć jego słabe punkty, które pozbawią go jego koronnych figur – argumentów, zaprzeczeń, racjonalizacji i przemyśleń, dzięki którym może się bronić. Psycholog tak poprowadzi rozmowę, żeby uciąć jego zaprzeczenia, powiązać go ze sprawą, wykorzystując pewne elementy, i sprawić, by sprawca zechciał o tym porozmawiać. Niedorzecznością jest wyobrażanie sobie, że przesłuchanie odbywa się w stylu macho: dam mu mata w trzech ruchach – wtedy rozmowa dwóch ludzi sprowadza się do udowodnienia „czyja prawda jest lepsza". I, niestety, kończy się w momencie, kiedy przesłuchujący nie ma pytań.

– Przyznaje się pan?

– Nie, nie przyznaję się.

Dlatego „szyta na miarę" taktyka przesłuchania jest równie istotna jak profil.

Oczywiście wiele było takich przesłuchań, kiedy podejrzanego nie udało się złamać, jednak wiem, że trzeba pracować dalej, szukać argumentów do dalszej rozmowy, nowych przesłanek, uruchomić jeszcze mocniejsze działania operacyjne, a za miesiąc znów się z nim spotkać, tyle że dzięki nowym informacjom moja pozycja będzie dużo lepsza. Najdłużej przesłuchiwałem pewnego zabójcę – spotykałem się z nim cztery razy w ciągu czterech lat. Ostatecznie przyznał się nie tylko do ostatniego przestępstwa, ale i tych starych. Był bardzo zdziwiony, że pamiętam poprzednie rozmowy i tak wiele szczegółów z jego życia.

Profilowanie geograficzne

To się sprawdza nie tylko w Stanach Zjednoczonych, gdzie kraj jest rozległy a profilerzy pracują na zdjęciach lotniczych, ale i u nas. Niewątpliwie łatwiej wykonać profil geograficzny, jeśli mamy do czynienia z kilkoma przestępstwami popełnionymi przez tego samego sprawcę.

Każda zbrodnia jest zaznaczana na mapie, by zobaczyć, gdzie zabójca wybiera **strefę działania**[1] a gdzie może jest jego **strefa buforowa**[2]. Sprawca nigdy nie atakuje tam, gdzie mieszka i gdzie przebywa jego rodzina, ponieważ trudno mu zachować anonimowość i może być rozpoznany[3].

Jako **strefę działania** sprawca może wybrać miejsce, w którym kiedyś pracował, mieszkał, ale na pewno teraz już go tam nie ma. Zna teren, czuje się bezpiecznie i swobodnie, ale w tej chwili już nikt go tam nie rozpozna. I dlatego profilowanie geograficzne ma znaczenie przy sprawach dotyczących przestępstw seryjnych. Ten typ analizy przydaje się nie tylko

---

[1] Na tym terenie działa.

[2] Strefa, w której na pewno nie zaatakuje.

[3] Oczywiście nie bierzemy tutaj pod uwagę zabójstw dokonanych wskutek nieporozumień rodzinnych ani zabójstw popełnionych w melinach pijackich.

w przypadku seryjnych zabójstw, ale też kradzieży, podpaleń, gwałtów czy aktów pedofilii. Zawsze wtedy, gdy istnieje zagrożenie, że przestępca może uderzyć kolejny raz. I wtedy trzeba szukać przesłanek, dlaczego akurat to miejsce wybrał na swój **rewir działania** i spróbować określić, gdzie może zaatakować kolejny raz.

Układanka

Polski profiler najlepiej się sprawdzi w Polsce, a amerykański w Stanach Zjednoczonych. Dlaczego? Równie ważny jak wiedza naukowa jest dla niego zasób wiedzy na temat mentalności i wzorów kulturowych ludzi. Czasem szczegół typowy dla jednej grupy kulturowej może być błędnie zinterpretowany tylko dlatego, że psycholog nie zna kodu kulturowego danej społeczności. Nadkomisarz Lach wspomina, że w 2004 roku pojechał na międzynarodową konferencję psychologiczną.

W trakcie mojego wykładu nagle wstaje Amerykanin i pyta, czy ja się nie pomyliłem w obliczeniach, bo tej siekiery jakoś podejrzanie dużo mu wyszło. – Pewnie się panu przecinek przesunął, to musi być pomyłka – mówi. Wtedy wziąłem ich dane i pokazałem na część dotyczącą broni palnej. – A panu te dane się nie pomyliły? – zapytałem. I to jest właśnie przykład na to, jak ważne są uwarunkowania kulturowe i wiedza o tym w profilowaniu. Podejrzewam, że gdyby na nasz teren wpuścić amerykańskiego profilera, miałby problem w zrozumieniu wielu kwestii, bo psycholog śledczy nie tylko musi mieć wiedzę merytoryczną, ale też znać realia społeczne.

Tworzenie profilu jest żmudne, pracochłonne i wymaga precyzji. Przypomina układanie puzzli z kilkuset elementów. Nie można wciskać któregokolwiek na siłę, bo wszystko powinno do siebie idealnie pasować. Jeśli jednak profil jest wykonany dobrze, w pewnym momencie wszystkie elementy po prostu tworzą spójny obraz.

ROZDZIAŁ III

PROFILOWANIE W POLSCE

JEŚLI CHCESZ, BY COŚ BYŁO DOBRZE ZROBIONE, ZLEĆ TO OSOBIE BARDZO ZAJĘTEJ

Łowca i drapieżniki – Idźcie, on wam powróży
– Efekt śnieżnej kuli – Rozmowy z więźniami – Słona cena
– Francuz w ciemnogrodzie

Bezcenna baza

Badania nad sprawcami przestępstw FBI prowadzi od lat 60. dwudziestego wieku. Przekonano się, że wiedza na temat ich zachowań i funkcjonowania ułatwia poszukiwanie. To jak z myśliwym poszukującym konkretnego rodzaju zwierzyny – musi znać jej zwyczaje. Jeśli będzie szukał po omacku, z polowania nic nie wyjdzie, choćby chodził po lesie tygodniami.

Agenci FBI przez ostatnie czterdzieści lat gromadzą informacje dotyczące okoliczności popełnienia przestępstwa, katalogują wykryte i osądzone sprawy zabójstw, w tym także sprawców seryjnych gwałtów. Dzięki temu udało im się stworzyć bazy danych, które pozwalają na zawężanie kręgu podejrzanych bez konieczności angażowania w tym celu profilera. Gdyby w Polsce działała taka baza, wykrycie zabójcy byłoby dużo prostsze.

Przykład z realiów amerykańskich, gdzie prawo funkcjonuje inaczej niż w Polsce. Wczoraj w Koluszkach dokonano brutalnego zabójstwa. Tego samego wieczoru policjanci z prewencji zatrzymali pewnego Kowalskiego, który przekroczył prędkość i nie włączył świateł mijania. Sprawdzają jego dokumenty. Dostają informację: „Zainteresować się tym człowiekiem, wylegitymować!". Nie wiedzą dlaczego i w jakiej sprawie. Nie muszą tego wiedzieć ani znać się na profilowaniu. Centralna baza w komputerze informuje ich o wykonaniu wskazanych czynności. Dopiero kiedy aresztowany Kowalski trafi do właściwej jednostki pionu kryminalnego, okazuje się, że przed czterema laty był podejrzewany o popełnienie podobnego zabójstwa, jakie poprzedniego dnia zostało popełnione w Koluszkach. Przeciwko Kowalskiemu wciąż nie ma żadnych dowodów – nie można więc wysłać za nim listu gończego. Można jednak prowadzić działania operacyjne.

Niestety, jak na razie takie obrazki kojarzą nam się częściej z kadrem amerykańskiego filmu. W Polsce pierwsze portrety psychologiczne nieznanych sprawców powstawały w latach 80. ubiegłego wieku. Przygotowywali je profilerzy z zagranicy. Sprawę seryjnych zabójstw popełnianych na terenie Zagłębia czy Krakowa, które potem przypisano Zdzisławowi Marchwickiemu, profilował Keller z Austrii, a zabójcę, Karola Kota, ujęto między innymi dzięki pomocy Davida Cantera.

Polscy psychlogowie zajmują się tą dziedziną od lat dziewięćdziesiątych dwudziestego wieku.

Instytut Ekspertyz Sądowych w Krakowie

Najdłużej w Polsce, bo od prawie dwudziestu lat, portrety nieznanych sprawców wykonują psychologowie z Instytutu Ekspertyz Sądowych w Krakowie. Sposób pracy polskich naukowców różni się jednak od metod stosowanych przez amerykańskich czy brytyjskich profilerów. Instytut korzysta głównie z informacji zawartych w aktach. Psychologowie nie wyjeżdżają w teren, nie zbierają danych wiktymologicznych, nie tworzą szkiców zbrodni, nie analizują map mentalnych, nie profilują geograficznie. Do pracy nad sprawą można zaangażować eksperta IES tylko pod warunkiem, że jest ona na znacznym poziomie rozwoju. W dodatku czas oczekiwania na opinię wynosi kilka miesięcy lub jest dłuższy. Dlatego też – i słusznie – wielu polskich policjantów przez lata nie widziało sensu korzystania z usług takiego profilera po tak długim czasie. Z punktu widzenia śledczego cenna jest każda minuta. Tylko błyskawiczne działanie pozwala odkryć, kim jest przestępca, zebrać przeciwko niemu niezbite dowody i go zatrzymać. Praca krakowskiego IES ma natomiast wartość naukową. Przede wszystkim jest to zespół ludzi, a w zespole łatwiej jest profilować niż w pojedynkę. Najsłynniejszymi ekspertami Instytutu są: Teresa Jaśkiewicz-Obydzińska, Ewa Wach, Małgorzata Kowanetz i Maciej Szaszkiewicz. Psychologowie ci stworzyli także namiastkę polskiej bazy danych behawioralnych. Jest ona niekompletna, bo dotyczy tylko spraw analizowanych przez IES, ma jednak wartość naukową oraz spełnia funkcje popularyzatorskie metody. Instytut prowadzi szkolenia z profilowania dla policjantów, prokuratorów oraz psychologów.

Profiler praktyk

Jednym z pierwszych praktyków profilowania w polskiej policji jest nadkomisarz Bogdan Lach. Zaraz po skończeniu studiów psychologicznych podjął pracę w Areszcie Śledczym w Mysłowicach, a następnie Zakładzie Karnym w Wojkowicach. Już wtedy interesował się psychologią śledczą. Czytał mnóstwo na ten temat, szperał w bibliotekach, w zagranicznych antykwariatach zdobywał literaturę – głównie po angielsku, bo polskiej nie było wcale. W więzieniu pomagał pracownikom administracji, diagnozował, gdzie właściwie osadzić daną osobę, żeby nie doszło do konfliktów, tworzył indywidualne plany resocjalizacji i prognozował dalsze losy więźnia w ciągu najbliższych kilku miesięcy, a nawet lat. Wprowadził „popołudniowe dyżury psychologiczne", które stały się zaczątkiem do jego badań nad psychologią śledczą. Każdy osadzony mógł do niego przyjść, by „porozmawiać" i skazani często go odwiedzali. Niektórzy nie mogli sobie poradzić z obrazami zbrodni, z którymi musieli żyć. Inni chcieli zrozumieć swoje zachowanie lub zadośćuczynić osobom, na których dokonali brutalnych przestępstw. Jeszcze inni przychodzili, by się chwalić, szukali sławy lub oczekiwali odpowiedzi na pytanie: W jaki sposób policjanci wpadli na ich ślad. Liczyli, że psycholog im to wyjaśni. Byli także sprawcy zapomniani przez wszystkich, zepchnięci na margines społeczeństwa, dla których psycholog więzienny był jedyną osobą, która chciała ich wysłuchać. Zdarzali się wśród nich także degeneraci, którzy nie umieli poradzić sobie z popełnionym przestępstwem i już na wolności wskutek wyrzutów sumienia popadli w nałogi.

Niech mi pan pomoże – powiedział jeden z nich. – Niech pan coś zrobi z tymi koszmarami. Niech pan wyłączy ten telewizor w mojej głowie, bo mi się codziennie śni, że tańczę ze swoim dzielnicowym. Już nie mogę tego znieść.

W tamtym czasie nadkomisarz Lach miał do czynienia z całym przekrojem typów sprawców przestępstw brutalnych. Przez jego gabinet przewinęło się prawdopodobnie kilkaset osób. Żadna książka nie zastąpi tej wiedzy, którą w ciągu kilku lat zdobył psycholog.

Nie zawsze miałem czas z nimi konwersować. Ale kiedy przychodził oddziałowy i mówił, że jakiś niebezpieczny zabójca chce ze mną porozmawiać, zgadzałem się. Zdarzało się, że nawet zostawałem po godzinach. Kowalski zwykle najpierw mówił o swoich problemach rodzin-

nych, ekonomicznych, zdrowotnych i własnych potrzebach, a dopiero na koniec poruszaliśmy wątki związane z czynem, za który siedział. Nigdy się nie zdarzyło, żeby któryś przyszedł i powiedział w progu, że chciałby porozmawiać o zbrodni. Zawsze przychodzili z tematem zastępczym, a do zbrodni nawiązywali po czasie. Zauważyłem, że niemal wszyscy starają się przedstawić siebie w lepszym świetle. Miałem ich akta, a oni o tym wiedzieli. Mimo to zniekształcali przebieg zdarzenia oraz jego tło, jakby wstydzili się popełnionej zbrodni. Jest to jeden z mechanizmów psychologicznych – człowiek chce o tym opowiedzieć, wyrzucić z siebie, przeżyć katharsis, chce być zrozumiany i usprawiedliwiony. To przynajmniej na trochę daje mu poczucie spokoju, bo noszenie w sobie tych obrazów i wspomnień może powodować liczne problemy wewnętrzne, osłabienie odporności, a nawet doprowadzić do zapadania na różne choroby, także psychiczne.

Ze sprawcą zupełnie inaczej rozmawia się przed wyrokiem, a inaczej po nim. Wtedy wszystkie emocje opadają. Człowiek powoli godzi się na to, że spędzi w więzieniu jakiś czas. I o ile w trakcie śledztwa czy procesu trudno z takiego człowieka cokolwiek wyciągnąć, bo przecież on żył głównie nadzieją, że uniknie odpowiedzialności, to po wyroku ludzie ci wręcz potrzebują rozmowy.

Czasem okazywało się, że te osoby, które dokonały brutalnych czynów, ale nie miały zbyt mocno posuniętych zaburzeń osobowości, rozmawiały ze mną, aby poczuć pewnego rodzaju ulgę. W moim gabinecie czuli się bezpiecznie. Wiedzieli, że wszystko, o czym mówimy, pozostanie w tym pokoju, między nami. Ich proces się zakończył, nie mieli więc nic do stracenia. Czasem zastanawiałem się, jaki oni mają interes, by mi się do tego stopnia zwierzać. A oni byli z jednej strony przerażeni tym, co zrobili, a z drugiej zafascynowani. – Przecież zadałem sobie tyle trudu – stwierdzali.

Pamiętam, przychodzi raz do mnie taki jeden i mówi:

– Ja to byłem głupi. Dałem się złapać, bo byłem na targu, a chodzili za mną policjanci. Wiedziałem, że za mną chodzą, i mogłem uciec, ale wie pan, tam było błoto, a ja miałem nowe lakierki i nie chciałem się pobrudzić. Wtedy mnie przymknęli.

Od jego sprawy minęło pięć lat. Ten człowiek przyszedł do mnie i opowiedział swoją historię tylko dlatego, że nie dawało mu spokoju pytanie, jak policjanci wpadli na jego trop.

Rozmowy z więźniami stanowiły pierwsze doświadczenia Bogdana Lacha jako psychologa śledczego. Osadzeni w zakładach karnych sprawcy opowiadali mu szczegóły, których nawet śledczy nie znali: jak dokładnie przygotowali i dokonali zbrodni, dlaczego to zrobili, jakie motywy nimi kierowały. I choć niektórzy z nich nie zastanawiali się nad tym, co się stało, bo głównie szukali usprawiedliwienia swoich czynów, to dla psychologa zainteresowanego profilowaniem były to cenne dane.

Zacząłem to notować. Analizowałem ich mapy mentalne. Pytałem: Dlaczego poszedłeś tam, a nie w inne miejsce? Dlaczego wybrałeś tę ofiarę? Jak się do tego przygotowałeś? Co cię do tego popchnęło? I oni mi to szczerze uzasadniali. Wyjaśniali mi na przykład, że działali na tym terenie, bo dobrze go znali i czuli się bezpiecznie lub tłumaczyli, że znali swoje ofiary, więc było im łatwiej poznać ich rytuały. Wyjaśniali, że wybrali właśnie to miejsce na dokonanie zbrodni, bo inne nie dałoby takiej satysfakcji i gratyfikacji, jakiej się spodziewali.

Zauważyłem, że wielu z nich podczas rozmów ze mną jeszcze raz przeżywało te zdarzenia. Zwłaszcza sprawcy przestępstw seksualnych chcieli ponownie wejść w swoje fantazje. Rozmowy ze mną budziły wspomnienia, a to z kolei pozwalało im na wyzwolenie tych uczuć, którym ich tak bardzo brakowało. To też pozwoliło mi zdobyć wiele informacji na tematy: Czego sprawca seksualny potrzebuje po zatrzymaniu. Na co on się nastawia, co jest dla niego ważne, jak formułuje wypowiedzi, w jaki sposób nawiązuje relacje. Jak przygotowuje swoje alibi i linię obrony. A to są niezwykle istotne wskazówki, jak do niego trafić, żeby uzyskać wiedzę o miejscu ukrycia zwłok, a nawet przyznanie się do winy. Dziś wykorzystuję to, tworząc taktykę przesłuchania do konkretnej sprawy.

Wtedy też poszerzyłem swoją wiedzę na temat komplementarności: ofiara–sprawca. Gdzie i jak sprawcy poznają swoje ofiary? Jakie relacje ich łączą? Czy były to dla nich osoby obce czy bliskie i dlaczego zostały wybrane na ofiary? Wtedy nawet do głowy mi nie przyszło, żeby robić jakiś kwestionariusz. Nie miałem zielonego pojęcia, jak to funkcjonuje, bo w tym czasie nawet w Stanach Zjednoczonych nie było jeszcze kwestionariusza[1]. Starałem się jedynie tych sprawców zrozumieć i na ile mogłem – pomóc im. Prawdę mówiąc, gdyby wtedy ktoś mnie o to zapytał,

[1] System w 1994 roku jeszcze nie funkcjonował, prace nad nim zakończono dopiero w 1997 roku.

nie ośmieliłbym się przypuszczać, że za kilka lat będę profilował.

Pierwszy profil Lach napisał na zwyczajnej kartce papieru w kratkę, odręcznie. Zwrócił się do niego znajomy policjant, który wiedział, że więzienny wychowawca interesuje się tą tematyką. Opowiedział pokrótce, z jaką sprawą przychodzi, jakie ma wątpliwości, pomysły i czy psycholog nie zechciałby się w to zaangażować.

Powiedziałem, żeby dali mi na dwa dni akta sprawy oraz dokumentację fotograficzną, po czym napisałem im ze dwadzieścia zdań. Wtedy jeszcze nie miałem pomysłu, jak to ukształtować. Policjant podziękował i dopiero po jakimś czasie znów miałem z nim kontakt. Wtedy usłyszałem: „Kilka z tych rzeczy potwierdziło się stuprocentowo. Skąd żeś to wszystko wytrzasnął?". Zaznaczam, że byłem wtedy samoukiem. Nie szkoliłem się, nie miałem praktyki. Jedynie czytałem i rozmawiałem ze sprawcami. To były tylko przymiarki do profilowania. Wiedza i doświadczenie przychodzą z czasem. W moich pierwszych profilach popełniałem błędy. Dziś już bym ich nie zrobił. Ale wtedy nie miałem jeszcze tego doświadczenia, które mam dzisiaj. Zresztą, jak na tamte czasy sukcesem było, że ktoś poprosił mnie o wykonanie profilu, bo ludzie w policji dosyć sceptycznie podchodzili do tej metody.

Mniej więcej w tym samym czasie Lach zaczął wykonywać opinie psychologiczne dla sądu. Wkrótce potem zwolnił się z zakładu karnego i wstąpił do policji. Propozycja służby spadła na niego niespodziewanie. Poszedł, by porozmawiać z policjantami o sprawach, w których opiniował. Zobaczył go inspektor Jan Michna, ówczesny Komendant Wojewódzki Policji w Bielsku-

-Białej, który zapytał, czym się zajmuje, a po kilku minutach zadzwonił do szefa kadr. Potem były rozmowy o pracy i ustalenia, co dokładnie psycholog miałby robić w bielskiej komendzie. Po kilku latach awansował i został przeniesiony do komendy wojewódzkiej w Katowicach.

Wtedy uporczywie poszukiwałem źródeł, które pozwalały rozwijać wiedzę i mogły umożliwić spotkanie z osobami, które profilują na co dzień. Brałem udział w konferencjach i spotkaniach dotyczących zastosowania psychologii w śledztwie. Kontaktowałem się z agentami FBI z Quantico i innymi tego typu ekspertami z Europy. Kiedy dostałem pierwsze materiały i zobaczyłem, co i jak się tam robi, poczułem ukłucie zazdrości – to było niesamowite. Całej wiedzy zdobytej w Stanach nie da się zasymilować, bo w Polsce jest inna mentalność, system wartości i odmienny system funkcjonowania policji. Profiler powinien jeździć, obserwować i analizować, co się robi za granicą, choćby dlatego, żeby nie wyważać otwartych drzwi i ten system powoli budować na naszym gruncie.

Na początku lat dziewięćdziesiątych niektórzy policjanci uważali, że profilowanie to dziedzina pokrewna magii. Idźcie do niego, on wam wywróży – żartowali.

Wróżenie z fusów – tak myślą o profilowaniu ludzie, którzy nie dostaną konkretnych informacji. Kiedy zaczynałem swoją przygodę z profilowaniem, nie znalazłem w polskiej literaturze na ten temat żadnej publikacji. Nawet dziwiłem się, że to bardzo dziwne. Próbowałem sobie tłumaczyć, że byłby to instruktaż dla sprawcy, co może jeszcze zrobić, aby zbrodnia, którą planuje, była doskonalsza. Ale z drugiej strony byłem przekonany, że policjanci powinni dysponować taką wiedzą.

Dopiero na przełomie lat 1999/2000, kiedy dzięki profilerowi udało się zatrzymać kilku bardzo groźnych przestępców, zaczęto przekonywać się do profilowania i z czasem zaczęto uważać je za jedną z niewykorzystanych dotąd możliwości. Dziś mentalność policjantów z wydziałów kryminalnych bardzo się zmieniła. Kiedyś profil robiono w ostateczności, gdy już wszystkie „konwencjonalne" metody zostały wyczerpane i policjanci bezradnie rozkładali ręce. Dziś Lach dostaje telefony z prośbą o współpracę już tego samego dnia, kiedy popełniono przestępstwo. To oznacza, że udało się pokonać mit, iż profilowanie to szarlataneria. Zaczęły się także pojawiać nowe obszary w pracy pionu kryminalnego, w których można wykorzystać wiedzę psychologiczną: zaginięcia osób czy taktyki przesłuchania.

W 2000 roku Lach rozpoczął szkolenia z profilowania. Na konferencjach, warsztatach, kursach zdradzał tajniki nowej metody. Wtedy nie marzył jeszcze, że któregoś dnia będzie piastował stanowisko etatowego profilera. Pracował dla idei i cieszył się, że może pomóc śledczym. Jako szef sekcji psychologów ułożył plan roczny wykładów z profilowania.

Zakładałem, że może cztery, pięć jednostek w województwie śląskim zainteresuje się tym tematem. Jakież było moje zdziwienie, kiedy na trzydzieści dwie jednostki aż trzydzieści zamówiło szkolenia z profilowania! Nagle znalazłem się w kropce. Miałem mnóstwo roboty na swoim etacie, a tutaj takie zainteresowanie dziedziną, którą w sekcji tylko ja zgłębiam i nikt nie może mi pomóc ani mnie zastąpić. Ale skoro sam zaproponowałem takie szkolenia, musiałem je zrealizować.

Wykładał w szkole policyjnej w Szczytnie, Pile i wielu innych. Jeździł do pionów kryminalnych w województwie, występował na konferencjach krajowych i międzynarodowych, pisał artykuły do prasy policyjnej i naukowej. Swoją pracę doktorską poświęcił profilowaniu sprawców pedofilii. Funkcjonariusze zaczęli się tym interesować. Jedni z ciekawości, poznawczo. Inni przychodzili z konkretnymi sprawami – chcieli zobaczyć, w jaki sposób ta metoda może im pomóc w prowadzeniu śledztwa.

Adepci kursów wiedzą już, że profilowanie nie jest żadną szarlatanerią, lecz dziedziną nauki. Wykładowca przyjął zasadę, że szkoli policjantów na wykrytych sprawach, czyli jest materiał porównawczy i można zweryfikować trafność profilu. Twarde fakty i konkretne przykłady przekonują nawet najbardziej sceptycznie nastawionych funkcjonariuszy.

To nie zgaduj-zgadula. Wiem dzisiaj, że jak się policjantom pokaże filmy z miejsca zbrodni, opisze dokładnie konkretną sytuację, to zrozumieją, że z tego typu śladów można wyciągnąć określone informacje.

Potem nastąpił efekt śnieżnej kuli. Zaczął się etap zarzucania profilera robotą.

Jechałem na szkolenie i wracałem z kolejnymi zamówieniami na portrety. Pracowałem przy jednym seryjniaku, a tu ktoś mówi: Może byś pomógł przy poszukiwaniach zaginionych? Jeszcze inny: Potrzebujemy kogoś do pomocy przy trudnym przesłuchaniu. Tak rodziły się kolejne wątki mojej pracy. Nie tylko pisałem psychologiczne portrety, ale pomagałem w określaniu, czy zeznania świadków lub podejrzanych są wiarygodne, przygotowywałem taktykę przesłuchania, wzywano mnie, by stwierdzić, czy zgłoszona zbrodnia na pewno została popełniona[1].

Praktycznie po każdym wykładzie, szkoleniu policjanci przychodzili do profilera, aby zainteresować go swoimi sprawami.

Początkowo pomagałem, wspierałem. Ale zaczęło mi spływać tych spraw do diabła i trochę. Wiedziałem, że to jest błędne koło, bo wszystkim jednocześnie pomóc nie mogłem. Mam przecież własną pracę i rodzinę, której nie mogę zaniedbywać. Mój komendant zaproponował, abym przygotował do tej pracy nowych ludzi. Bardzo chętnie! Sądzę, że jeśli ktoś chce pracować w tej dziedzinie, znajdzie sobie jakąś niszę. Jednak muszę przestrzec ewentualnych chętnych – to nie tylko praca. Trudno być profilerem, jeśli się nie ma do tego przekonania. Bez całkowitego zaangażowania w sprawę nie da się zrobić ani jednego kroku, wykonać ani jednej czynności. Nie każdy nadaje się do tego typu pracy, choćby nawet bardzo chciał. Pamiętam, jak podczas jednego ze szkoleń zaczęliśmy od analizy miejsc zdarzeń. Pokazałem kilka drastycznych zdjęć i od razu dwie osoby wyszły z sali. Stwierdziły, że praca w tej dziedzinie przekracza ich siły psychiczne. Choć w zawodzie jestem już czternaście lat, mój pogląd na ten temat się nie zmienił: jeśli ktoś nie jest do tej pracy przygotowany psychicznie, to ja nie zrobię z niego

[1] Wspomniane działania wiążą się z określeniem tzw. wątpliwych motywów złożenia doniesienia czy też potwierdzenia lub wykluczenia wątpliwego kontekstu zawiadomienia o przestępstwie.

profilera. Choćby dlatego, że wykonując ją, można słono zapłacić. Ten typ eksperta ponosi ogromne koszty emocjonalne, ponieważ każda z tych spraw wyciska na nim piętno, choćby nie wiem jak psycholog się przed tym bronił.

Być może nadejdzie czas, że w Polsce w każdym województwie będzie przynajmniej jedna osoba zajmująca się tą specjalizacją. Tego zdania są nawet osoby na najwyższych szczeblach w policji. Pojawia się jednak kilka przeszkód. Pierwsza – brakuje psychologów zatrudnionych w policji, którzy podeszliby do profilowania z pasją. Druga – nie ma etatów dla młodych profilerów. Trzecia – komenda główna ma irracjonalne pomysły, jak choćby takie, żeby ci eksperci funkcjonowali w zespołach psychologów[1].

To nie jest dobre rozwiązanie. W policji jest tak, że jeśli ktoś pracuje w innej komórce, jest traktowany jak gość. A gościom nie przekazuje się wszystkich informacji, bo oni „nie siedzą w tej sprawie", są z zewnątrz. Potrzeba czasu i energii, by przebić się przez mur uprzedzeń i stereotypów, jakimi kierują się policjanci pracujący w służbach kryminalnych. Nie muszę wyjaśniać, że stworzenie profilu jest w takich okolicznościach bardzo trudne i już na starcie obarczone błędem.

Policjanci mogliby dużo skorzystać, gdyby funkcjonował system z prawdziwego zdarzenia, który umożliwia zawężenie kręgu podejrzanych. Oczywiście jest to narzędzie jedynie

[1] W każdej komendzie wojewódzkiej jest zespół psychologów, który w głównej mierze zajmuje się badaniami psychologicznymi kandydatów do służby w policji, pomocą policjantom po traumach, wydarzeniach nadzwyczajnych, pomocą ich rodzinom oraz podnoszeniem kompetencji psychologicznych.

wspomagające człowieka, bo przecież mózgu profilera komputer nie zastąpi. Z całą pewnością jednak bardzo ułatwiłoby to pracę, zwłaszcza jeśli chodzi o poszukiwania sprawców przestępstw seksualnych, pedofilii czy podpalaczy. Na razie w Polsce nie ma żadnego systemu i raczej nie zapowiada się, by nastąpiły jakieś zmiany, bo najpierw trzeba by było wdrożyć kwestionariusz, który byłby jednoznacznie interpretowany w całym kraju. Musiałby powstać specjalny system informatyczny i w końcu ktoś musiałby wpisać te wszystkie osoby do bazy, żeby w ogóle możliwe było wyszukiwanie.

Bogdan Lach przez czternaście lat pracy wykonał bardzo wiele portretów nieznanych sprawców, uczestniczył w setkach śledztw. Przygotowuje taktyki przesłuchań podejrzanych oraz występuje jako biegły sądowy. To bodaj jedyny w Polsce, zatrudniony na etacie profilera w wydziale kryminalnym policji, funkcjonariusz i ekspert, który może pracować w stylu amerykańskim – jest w samym centrum wydarzeń i na bieżąco służy pomocą śledczym. Jeździ na miejsca zbrodni, rozmawia z rodzinami ofiar i czynnie uczestniczy w śledztwach. Policjanci wiedzą, że przygotuje opinię w możliwie najkrótszym czasie. Zdarzało się, w wyjątkowych sytuacjach, że przygotował portret psychologiczny w jedną noc. Jest „oddelegowywany" do najtrudniejszych spraw prowadzonych przez wiele komend na terenie całego kraju, nie tylko Śląska. Zwykle bierze sprawy „świeże" (gdy jest najmniej danych) i wkracza do akcji od razu po zabójstwie. Potem wiele śladów się zaciera, a ekspertyza jest obarczona coraz większym błędem. Sprawca może już nie żyć, zmienić pracę, miejsce zamieszkania. Współpracuje jednak również z policyjnym Archiwum X, które zajmuje się wyłącznie „starymi sprawami".

Dla swoich potrzeb stworzył własną bazę danych behawioralnych. Obecnie znajduje się w niej ponad kilkaset przypadków, które badał jako profiler.

Francuz w ciemnogrodzie

Nadkomisarz Lach współpracuje z kolegami po fachu z całego świata: Amerykanami, Niemcami, Brytyjczykami, Hiszpanami, Meksykanami, Francuzami, a nawet Ukraińcami, Białorusinami i Czechami. Bo sławy w dziedzinie profilowania to nie tylko pracownicy FBI. A jak się okazało – w Polsce, jeśli chodzi o psychologię śledczą, wcale nie jest tak źle.

Ostatnio miałem spotkanie z Laurentem Monte, francuskim psychologiem śledczym, który zajmuje się podpisem sprawcy na miejscu zdarzenia, tak zwaną kartą wizytową. Niedawno przyjechał do Katowic, aby poprowadzić zajęcia. Był przekonany, że jest w ciemnogrodzie, że my nic o profilowaniu nie wiemy. Był niepocieszony, kiedy okazało się, że nie może prowadzić wykładu po francusku – według niego ten język powinien znać każdy. W końcu wykład odbył się po angielsku, a pod koniec profiler grzecznościowo zapytał, co my robimy. Tak się złożyło, że byliśmy świeżo po wykryciu sprawy Wampira z Zagłębia[1]*. Zacząłem mówić o ofiarach, potem pokazałem mu, w jaki sposób dotarliśmy do sprawcy. Monte najpierw tylko słuchał. W trakcie mojego wywodu wstał i zadał pytanie, czy może nagrywać. Kiwnąłem potakująco głową. Chwilę później zapytał, czy nie*

[1] Będziemy ją dokładnie opisywać w rozdziale o motywie seksualnym.

mógłbym mu dać tych wszystkich informacji w formie elektronicznej.

– Ale po co? – zapytałem. – Wszystkie dokumenty są po polsku...

– Nie szkodzi – machnął ręką. Kiedy już skończyłem, podszedł do mnie i (płynną angielszczyzną) zagaił: – Wiesz co, Bogdan... Mam dla ciebie propozycję. Ty przyjedziesz do Paryża i poprowadzisz u nas zajęcia z profilowania, a ja będę cię uczył francuskiego.

ROZDZIAŁ IV

ZAGADKA DLA CZYTELNIKA

SPOTKAJ SPRAWCĘ W JEGO OBRAZIE ŚWIATA

Piękna Ewa i śmierć – 300 podejrzanych – Znajdź motyw – Dlaczego zginęła?

Ewa Bełdowska pracowała w papierni. Dwudziestego siódmego października 1999 roku miała wrócić do domu około wpół do piątej nad ranem. Ponieważ o piątej jeszcze jej nie było, mąż zgłosił zaginięcie. Rozpoczęto poszukiwania. O siódmej rano znaleziono jej ciało na pryzmie odpadów drewnianych, w odległości stu metrów od budki dróżnika, z której w zastępstwie koleżanki przez ostatnie dwa dni nadzorowała wewnętrzną kolejkę. Zwłoki Ewy były częściowo obnażone. Gruby rozpinany sweter (założony na lewą stronę) był podciągnięty do góry, zasłaniał jej twarz. Biustonosz i majtki zerwane, spodnie ściągnięte do kostek. W niewielkiej odległości od miejsca zbrodni znaleziono porzuconą torebkę. Rafał Bełdowski rozpoznał ją jako własność żony. Z torebki nie zabrano dokumentów ani pieniędzy.

Zamordowana była przepiękną, dwudziestopięcioletnią kobietą. Należała do osób wyjątkowo atrakcyjnych nie tylko ze względu na urodę. Miała opinię osoby spokojnej, tolerancyjnej, skorej do pomocy. Dwa lata przed śmiercią wyszła za mąż, miała półtorarocznego synka. Cały wolny czas poświęcała rodzinie i dziecku. Należała do osób ostrożnych i mało odpornych na stres – pod jego wpływem zachowywała się nerwowo. Była raczej flegmatyczna, skłonna do melancholii i uległa, podporządkowywała się osobom silniejszym psychicznie. W sytuacjach konfliktowych nigdy nie krzyczała, nie używała wulgarnych słów.

Zamknięta w sobie, introwertyczna, wszędzie dopatrywała się niebezpieczeństwa. Panicznie bała się pająków. Jej przerażenie trwało, dopóki martwy pajęczak nie zniknął jej z oczu.

Papiernia, która zatrudniała Ewę, mieści się na obrzeżach Łomży. Kobieta pracowała jako dyspozytorka – obsługiwała przywóz drewna oraz wysyłkę do hurtowni produktu końcowego, czyli ryz papieru. Pracowała na zmiany, także nocami. Kiedy zachorowała jedna z dróżniczek obsługujących wewnętrzną kolejkę, Ewę przesunięto na jej stanowisko. Miała zastępować koleżankę przez tydzień. Po pierwszej przepracowanej nocy powiedziała mężowi, że trochę się boi tego miejsca, bo dyżurka znajduje się na uboczu i w nocy będzie tam całkiem sama. W dodatku po skończonej zmianie, około czwartej, musi wynieść w bezpieczne miejsce popiół z piecyka, którym jest ogrzewana budka. Jej lęk potęgował też fakt, że od pierwszych godzin w nowym miejscu ktoś pukał do jej okien. Powiedziała o tym nawet jednemu z kolegów pracujących w hali głównej. Nie wiedziała jednak, kto to robi.

Następnego dnia Ewa uspokoiła Rafała, mówiąc mu, że niedaleko jej budki jest hala, w której nawet nocą pracuje ponad dwieście osób. Liczyła, że w razie kłopotów któryś z pracowników przyjdzie jej z pomocą. „Poza tym w hali jest telefon i radiostacja, w każdej chwili mogę stamtąd zadzwonić" – zapewniała. Jej optymizm nie znalazł potwierdzenia kolejnej nocy.

Medyk sądowy stwierdził, że ofiara została uderzona ciężkim narzędziem. Ale to ją jedynie ogłuszyło. Prawdopodobnie wówczas sprawca ją zgwałcił. Po jakimś czasie kobieta się ocknęła i zapewne próbowała uciec. Wtedy zaczął ją dusić. Śmierć nastąpiła w wyniku uduszenia trzy godziny przed odnalezieniem ciała. Zabezpieczono spermę sprawcy oraz duży rozdzielacz elektryczny z rączką (służący do podłączania większej liczby przewodów) ze śladami krwi ofiary. Nikt nie miał wątpliwości, że to tym narzędziem została uderzona.

W papierni jest zatrudnionych ponad czterysta osób. Policjanci założyli, że jest mało prawdopodobne, by zbrodni dokonała kobieta. Wykluczono je więc z grona podejrzanych. Pozostało dwustu siedemdziesięciu pięciu mężczyzn, z czego stu osiemdziesięciu było tej nocy w pracy. Niestety, z powodów finansowych nie można było ich wszystkich zbadać na okoliczność pozostawionych śladów biologicznych. Trzeba było sięgnąć po inne metody.

Drogi Czytelniku, teraz spokojnie przeanalizuj wszystkie dane i spróbuj przygotować profil, który pomoże wskazać mordercę. Nie spiesz się. Zadanie nie jest łatwe. Jednak po przeczytaniu kilku kolejnych podrozdziałów, gdy poznasz metody działania profilera, jego tok myślenia, będzie dużo prościej. Powodzenia!

ROZDZIAŁ V

ZBRODNIE I ICH SPRAWCY

1

MOTYW SEKSUALNY

JEŚLI CHCESZ GO POZNAĆ, POZNAJ JEGO FANTAZJE

Obnażone zwłoki – Impuls do zbrodni – Defekt ofiary – Seksualny interwał – Jak martwy żuk – Widział tylko cień – Pamiątki i trofea – Interwał coraz krótszy – Niepozorni dziwacy

Wampir z Zagłębia

W okolicy akademików Wydziału Farmacji Śląskiej Akademii Medycznej w Sosnowcu znajduje się jeden z brzydszych skwerów w Polsce. Spory kawał nieużytków pomiędzy ulicami Ostrogórską a Ceglaną straszy wysokimi na ponad metr krzakami, niekoszoną trawą, dziko rosnącym zielskiem i pojedynczymi drzewami. Pełno tam śmieci i porzuconych butelek. Bezpośrednio przy skwerze nie stoją żadne budynki mieszkalne. Ludzie traktują go jako skrót z pobliskich bloków do ulicy, po której kursuje kilka linii autobusowych oraz tramwajowych. W dzień ten skwer jest po prostu szpetnym, zapuszczonym kawałkiem ziemi, po którym spacerują mieszkańcy miasta ze swoimi czworonożnymi pupilami, wieczorem zaś staje się krainą ciemności. Na jego terenie nie ma ani jednej latarni, panuje tam mrok. Z powodzeniem mógłby służyć za scenerię do amerykańskiego thrillera.

Dwudziestego czwartego października 2002 roku około godziny piętnastej trzydzieści na skwer wybrał się Bożydar Wojewódzki. Po kilku minutach jego pies zniknął w krzakach i nie odpowiadał na wołania. Ruszył więc jego śladem. Rozgarnął gęstwinę i zauważył, że pies obwąchuje podłużny kopczyk z trawy, niemal całkowicie pokryty podgniłymi liśćmi. Kiedy pies zaczął rozkopywać zbutwiałe szczątki roślin, z jednej strony osunęły się liście wraz z trawą. Wtedy Wojewódzki dostrzegł coś jaśniejszego. Podszedł bliżej. Były to ludzkie stopy.

Policjanci z miejscowej komendy przyjechali niezwłocznie i natychmiast zabezpieczyli miejsce odnalezienia zwłok. Znajdowały się one zaledwie dwadzieścia metrów od krawężnika jezdni ulicy Ostrogórskiej. Po przeciwnej stronie znajduje się Prosektorium Szpitala Miejskiego nr 1 w Sosnowcu. Droga ta łączy zaludnione osiedla przy ulicy Ostrogórskiej z centrum Sosnowca. Zaraz też na miejscu zdarzenia pojawił się prokurator. Technicy rozpoczęli zbieranie śladów. Było to bardzo utrudnione ze względu na stan rozkładu i zalarwienia ciała. Nie można było rozpoznać rysów twarzy, jednak niewątpliwie odkryto zwłoki kobiety.

Ofiara leżała na brzuchu. Płaszcz, bluzkę i stanik miała zadarte pod samą szyję. Spodnie były zsunięte do kostek, jedna nogawka zdjęta. Majtek nie znaleziono. W dziwnej pozycji leżał plecak ofiary – sprawca ułożył go tak, jakby chciał zakryć nim jej twarz. W plecaku policjanci znaleźli plik dokumentów z ofertą kursów komputerowych, kartę regionalnej kasy chorych, dwie fotografie jakiejś kobiety, zdjęcie dziecka, plik negatywów, obcinacz do paznokci, zegarek, bilet miesięczny, latarkę, rachunek za zakup adidasów oraz dowód osobisty na nazwisko Marzena Małkowska, zamieszkała w Sosnowcu. Miała dwadzieścia pięć lat. W okolicy zwłok nie ujawniono żadnych przedmiotów związanych ze zdarzeniem.

Na ciele dziewczyny nie stwierdzono ran ciętych, kłutych ani rąbanych. W chwili śmierci dziewczyna nie była pod wpływem alkoholu ani środków psychoaktywnych. Ze względu na zbyt zaawansowany rozkład ciała lekarz nie był w stanie podać przyczyny zgonu. Jako datę śmierci przyjęto dzień zaginięcia Marzeny, czyli dwudziestego trzeciego września 2002 roku.

Policjanci ustalili, że kobieta pracowała jako sprzedawczyni w jednym z supermarketów w Sosnowcu. Prawdopodobnie została zaatakowana, kiedy wracała do domu po nocnej zmianie. Jeszcze tej samej nocy jej matka zgłosiła zaginięcie córki.

Nie było wątpliwości, że zabójstwo miało charakter seksualny. Nie udało się wprawdzie ustalić, czy kobieta została zgwałcona, jednak sposób pozostawienia zwłok wskazywał, że mogło się tak stać. Sprawca nie zabrał z jej portfela pieniędzy, nie zerwał z szyi łańcuszka, zostawił złote kolczyki. Zginęła natomiast reklamówka z bochenkiem chleba i puszką piwa, którą dziewczyna miała ze sobą, gdy wychodziła z pracy. Policjanci przesłuchali wszystkich znajomych, rodzinę i kolegów Marzeny. Niestety, zeznania świadków o tragicznym wieczorze kończyły się w momencie jej wyjścia z supermarketu. Potem nikt nic nie widział, niczego nie słyszał.

Sprawę prowadzono prawie rok. Informowano o niej w programie 997, mediach ogólnopolskich i lokalnej prasie. Przesłuchano kilkaset osób. Nie zgłosił się nikt, kto naprowadziłby śledczych na trop zabójcy. W końcu sprawę trzeba było umorzyć ze względu na niewykrycie sprawcy.

W tamtym czasie byłem szefem psychologów w katowickiej komendzie policji. Profile wykonywałem po godzinach. Po zabójstwie Marzeny nikt nawet nie pomyślał, żeby wykonać portret psychologiczny nieznanego sprawcy. Zresztą niewielu policjantów wiedziało wówczas o tym, że istnieje ktoś taki jak psycholog śledczy. Dopiero kolejne sprawy, w których profil był pomocny w odnalezieniu przestępcy, stały się „reklamą" profilowania. Zacząłem jeździć po Polsce z wykładami dla policjantów i prokuratorów. Wiedza i „moda" na portret nieznanego sprawcy rodziła się powoli.

Minął rok. W środę piętnastego października 2003 roku Andrzej Wiśniewski z Sosnowca zgłosił zaginięcie swojej matki,

Krystyny. Powiedział, że około godziny dwudziestej pierwszej wraz z żoną odprowadzali ją do pracy. Rozstali się na rogu ulic Blachnickiego i Bora-Komorowskiego, bo Krystyna stwierdziła, że dalej pójdzie już sama. Około dwudziestej drugiej dziesięć zadzwoniła jej zmienniczka i zapytała, kiedy Krystyna będzie w fabryce. Andrzej już wtedy czuł, że zdarzyło się coś złego. Matka była osobą niezwykle sumienną i nie zdarzało jej się spóźniać... Wiśniewski natychmiast zmobilizował członków rodziny do intensywnych poszukiwań matki. Kiedy okazały się bezowocne, zawiadomiono policję. Oficer dyżurny wysłał na poszukiwania dwa piesze patrole i dwa radiowozy. Nie natrafiono na żaden ślad. Około pierwszej w nocy policjanci stwierdzili, że jest zbyt ciemno i z akcją poszukiwawczą należy poczekać do rana. Andrzej i kilku mężczyzn wznowili poszukiwania około godziny siódmej. Zaczęli od przeczesania zarośli w okolicy skrzyżowania, na którym syn zostawił matkę samą. Niecałą godzinę później zawiadomił policję, że znaleźli jej ciało.

Krystyna leżała u podnóża skarpy usytuowanej zaledwie pięć metrów od ulicy Blachnickiego, od dwupasmowej szosy odgradza ją jedynie pas dzikich jeżyn. Jest wysoka na około sześciu metrów, dość stroma i też porośnięta dzikimi krzewami. Zabójca musiał wciągnąć kobietę w zarośla, tam dokonać zbrodni i pozostawić martwą. Wiedział, że od strony ulicy ciało nie będzie widoczne. Zwłoki Krystyny były obnażone. Biustonosz, bluzka i płaszcz zadarte tak, że zakrywały jej twarz. Ofiara miała na szyi szalik, ale nie był związany w pętlę. Lewa ręka znajdowała się nad głową, prawa wyciągnięta wzdłuż ciała, nogi rozłożone. Kobieta została brutalnie zgwałcona. Na rękach i twarzy widniały zadrapania. Prawdopodobnie zabójca, odbywając stosunek od tyłu, zakrywał jej usta. Tak silnie zaciskał ręce na szyi ofiary, że skręcił jej kark.

Obok ciała leżały spódnica oraz nie do końca rozpięte kozaki. Pomiędzy nogami ofiary znajdowały się rajstopy z włożonymi w środek majtkami oraz podpaska. Krocze i uda były zabrudzone ciemnobrunatną substancją. Pod zwłokami policja zabezpieczyła kilka higienicznych chusteczek. Sześć metrów od ciała znaleziono torebkę, a w niej pieniądze i karty kredytowe. Na ręku Wiśniewska miała zegarek „Oskar", który wciąż mierzył czas. Nieopodal zwłok znaleziono puszkę po piwie marki Tyskie, ogryzek jabłka, torbę foliową. Tam też zabezpieczono ślad protektora obuwia. Według oceny rodziny sprawca zrabował tylko lnianą torbę z drewnianymi rączkami, w której Krystyna nosiła kanapki do pracy.

Prowadzący oględziny medyk sądowy stwierdził, że zgon nastąpił dziesięć do jedenastu godzin wcześniej, czyli krótko po rozstaniu z synem i synową.

Miesiąc później policjanci prowadzący dochodzenie zgłosili się z tą sprawą do Bogdana Lacha.

Stwierdziłem, że sprawca działa na tle seksualnym i że nie jest to jego pierwsza zbrodnia. Zauważyłem, że się rozwija. W niezwykle krótkim czasie wprowadził ofiarę w swój psychologiczny rewir. Od momentu rozstania z synem i synową do śmierci tej kobiety minęła niecała godzina. Sprawca działał więc szybko, precyzyjnie i skutecznie. Zapytałem, czy mieli już podobną sprawę wcześniej. Rok, dwa lata temu lub dawniej. Wtedy opowiedzieli mi o zabójstwie Marzeny Małkowskiej. Poprosiłem o akta także nierozwiązanej sprawy, ponieważ musiałem przeanalizować obydwa zabójstwa i porównać, czy nie ma w nich podobieństw, jeśli chodzi o modus operandi zabójcy. Planowałem sprawdzić, czy można znaleźć cechy wspólne w osobowościach ofiar i wyborze miejsc działania sprawcy.

Policja bardzo zdawkowo informowała media o tym zabójstwie. Ograniczono komunikaty prasowe do minimum, by nie wzbudzać niepotrzebnej paniki w mieście. Skutek był odwrotny. Im mniej ludzie wiedzieli, tym więcej tworzyli fantastycznych hipotez. W ciągu trzech miesięcy plotka o „wampirze z Zagłębia" grasującym po ciemnych skwerach, w okolicach wiaduktów i wyrobisk pokopalnianych urosła do niebotycznych rozmiarów. Opowiadano, że morderca działa pod osłoną nocy, atakuje kobiety przemieszczające się pieszo, gwałci je po śmierci i zabiera na pamiątkę fragmenty ciała. Policja dementowała plotki, jednak ludzie wymyślali ich coraz więcej. To bardzo utrudniało dochodzenie. Śledczy otrzymywali setki anonimowych telefonów, dziesiątki donosów, zgłosiło się kilkadziesiąt osób niezrównoważonych psychicznie lub pragnących zaistnieć w mediach. Do Sosnowca zjechali dziennikarze ze wszystkich stacji telewizyjnych, radiowych i przedstawiciele prasy ogólnopolskiej. W tym czasie profiler rozpoczął zbieranie danych wiktymologicznych, dotyczących obu zamordowanych kobiet.

Marzena Małkowska w chwili śmierci miała dwadzieścia-pięć lat. Była niewysoką, średniej budowy ciała brunetką. Mieszkała z matką oraz siostrą i jej chłopakiem. Matka Marzeny pracowała jako dozorczyni w prywatnej firmie, także nocą. Bywała więc w domu o różnych porach.

Marzena była ekspedientką, wcześniej zaś pracowała za granicą przy zbiorach owoców sezonowych. Jako osoba dość flegmatyczna, robiła to jednak powoli. Miała kłopot z organizacją pracy oraz małą podzielność uwagi. Z kilkoma zadaniami jednocześnie radziła sobie z trudem. Często zostawała po godzinach, by dokończyć rozpoczęte w ciągu dnia prace – sprzątała sklep, układała owoce, segregowała towar. Zwykle wybierała drugą zmianę. Kiedy któregoś dnia szefowa zaproponowała jej pierwszą, dziewczyna się rozpłakała. Tłumaczyła, że nie umiałaby pogodzić roli ekspedientki przy kasie z pilnowaniem sklepu i na przykład z przyjmowaniem i rozkładaniem towaru. Zawsze, gdy sobie nie radziła, reagowała płaczem i odmawiała wykonywania obowiązków.

Była rzetelna, bezkonfliktowa, uprzejma, punktualna i gotowa do pomocy (pomagała schorowanej sąsiadce w codziennych zakupach, sprzątaniu, gotowaniu). Ale była niemal całkowicie pozbawiona sprytu życiowego. Nie potrafiła dostosowywać się do nowych okoliczności. W trudnych sytuacjach stawała się nieudolna, otępiała i łatwa do manipulacji. Za to chętnie się podporządkowywała silniejszym i wykonywała polecenia „od–do". Prawie nigdy nie wychodziła z inicjatywą, nie podejmowała ryzyka. Zawsze informowała rodzinę, gdzie wychodzi i o której wróci. Każdego dnia chodziła tą samą drogą. Spotykała się tylko z bliskimi koleżankami. Spacerowała w pobliżu miejsca zamieszkania, nigdy po zapadnięciu zmroku czy sama. Ponieważ z pracy wracała zwykle o późnej porze, specjalnie nadkładała drogi – jeździła tramwajem do centrum miasta, tam przesiadała się na inny autobus, który zatrzymywał się blisko jej domu.

Spokojna, średnio zdolna, a jednak pracowita, systematyczna, poukładana domatorka – tak ocenili ją znajomi i sąsiedzi. Wszystko skrupulatnie planowała. Była oszczędna. Miała odłożone ponad dwa tysiące złotych na kurs komputerowy, który zamierzała ukończyć.

Sytuacja rodzinna Marzeny nie należała do najłatwiejszych. Niecałe trzy lata przed jej śmiercią rodzice się rozwiedli. Powodem były ciągłe awantury i alkoholizm ojca, który posuwał się do rękoczynów. Bił zarówno matkę, jak i córki. Spotykał się z innymi kobietami, nie łożył na utrzymanie rodziny. Ojciec był jej męskim antywzorem – dlatego dziewczyna nie wiązała się z nikim. Nie chciała mieć takiego życia jak jej matka.

Rodzina nie dawała dziewczynie poczucia bezpieczeństwa i wsparcia. Nawet z matką, z którą była bardzo związana emocjonalnie, rozmawiała niezwykle rzadko. Była skrajnie introwertyczna. Całkowite przeciwieństwo swojej siostry – towarzyskiej, niestroniącej od alkoholu, często zmieniającej partnerów seksualnych, która nawet weszła w konflikt z prawem. Po śmierci Marzeny policja nie znalazła ani jednej osoby, z którą dziewczyna byłaby blisko – chłopaka, przyjaciółki. Nawet siostra wiedziała o niej niewiele.

Marzena miała wielkie trudności z nawiązywaniem kontaktów, obawiała się krytyki, a tym bardziej szyderstw. Powodem tych lęków była między innymi jej choroba – zwiększona przepuszczalność naczyń krwionośnych, która przejawia się dużą podatnością na występowanie sińców i zaczerwienienia skóry. Miała z tego powodu wielkie kompleksy. Przez cały rok nosiła długie spodnie, nawet w lecie nie odkrywała ciała.

Pierwszy chłopak był jej jedynym. Jako siedemnastolatka zakochała się w nim i zaczęła uprawiać seks, ale on zdradził ją z jej przyjaciółką. Wtedy pojawił się u niej uraz do mężczyzn. Nowe relacje damsko-męskie nawiązywała z trudem. Każda kolejna próba tylko utwierdzała ją w przekonaniu, że mężczyźni mogą ją jedynie skrzywdzić. To powiększało jej i tak niską samoocenę oraz powodowało, że wpadała w „huśtawki emocjonalne", co objawia się łatwym przechodzeniem od śmiechu do płaczu.

Druga ofiara – Krystyna Wiśniewska – w chwili śmierci miała pięćdziesiąt trzy lata. Była niewysoka – sto pięćdziesiąt osiem centymetrów wzrostu, ważyła około sześćdziesięciu kilogramów. Pracowała jako stróż nocny w fabryce porcelany. Ukończyła zaledwie podstawówkę. Mieszkała w Sosnowcu ze starszym synem, Dariuszem. Młodszy, Dawid, wyprowadził się i założył własną rodzinę.

W 1987 roku jej mąż popełnił samobójstwo – skoczył z dziesiątego piętra bloku. Po jego śmierci Krystyna miała problemy wychowawcze – starszy syn zaczął pić, obracał się w środowisku przestępczym, trafił do więzienia. Kobieta ledwie wiązała koniec z końcem. Jej mieszkanie ciągle było zadłużone. Zaczęła brać kredyty, zaciągać pożyczki. Żeby je potem spłacić, brała następne. Spirala zadłużenia nakręcała się coraz bardziej, bo Krystyna nie potrafiła oszczędzać. Beztrosko wydawała pieniądze na ubrania i jedzenie, nie zważając na to, że zabraknie na opłaty. Nie była jednak w stanie się opanować – kiedy czuła się gorzej, natychmiast coś sobie kupowała. Największą wartością w jej życiu były markowe ubrania, słodycze, kosmetyki oraz biżuteria, które nabywała w ogromnych ilościach. W ten sposób rekompensowała sobie zły nastrój oraz samotność. Kiedy znalazła w sklepie buty, które się jej spodobały, nie zastanawiała się, czy stać ją na nie – po prostu brała kolejny kredyt. W chwili śmierci jej mieszkanie było zadłużone na ponad osiem tysięcy złotych. Miała również nieopłacone rachunki za telefony komórkowy i stacjonarny na kwotę tysiąca złotych. Ile pożyczyła od znajomych, nie udało się ustalić.

Krystyna miała młodszą siostrę, Renatę, i przyrodniego starszego brata z pierwszego małżeństwa jej matki. Gdy byli dziećmi, brat znęcał się nad nią psychicznie – zamykał ją w szafie, wyśmiewał w towarzystwie rówieśników, zabierał jej rzeczy, wyjadał słodycze. W dorosłym życiu Krystyna chłodno traktowała rodzinę. Nie organizowała świąt, nie zapraszała na urodziny, imieniny, nie obdarowywała nikogo prezentami ani nie składała życzeń. Nawet swoim dzieciom. Ostateczne zerwanie kontaktów z całą prawie rodziną nastąpiło, kiedy po śmierci męża wstąpiła do Świadków Jehowy.

Podczas jednego z kongresów zboru poznała Eugeniusza Sajewicza, w którym się bezgranicznie zakochała. Mężczyzna wiedział o tym, ale nie odwzajemniał jej uczuć. Wykorzystywał je, by kobietą manipulować. Młodszy syn próbował przekonać matkę, że z tego związku nic nie będzie. Wtedy Krystyna obrażała się i trzaskała drzwiami albo włączała na cały regulator telewizor, żeby zagłuszyć jego słowa. Była zapatrzona w kochanka i nie chciała słuchać, że jej wybranek spotyka się także z innymi kobietami. Prowadziła pamiętnik, w którym notowała swoje stany emocjonalne i opisywała każde zdarzenie mające związek z Eugeniuszem. Mimo że on nie żywił do Krystyny żadnych głębszych uczuć, przyjmował jej zaproszenia na kolacje, ona również go odwiedzała. Kobieta liczyła na to, że Eugeniusz zostanie jej mężem. On jednak wolał niezobowiązujący seksualny układ. Kiedy odmawiał przyjścia na spotkanie, szantażowała go, że się zabije. Swoją złość odreagowywała na bliskich. W końcu zaniepokojona rodzina Krystyny zainterweniowała u starszego zboru. Po jej śmierci Sajewicz zaprzeczał, że kiedykolwiek się spotykali. Twierdził, że nigdy nie zapraszał jej do swojego mieszkania. Tym samym stał się pierwszym podejrzanym w tej sprawie.

Na pierwszy rzut oka te kobiety różni wszystko: wygląd zewnętrzny, wiek, aspiracje zawodowe, sytuacja rodzinna. Jednak znalazłem cechy, które je łączą. Obie ofiary były niezwykle ostrożne, aż do przesady. Nie zawierały przypadkowych znajomości. Marzena potrafiła okrężną drogą wracać do domu, ponieważ wydawało jej się to bezpieczniejsze. Krystyna miała natręctwo – wciąż oglądała się za siebie, by sprawdzić, czy nikt jej nie śledzi. Obie miały nerwowe ruchy, sprawiały wrażenie zagubionych i niepewnych. Bliscy każdej z nich wskazywali na ogromne problemy w nawiązywaniu kontaktów z ludźmi. Były lękliwe, zamknięte w sobie. Nie umiały przystosować się do nowych okoliczności. W sytuacjach stresowych raczej pozostawały bierne. Obie idealnie „nadawały" się na ofiarę. W przypadku Krystyny Wiśniewskiej pojawiła się jeszcze jedna okoliczność – zaledwie dwa dni wcześniej zmarła jej matka. Kobieta bardzo to przeżywała. W znalezionej przy zwłokach torebce były pamiątki po niej – obrączka, zegarek oraz zdjęcie. To tragiczne wydarzenie musiało wywrzeć wpływ na jej mechanizmy obronne.

O ile w przypadku Marzeny było niewiele punktów zaczepienia, o tyle w sprawie Krystyny pojawiło się kilka ciekawych wątków, które musiałem zbadać. Chodziło między innymi o jej zadłużenie i skłonność do wydawania pieniędzy. Musiałem też przyjrzeć się ludziom ze zboru, zwłaszcza jej kochankowi, Eugeniuszowi Sajewiczowi. Pracę rozpocząłem od zbadania środowiska Świadków Jehowy. Chciałem poznać sposób funkcjonowania tych ludzi, cykl spotkań, mentalność. Po długiej i żmudnej analizie oraz rozmowach z różnymi osobami doszedłem do wniosku, że w tym otoczeniu raczej nie ma mężczyzny, który chciałby zabić Krystynę na tle seksualnym. Pozostał jednak do sprawdzenia Eugeniusz.

Wiedziałem, że robił jej nadzieje na związek, a potem się z tego wycofywał, a więc zachowywał się wobec niej nie fair. Wiedziałem też, że Krystyna była raczej pruderyjną osobą. Nie akceptowała wszystkich form współżycia seksualnego, nie rozmawiała na te tematy z najbliższymi, a kiedy erotyczne sceny pojawiały się na ekranie telewizora, natychmiast przełączała kanał. Jednocześnie dbała o swój wygląd, ubierała się prowokacyjnie, kupowała ubrania podkreślające sylwetkę. Zastanawiałem się, czy pomiędzy Krystyną a Eugeniuszem mogło dojść do jakiegoś spięcia na tym tle.

Zastanawiało mnie także miejsce dokonania obu zabójstw. Biegli potwierdzili, że sprawca dokonał tych zbrodni dokładnie tam, gdzie znaleziono ciała. Co ciekawe – oba miejsca były co prawda porośnięte roślinnością i rosły tam drzewa, ale znajdowały się tuż obok często uczęszczanych szlaków komunikacyjnych. Jak to możliwe, że przy drodze, którą poruszają się samochody (zabójstwo Krystyny), autobusy i tramwaje (zabójstwo Marzeny), gdzie są ścieżki rowerowe i sporo pieszych – nie znalazł się ani jeden świadek, który by cokolwiek widział albo słyszał?

I następna kwestia, która mnie nurtowała. Zabójstwo Krystyny zostało dokonane w bardzo krótkim czasie. O dwudziestej pierwszej trzydzieści syn pozostawił matkę na skrzyżowaniu, o dwudziestej drugiej trzydzieści rozpoczął jej poszukiwania na własną rękę, a pół godziny przed północą zgłosił jej zaginięcie. Po ujawnieniu zwłok

– niedługo po ósmej rano – stwierdzono, że kobieta została uduszona około jedenastu godzin wcześniej.

Pomyślałem wtedy, że sprawca musiał dobrze znać to miejsce. Mieszkał w pobliżu bądź pracował. Być może to miejsce znajduje się na jego szlaku komunikacyjnym. Około stu dwudziestu metrów dalej znajdował się kościół. Ponieważ wszystko rozegrało się w czasie najwyżej dwóch godzin, nie było wykluczone, że zabójca znał zwyczaje ofiary. I byłem prawie pewny, że sprawcę coś spłoszyło. Tylko dlatego pozostawił ciało Krystyny niemal na widoku. Inaczej ukryłby je, chociaż zamaskował liśćmi. Tak sprawcy seksualni czynią ze swoimi ofiarami, przynajmniej pierwszymi.

Rodzina podejrzewała Eugeniusza. Bardzo dokładnie rozważyłem więc, czy rzeczywiście mógłby on dokonać tej zbrodni. Znał rytuały kobiety, wiedział, że działając z zaskoczenia, spowoduje u niej mimowolny paraliż, a ponieważ ofiara dobrze go zna, przynajmniej początkowo nie będzie wołała pomocy. Po rozmowie z podejrzanym jedno mi nie pasowało – ten człowiek był raczej otyły, nalany. Typ leniwego, jowialnego faceta. Patrzyłem na jego ręce i stwierdziłem, że nie mógłby tak szybko zaciągnąć ofiary w krzaki, zgwałcić i skręcić karku. A poza tym, czy gdyby chciał ją zabić, wybierałby miejsce w samym centrum miasta? Bez problemu mógł ją wywieźć gdzieś dalej i nie podejmować ogromnego ryzyka, że zostanie przyłapany. Przecież ta kobieta bezgranicznie mu ufała, zrobiłaby wszystko, o cokolwiek by poprosił. Mógłby ją też bez trudu zamordować w domu, a potem ukryć zwłoki – sprawcy seksualni często tak postepują, bo dzięki temu zyskują czas na znalezienie sobie alibi. Liczą też oczywiście na to, że sprawa nigdy nie ujrzy światła dziennego. Poza tym, gdyby chodziło o seks – Eugeniusz mógł mieć Krystynę na zawołanie. Była w nim tak zakochana, że niemal w każdej chwili poszłaby z nim do łóżka. Jeśli więc to on miałby zabić, zrobiłby to tylko z powodu poczucia krzywdy i urazy lub zemsty. Ale wówczas obraz zbrodni wyglądałby zupełnie inaczej. Dokonana zostałaby w innych okolicznościach i w innym miejscu.

Po sposobie dokonania zabójstwa stwierdziłem, że sprawca jest dojrzałym człowiekiem, w wieku około czterdziestu lat. Zdążył już rozwinąć swoje chore fantazje. Dobór miejsca i sposób panowania nad ofiarą wskazywał, że to jest jego drugie, a nawet trzecie przestępstwo na tle seksualnym. Musiał już przed zbrodnią na Marzenie Małkowskiej dokonać brutalnego gwałtu. Zasugerowałem więc, by policjanci sprawdzili wszystkich mieszkańców Sosnowca, którzy zostali skazani za gwałty, odsiedzieli już wyrok i są na wolności. Ci bowiem, którzy byli w więzieniu, wiedzą, jakich błędów nie popełniać, by nie zostać ujętym.

Po dokładnym przeanalizowaniu miejsca zbrodni wysnułem wniosek, że sprawca ma wykształcenie zawodowe. Wprawdzie nie może się pochwalić jakimiś osiągnięciami, ale pracuje w swoim zawodzie – jest budowlańcem lub ślusarzem. Stwierdziłem to na podstawie sposobu zadania śmierci. Sprawca zarówno w jednym, jak i w drugim przypadku udusił ofiary. Gdy dusił Krystynę, złamał jej kark, a to oznacza, że ma niezwykle silne ręce. Wskazałem także, że jest to osoba niebudząca zaufania w swoim otoczeniu i może mieć problem z alkoholem (w niewielkiej odległości od miejsca zdarzenia znaleziono puszkę po piwie). W profilu napisałem także, że sprawca prawdopodobnie funkcjonuje w związku emocjonalnym, jednak jest to związek zaburzony. Gdyby mężczyzna był samotny, interwały, czyli odstępy między atakami, byłyby znacznie krótsze, a on atakował raz w roku. Na życie w związku wskazują też badania psychologiczne, dotyczące zabójców seryjnych. Oni zabijają po kłótniach z partnerką, do której żywią ambiwalentne uczucia – od miłości, po nienawiść. Jest ona jednak dla nich osobą niezwykle ważną. I to ona dominuje w związku. Zwróciłem również uwagę śledczych, że ta kobieta może wiedzieć lub domyślać się, jakie czyny popełnia jej partner.

Policjanci przeanalizowali wszystkie sprawy gwałcicieli w Sosnowcu w ciągu ostatnich kilku lat. Spośród setki wytypowanych tylko kilkunastu pasowało do profilu. Po szczegółowej selekcji – śledczy odrzucili między innymi tych, którzy ponownie trafili za kratki lub z innych przyczyn nie mogli być w pobliżu miejsca zdarzenia – zostało trzech podejrzanych. Wezwano nadkomisarza Lacha, by pomógł w przesłuchaniach.

Pierwszego od razu wyeliminowałem, ponieważ był bardzo niski i zbyt flegmatyczny. Drugi wprawdzie nadużywał alkoholu, był karany za gwałty, ale – co mnie zaniepokoiło – od razu chciał współpracować i odpowiadał szczegółowo na pytania. A ja byłem pewny, że sprawca przez pierwsze dwa dni będzie milczał i nie powie ani słowa. Zakładałem, że będzie bardzo zaskoczony, iż go namierzyliśmy, i zagra na zwłokę. Nie po to zadał sobie tyle trudu z ukryciem zwłok Marzeny, nie po to dbał o niepozostawianie śladów, żeby tak od razu iść na współpracę z policją. Spędziłem z nim pół dnia i w końcu powiedziałem, że według mnie to nie on. Jego zachowanie zupełnie mi nie pasowało. Trzeci na pewno miał coś na sumieniu, ale nie były to zbrodnie, nad którymi pracowaliśmy. Bał się, kłamał, próbował mnie przeciągnąć na swoją stronę, brał na litość. Kiedy go wypuścili, patrzyłem za nim – nigdy nie widziałem tak szczęśliwego człowieka. Po wyjściu za bramę skakał z radości. Dosłownie. Stąd pewność, że był w coś zamieszany.

Ostatecznie sprawa Krystyny trafiła na półkę – z innymi niewyjaśnionymi. Sprawca pozostał bezkarny na kolejne siedem miesięcy.

Osiemnastego kwietnia 2004 roku około godziny dwudziestej trzeciej Wioletta Siemion wracała z zajęć na uczelni. Jechała z Katowic tramwajem linii piętnaście w towarzystwie kolegów z grupy, którzy wysiedli w okolicy ulicy Sobieskiego w Sosnowcu i tam się rozdzielili. Wioletta postanowiła skrócić sobie drogę i ruszyła „dzikim przejściem" przez tory kolejowe. Dzięki temu oszczędzała około czterdziestu minut. Chodziła tamtędy bardzo często, podobnie jak jej sąsiedzi. Od lat nikomu się tu nic nie stało. Zresztą Wioletta nie należała do osób bojaźliwych. Kiedy dotarła do torów, zatrzymała się, ponieważ nadjeżdżał pociąg. Czekając, aż przejedzie, odwróciła się, by sprawdzić, czy znajomi już odeszli. Wtedy kątem oka po drugiej stronie torów spostrzegła przykucniętą sylwetkę. Kiedy pociąg przejechał, zobaczyła zbliżającego się do niej mężczyznę. Była pewna, że to ten sam człowiek, który przed chwilą starał się ukryć. Teraz był już bardzo blisko, mogła mu się przyjrzeć. Poprosił o ogień. Odpowiedziała, że nie ma zapalniczki. Wtedy chwycił ją za szyję i pociągnął w dół. Upadła do rowu poniżej nasypu kolejowego. Przewrócił ją na plecy. Prosiła, żeby ją zostawił, potem zaczęła wyrywać się i krzyczeć. Napastnik jedną dłonią zakrył dziewczynie usta i nos, tak że nie była w stanie oddychać, drugą rozpinał jej spodnie. Zerwał z niej majtki. Wiedziała, że znajduje się w miejscu, gdzie nikt jej nie zobaczy, nawet gdyby przechodził tuż obok. Próbowała się bronić, ale wtedy mężczyzna dusił jeszcze mocniej. Postanowiła się poddać, praktycznie się nie ruszała. Wtedy on chwycił jej plecak, położył go na jej twarzy, a potem zaczął z niego coś wyjmować. Po chwili poczuła, że do pochwy i odbytu wciska jej różne przedmioty. Pozostała bezwładna, symulując martwą. Modliła się i czekała, aż sobie pójdzie i ją zostawi. Była pewna, że sprawca chce ją zabić, bo uspokoił się dopiero wtedy, kiedy przestała się poruszać. Nagle podciągnął jej bluzkę i zaczął gładzić po piersiach, szepcząc „cichutko, już dobrze". Miała zamknięte oczy, jednak słyszała, że znów wyciąga coś z jej plecaka. Czuła, jak ściąga z jej palców pierścionki. Kiedy odszedł, jeszcze przez długi czas leżała nieruchomo. Dopiero, kiedy była pewna, że w pobliżu nikogo nie ma, otworzyła oczy. Potem wyjęła wszystkie przedmioty z pochwy i dezodorant z odbytu. Sprawdziła plecak – gwałciciel zabrał komórkę oraz czterdzieści złotych z portfela. Spróbowała wstać. Wreszcie, zataczając się, ruszyła w kierunku domu. Po drodze spotkała dwóch mężczyzn, którzy odprowadzili ją aż do mieszkania, wezwali pogotowie i policję. Wszystko trwało około pół godziny.

Wioletta w chwili zdarzenia miała zaledwie dwadzieścia lat. Mieszkała z rodzicami i siostrą, z którą była bardzo związana – zwierzała się jej, prosiła o radę. Łatwo nawiązywała kontakty. Jako osoba towarzyska, bardzo lubiana, miała duże grono znajomych. Studiowała architekturę. Zaradna życiowo. Często pracowała jako ankieterka lub hostessa przy promocji produktów w supermarketach. Nie miała wtedy stałego partnera ani z nikim się nie spotykała.

Dziewczyna przeżyła tylko dlatego, że udawała martwą. Takie zachowanie świadczy o jej sprycie życiowym oraz umiejętności dostosowania się do okoliczności. Już na pierwszy rzut oka było widać, że jest zupełnie inna niż poprzednie ofiary. Ma ponadprzeciętną zdolność postrzegania. Sprawca zaatakował ją z zaskoczenia, działał z dużą siłą, której drobna kobieta nie była w stanie się przeciwstawić. Wybrała intuicyjnie wyjście, które uratowało jej życie. Chociaż z natury w trudnych momentach podejmuje czynną obronę, w tym przypadku zachowała się elastycznie i dostosowała swoje zachowanie do sytuacji. Należy do osób ostrożnych – kiedy musi wracać późno do domu, zostaje w wynajętym pokoju, w akademiku.

W tych trzech sprawach zauważyłem wiele cech wspólnych. Sprawca działał z zaskoczenia. Wykorzystywał swoją przewagę siłową. Zakrywał twarz plecakiem lub torbą. Używał w trakcie czynu reprezentantów – prawdopodobnie nie mógł osiągnąć wzwodu. Wszystkie ofiary były średniego wzrostu, miały drobną budowę ciała. Były szczupłe, miały długie włosy. Co prawda Marzena była ciemną blondynką, Krystyna miała włosy rude, a Wioletta farbowała się na czarno – ale według mnie dla sprawcy nie miało to znaczenia, atakował przecież wieczorem, kiedy kolory można podzielić jedynie na jasne lub ciemne. Nie sądziłem też, by jakiekolwiek znaczenie odgrywał wiek kobiet. Ofiary nie miały styczności z marginesem społecznym. Wszystkie były samotne, nie funk-

cjonowały w związkach. Każda z nich poruszała się późnym wieczorem, w pojedynkę. Można powiedzieć, że wszystkie znalazły się w nieodpowiednim czasie i w nieodpowiednim miejscu. Zdarzenia miały miejsce o tej samej porze – pomiędzy dwudziestą pierwszą trzydzieści a dwudziestą trzecią trzydzieści. Prawdopodobnie wszystkie ofiary sprawca personalizował – krótko z nimi rozmawiał, aby w bezpieczny sposób się do nich zbliżyć.

Ale były też elementy, które bardzo różniły te kobiety. Dwie pierwsze postrzegały mężczyzn negatywnie. Trzecia nie. Te, które zginęły, były zamknięte w sobie, miały ogromne problemy emocjonalne i niskie poczucie własnej wartości. Tę, która przeżyła, cechowała wysoka samoocena.

Mimo różnic byłem pewien, że dobór ofiar nie był przypadkowy. Podejrzewałem, że najistotniejszy czynnik wyzwalający agresję u sprawcy, to kłótnie z żoną oraz samotne picie alkoholu, pod którego wpływem znikały bariery psychologiczne. Moim zdaniem, wybierał ofiary z wyglądu podobne do żony – w ten sposób wyładowywał nagromadzone napięcia i emocje. Zauważyłem, że każda z nich w chwili zdarzenia miała na sobie jesienny płaszcz. W ciemności, od tyłu, mogły wyglądać niemal jednakowo. Czułem, że sprawca dobiera ofiary na podstawie charakterystycznego konturu sylwetki.

Kiedy zebrałem wiedzę na temat ofiar, zacząłem analizować miejsca zbrodni. Każda zbrodnia jest jednocześnie wizytówką sprawcy. A jeśli pozostaje bezkarny, jego pewność siebie w miarę upływu czasu rośnie. To dlatego pierwszego zabójstwa dokonuje z dala od swojego miejsca zamieszkania, a potem atakuje coraz bliżej. Zabrałem się do profilowania geograficznego. Narysowałem mapę, gdzie sprawca może mieszkać, pracować lub się przemieszczać.

Nadkomisarz Lach zaznaczył na stworzonej przez siebie mapie miejsce, skąd może pochodzić sprawca. Policjanci rozpoczęli działania operacyjne i lustrowali jedynie mieszkańców terenu wskazanego przez profilera. Ostatecznie zatrzymano kilka osób, między innymi Mariana Ćwieka, u którego znaleziono telefon komórkowy Wioletty. Aparat był charakterystyczny – miał uszkodzony wyświetlacz, przez co ofiara łatwo go rozpoznała. W trakcie zbierania danych o Marianie Ćwieku okazało się, że jak wskazywał profiler, był już karany za brutalny gwałt. Wtedy jednak mieszkał w zupełnie innym mieście, dlatego policjanci, zbierając informacje o sprawcach przestępstw seksualnych po zabójstwie Krystyny Wiśniewskiej, nie wzięli go pod uwagę.

Marian Ćwiek w momencie zatrzymania miał czterdzieści siedem lat. Pochodzi z rodziny robotniczej. Ojciec ślusarz, matka pracowała w spółdzielni piekarsko-ciastkarskiej jako pomywaczka. Rodzice rozstali się, kiedy Marian miał siedem lat. Powodem był alkoholizm ojca i awantury w domu. Matka nie wyszła ponownie za mąż. Szybko przeszła na rentę, która była bardzo niska. Ćwiek przyznał, że w tym czasie brakowało im na zaspokojenie bieżących potrzeb. Matka nie radziła sobie z synem, który deprecjonował jej wartości, buntował się. Nie potrafiąc zapewnić mu wzorca męskiego, stosowała kary cielesne, które zresztą Marian w dorosłym życiu uważał za słuszne. Tęsknił za ojcem, który praktycznie go nie odwiedzał. Chłopiec interpretował to jako odrzucenie. Zaczął uciekać z domu. W szkole stwarzał poważne problemy wychowawcze. Wywoływał bójki, dokonywał kradzieży i drobnych włamań. Przyjemność sprawiało mu dręczenie zwierząt. Za konflikty z prawem został umieszczony w Zakładzie Wychowawczym w Pilicy. Po wyjściu rozpoczął naukę w zawodówce ślusarskiej. Chciał wykonywać taki zawód jak ojciec. Nauka nie sprawiała mu problemów. W wieku osiemnastu lat nawiązał kontakt z ojcem. Uciekał do niego, kiedy matka wymierzała mu kary, na przykład zakaz wychodzenia z domu. Wtedy razem pili. Po szkole szybko znalazł pracę jako ślusarz-mechanik. Musiał ją jednak przerwać, ponieważ powołano go do wojska w jednostce w Międzyrzeczu. Odsłużył dwa lata. W tym czasie jego matka zaczęła mieć problemy ze zdrowiem. Leczyła się psychiatrycznie, choć Ćwiek do dziś nie potrafi powiedzieć, na co matka choruje.

Podczas przepustek dokonał dwóch usiłowań gwałtu. Kiedy wyszedł z wojska, po jednej z zabaw wiejskich zgwałcił koleżankę. Brat ofiary wraz z kolegami znaleźli go i doprowadzili na policję. Podczas wielu przesłuchań nie przyznał się do winy, mimo iż wskazywały na niego ślady biologiczne (sperma). Twierdził, że dziewczyna go sprowokowała. Nie wykazał skruchy, nawet kiedy dostał wyrok skazujący i trafił do więzienia. Podczas odbywania kary zachowywał się wzorowo. Otrzymał nawet kilka nagród. W zakładzie karnym skończył szkołę średnią o profilu ogólnomechanicznym, matury nie zrobił. Twierdził, że nie jest mu potrzebna.

Kolejny gwałt popełnił, mając około trzydziestu lat. Mieszkał wtedy w swojej rodzinnej miejscowości – Dąbrowie Górniczej. Został zatrzymany na podstawie zgodności kodu DNA i skazany na sześć lat więzienia. Po czterech latach wyszedł z zakładu karnego i przeprowadził się do Sosnowca. Przez biuro matrymonialne poznał Barbarę. Ożenił się z nią po zaledwie kilku miesiącach znajomości. Urodziła im się córka – Marcelina. Małżeństwo nie należało do udanych. Był to silny, ale toksyczny związek. Pomiędzy Marianem a Barbarą często dochodziło do kłótni. Kobieta nie akceptowała jego skłonności do nadużywania alkoholu, co wytykała mu na każdym kroku. Miała także pretensje, że za rzadko uprawiają seks. Domagała się zbliżeń przynajmniej trzy razy w tygodniu, a Marian nie spełniał tych oczekiwań. Wtedy Barbara się obrażała, a on wychodził z domu, trzaskając drzwiami, i szedł się napić.

> *Te właśnie awantury stanowiły główny „wyzwalacz" jego agresywnych zachowań. Co się potem potwierdziło, miały one miejsce po poważnych i długotrwałych kłótniach, kiedy nagromadziło się w nim duże napięcie i złość. Zresztą podczas tych kłótni zdarzało mu się uderzyć żonę, co jednak nie przynosiło mu ulgi, natomiast pogarszało stosunki z teściem.*

Kiedy zatrzymano Mariana, jego żona przez długi czas twierdziła, że to tragiczna pomyłka. Miała nawet pretensje do policjantów. Była agresywna werbalnie. Wtedy przedstawiono jej dowody oraz wynik rozpoznania przez niedoszłą ofiarę męża. Kobieta najpierw się załamała, ale potem zaczęła współpracować z prokuraturą. Gdyby tego nie zrobiła, prawdopodobnie mogłaby być posądzona o współudział w zbrodniach małżonka. Przyznała, że prała ubranie męża, które było uwalane w błocie. Podświadomie czuła wtedy, że zrobił coś złego, ale skutecznie wypierała te informacje. Ćwiek pracował w zakładach mięsnych w Sosnowcu jako ślusarz. Sam ustawiał maszyny, wykonywał proste prace mechaniczne. Był dość drobnym, chudym mężczyzną, ale miał niezwykle silne ręce.

Tak jak się spodziewałem, uzyskanie jego przyznania się do winy nie było łatwe. Kiedy go zatrzymaliśmy, przez pierwsze dwa dni milczał. Nie odpowiadał na żadne pytania. To był zresztą specyficzny człowiek, śliski jak wąż. Wcale mnie to nie zdziwiło. Gdyby miał inną osobowość, trudno byłoby mu dokonywać czynów seksualnych. Zacząłem mu rzucać kotwice, czyli stosować w trakcie przesłuchania takie zabiegi, które pozwalały mu na jednoczesne przyznanie się do winy, ale i wyjście z tej sprawy „z twarzą". Przestępcy seksualni najbardziej boją się złej opinii. W momencie ujawnienia jego zbrodniczych czynów czekała go śmierć społeczna i wstyd dla całej rodziny. On miał dziecko, a zatem naprawdę dużo do stracenia. Wiedziałem, że zależy mu na Marcelinie. Zaproponowałem więc, że on powie, jak wszedł w posiadanie telefonu Marzeny, a ja postaram się przeforsować jego spotkanie z córką. To go ruszyło. Zaczął mówić.

Po jakimś czasie doszło do spotkania, na którym mu tak zależało. I choć już wiedziałem, jaką osobowość ma ten człowiek, zszokowało mnie, jak nieprawdopodobnie „zimny" był wobec swojej pięcioletniej córeczki. Kiedy pozwolono małej dziewczynce wejść do ojca, posadził ją sobie na kolanach i milczał przez godzinę. Nie przytulał, nie głaskał, nie tłumaczył. Jego żona w ogóle nie chciała z nim rozmawiać. Podeszła do niego tylko raz. Kilka razy uderzyła w twarz, po czym odwróciła się i wyszła. Od razu było widać, kto w tym związku rządził. On chudy jak patyk, ona korpulentna, dobrze zbudowana. Miała na niego ogromny wpływ.

Po spotkaniu z żoną i córką Marian Ćwiek przyznał się do zbrodni. Kiedy jednak sprawa trafiła na wokandę katowickiego sądu, odwołał swoje zeznania, twierdząc, że został do nich zmuszony przez policjantów. Sąd nie miał jednak wątpliwości – Ćwiek został skazany na dożywocie. W apelacji napisał, że wyrok należy zmienić, ponieważ sąd dopuścił do udziału w procesie psychologa Lacha, który jest też policjantem i wydał stronniczą opinię psychologiczną na jego temat. Sąd nie wziął tego pod uwagę i utrzymał wyrok w mocy.

Niebezpieczny flirt

Dwudziesty szósty listopada 2003 roku był dniem wyjątkowo mglistym i ponurym. Cały czas mżyło, ani na chwilę nie pokazało się słońce, bardzo szybko zapadł zmrok. Tego dnia Mikołaj Konarzewski skończył wcześniej pracę. Po przyjściu do domu około piętnastej postanowił uciąć sobie drzemkę. Jego dwudziestoośmioletnia żona, Karolina, kończyła pracę dopiero za godzinę. Była kasjerka w jednym z supermarketów w Jarosławiu, więc do Przeworska, gdzie mieszkali, musiała dojechać autobusem. Przed położeniem się spać Mikołaj zadzwonił do żony i upewnił się, czy nie musi tego dnia zostawać w pracy dłużej. Karolina odpowiedziała, że wszystko jest w porządku i wychodzi ze sklepu jak zwykle. Miała wsiąść do autobusu o godzinie szesnastej pięćdziesiąt jeden, więc w domu byłaby najpóźniej o osiemnastej.

Mikołaj obudził się około dziewiętnastej. W mieszkaniu panowała ciemność. Pierwsza myśl, jaka mu przyszła do głowy, to: „Gdzie jest Karolina?". Wziął telefon i wykręcił jej numer. Aparat był wyłączony. Próbował co dziesięć minut, bez skutku. Obdzwonił wszystkich członków rodziny, dalsze i bliższe koleżanki żony, rodziców obojga. W końcu postanowił udać się na poszukiwanie żony. Najpierw jednak pojechał na komisariat, żeby zgłosić jej zaginięcie. Mijając boczną uliczkę prowadzącą do lasu, zauważył na niej ślady opon. Kiedy przyjechał na komisariat, od razu o tym powiedział. Jeden z policjantów zaoferował się, że weźmie psa, który rozpocznie tropienie od tego miejsca. W poszukiwaniach Karoliny wzięło udział kilkunastu mężczyzn. Byli to członkowie rodziny Konarzewskich, sąsiedzi, a także kilku policjantów. Pogoda im nie sprzyjała. Było ciemno, mokro i mgliście. Ludzie podzielili się na dwie grupy. W jednej z nich był policjant z przeszkolonym psem tropiącym. W pewnym momencie pies złapał trop i pobiegł w kierunku zagajnika. Nie wracał mimo nawoływania. Kiedy ludzie dotarli w miejsce, gdzie czekał pies, okazało się, że leży tam ciało kobiety, zaledwie cztery metry od leśnej drogi.

Zwłoki były przykryte trawą i liśćmi, by utrudnić ich odnalezienie. Kiedy rozgarnięto podszycie, okazało się, że kobieta jest naga. Jedynie wokół kostek miała zrolowane rajstopy, wewnątrz nich znajdowały się figi. Kobieta leżała twarzą do ziemi. Ręce znajdowały się nad głową. Nogi miała wyprostowane. Ciało było uwalane błotem, liśćmi, kawałkami mchu. W niektórych miejscach skóra była przypalona, jakby sprawca próbował spalić zwłoki. Ustalono również, że zbrodni nie dokonano w miejscu odnalezienia ciała. Sprawca musiał je przemieścić, najprawdopodobniej samochodem.

Medycy sądowi stwierdzili, że kobieta przed śmiercią została brutalnie zgwałcona. W jej odbycie zabezpieczono spermę, dzięki czemu udało się ustalić DNA sprawcy. Przyczyną śmierci było uduszenie. Zgon musiał nastąpić około godziny dwudziestej.

Jakieś pięćdziesiąt metrów od miejsca odnalezienia zwłok policjanci znaleźli chusteczkę do nosa z materiału w kratę, w kolorach ciemnozielonym, fioletowym i brązowym. Trzy dni później natrafiono na rękawiczki damskie, które Mikołaj Konarzewski rozpoznał jako własność Karoliny. Mężczyzna zeznał, że żona, wychodząc z domu, była ubrana w beżowy kożuszek, dżinsy, golf oraz biały biustonosz. W torebce miała prawdopodobnie kilka zapalniczek, papierosy Mars, składaną parasolkę, dokumenty i pieniądze. Na palcach obu dłoni nosiła po trzy złote pierścionki, na ręce kilka złotych bransoletek, a w uszach kolczyki w kształcie dużych kół, również ze złota. Żadna z wymienionych rzeczy nie została odnaleziona. Śledczy ustalili, że sprawca zabrał je ze sobą.

Sprawa czekała na wyjaśnienie ponad cztery lata. Przez cały ten czas rodzina Karoliny nie mogła pogodzić się z jej śmiercią i tym, że sprawca pozostał bezkarny. Morderstwem zainteresował mnie jeden z uczestników szkolenia, które prowadziłem w Pile. Obiecałem pomóc, lecz wykrycie tej sprawy nie było proste.

Najpierw jak zwykle przeanalizowałem akta sprawy, zwłaszcza dokumentację sporządzoną na miejscu odnalezienia zwłok dziewczyny. Nie mogłem pojechać tam osobiście, ponieważ miałem zbyt dużo pracy w swoim rejonie. Musiałem opierać się na rozmowach telefonicznych i aktach.

Po pierwsze, zauważyłem, że niezwykle szybko zostało odnalezione ciało. Po wtóre, wskazałem, że takie ułożenie ciała po śmierci świadczy o związku emocjonalnym, istniejącym pomiędzy sprawcą a ofiarą. Karolina musiała znać swojego zabójcę. Niekoniecznie blisko, nie musieli być kochankami, ale wiedziała, kim jest. Sprawca zaś żywił do ofiary silne uczucie – po zbrodni ułożył ją na brzuchu. Nie mógł patrzeć jej w twarz. A tak właśnie robią ludzie, którzy są związani z ofiarą emocjonalnie. Sprawca zrabował rzeczy osobiste oraz biżuterię ofiary, lecz nie można mówić tutaj o motywie rabunkowym, sprawca próbował go jedynie upozorować. W stu procentach działał na tle seksualnym. Przemieszczenie zwłok oraz odległość, w jakiej porzucono rękawiczki zamordowanej, dowodzą, że sprawca zna okolicę, swobodnie się po niej porusza, wobec tego prawdopodobnie pracuje lub mieszka w pobliżu. Należy szukać go wśród lokalnej ludności bądź pracowników najbliższych zakładów pracy.

Karolina była ładną, zadbaną dziewczyną. Niewysoka, szczupła. O śniadej cerze, piwnych oczach i naturalnych blond włosach. Starannie dobierała strój, często chodziła do fryzjera, nie robiła jednak makijażu. Pochodziła ze wsi w okolicach Przeworska. Miała czterech braci i trzy siostry. Była najmłodsza. W jej domu rodzinnym nie było zachowań patologicznych. Sytuacja finansowa rodziny należała do dobrych. W 1993 roku dziewczyna skończyła technikum handlowe i podjęła pracę jako kasjerka w jednym z dyskontów w Jarosławiu.

Po ukończeniu szkoły wyszła za mąż za Mikołaja Konarzewskiego, który pracował jako ochroniarz w banku. Przed ślubem znali się ponad cztery lata. Wcześniej miała dwóch chłopaków, żaden jednak nie spełniał wymagań stawianych przez matkę Karoliny. Dopiero Mikołaj został zaakceptowany. Nie mieli dzieci, twierdzili, że jeszcze mają na to czas. Znajomi, rodzina, a także sam Mikołaj przekonywali, że ich związek był udany, choć niepozbawiony małych kryzysów. Konarzewscy wzajemnie się zdradzali. Zdarzenia miały miejsce zarówno przed, jak i po ślubie. Ukrywali to przed sobą, ale zwykle w końcu dowiadywali się o zdradach partnera od osób trzecich. Krótko przed śmiercią przyjaciółka Karoliny doniosła jej, że widziała Mikołaja, jak całował się ze znajomą z pracy. Kobieta bardzo to przeżyła. Zanim dotarła do domu, wysłała mężowi SMS o treści: „Spałeś z nią?". Mikołaj odpisał: „Nie". Jeszcze tego samego dnia pogodzili się w łóżku.

W 2000 roku Karolina zmieniła pracę. Odeszła z dużej sieci dyskontów i zatrudniła się w prywatnym sklepie spożywczym. Była punktualna, systematyczna, dokładna. Lubiano ją. Nigdy nie miała zatargów z kolegami w pracy. Ale po godzinach nie utrzymywała z nimi kontaktów towarzyskich. Szef bardzo ją doceniał, wysyłał ją na szkolenia. Niestety, odkąd pracowała w prywatnej firmie, nie otrzymywała regularnie wynagrodzenia. Zdarzało się, że w jednym miesiącu zarobiła tysiąc, a w innym tylko pięćdziesiąt złotych.

W październiku 2003 roku Karolina poznała Piotra Rewińskiego. Była nim zauroczona. Od koleżanki dostała jego zdjęcie, które trzymała w swojej szafce na ubranie robocze. Piotr odwiedzał ją w pracy, wychodzili na papierosa lub na obiad. Czasami przynosił alkohol, który wspólnie wypijali. Kiedy zdarzało się, że Karolina wcześniej kończyła pracę, umawiała się z kochankiem w pobliskim barze „Lotos" lub wyjeżdżali poza miasto. Piotr zawsze odprowadzał ją na przystanek autobusowy, spacerowali nad jeziorem. Kilka razy wspólni znajomi Konarzewskich widzieli Karolinę całującą się z Piotrem w parku. Wtedy mówiła im: „Gdyby Mikołaj pytał – nie widzieliście mnie tu". Rewiński po jej śmierci był jednym z pierwszych podejrzanych. Pytany, co łączyło go z Karoliną, nie potrafił określić dokładnie:

„Wydaje mi się, że się we mnie podkochiwała. Z drugiej strony wiem, że stosunki z mężem układały się jej bardzo dobrze. Lubiłem ją. Coś mnie do niej ciągnęło".

Głównymi podejrzanymi w tej sprawie byli mąż oraz kochanek. Najpierw sprawdziłem męża. W aktach oprócz ciągłych zdrad nie znalazłem innych konfliktowych sytuacji, które mogłyby się ostatnio nasilić. Kłótnie spowodowane ich wzajemną niewiernością nie doprowadzały jednak do tak wielkego zaangażowania emocjonalnego, by mąż mógł postanowić zabić.

Ustaliłem, że to Karolina pierwsza zaczęła zdradzać Mikołaja. Wtedy on w odwecie zrobił to samo. Karolina, nie radząc sobie z tym, zaczęła uciekać w płytkie seksualne związki. Zawierała znajomości z wieloma mężczyznami. Zwłaszcza z takimi, którzy jej imponowali. Wybierała zadbanych, pachnących, dobrze ubranych oraz urodą różniących się od jej męża. Zdarzało się, że kokietowała i flirtowała, wcale nie zamierzając iść do łóżka. Mikołaj czuł się w tej sytuacji bezkarny, zdradzał Karolinę nawet z jej bliską koleżanką. Żadne z nich jednak nie dążyło do rozstania czy rozwodu. Odpowiadał im taki otwarty związek. Gdyby ten stan rzeczy utrzymywał się dłużej, być może któraś ze stron zareagowałaby agresywnie. Zakładając, że byłby to mąż, działałby z zupełnie innego motywu – zemsty lub krzywdy i urazy. A ta kobieta została zamordowana na tle seksualnym. Świadczy o tym pozostawienie obnażonego ciała oraz odbycie stosunku analnego – prawdopodobnie nieakceptowanego przez partnerkę sprawcy. Jeśli chodzi zaś o Piotra Rewińskiego – w czasie zabójstwa był w pracy. Jego alibi potwierdziło kilkanaście osób.

Stwierdziłem, że zabójca jest mężczyzną w wieku dwadzieścia pięć do trzydzieści pięć lat. Prawdopodobnie Karolina znała go, choć krótko. Nie był jednak osobą obcą, bo nie zaufałaby mu na tyle, by wsiąść do jego auta. Na podstawie rozmów z jej bliskimi zauważyłem, że była niezwykle skryta. Niewiele opowiadała o sobie i swoim życiu uczuciowym. Nie miała ani jednej bliskiej przyjaciółki. Była zaradna, odpowiedzialna i racjonalna, czasem jednak zdarzało się jej podejmować decyzje pod wpływem chwili.

Według mnie przebieg zdarzenia wyglądał mniej więcej tak: Jest szesnasta trzydzieści. Kobieta wychodzi z pracy i idzie na przystanek PKS. Wie, że jej kochanek jest w pracy, wraca więc do domu. Jest listopadowa szaruga. Mżawka, zimno, zmierzcha się. Dziewczyna zbliża się do przystanku, wtedy podjeżdża samochód. Rozpoznaje mężczyznę. Kiedy ten proponuje jej podwiezienie do domu, korzysta z okazji. Ale mężczyzna zamiast do domu, skręca w leśną dróżkę. Dąży do zbliżenia. Kobieta odmawia. Mężczyzna jest wściekły, podniecony, zestresowany – był przekonany, że skoro kobieta wsiadła do jego samochodu, to znaczy, że chce uprawiać seks. Szarpanina. Sprawca zdziera z niej ubranie, gwałci. Kobieta próbuje się bronić. Oprawca zatyka jej usta rękoma, zaciska ręce na szyi. W momencie orgazmu sprawcy kobieta przestaje oddychać. Kiedy mężczyzna orientuje się, że dziewczyna nie żyje, zaczyna zastanawiać się, co zrobić z ciałem. Chce je najpierw spalić, ale kiedy mu się to nie udaje, przewozi je w inne miejsce. Ubrania i rzeczy osobiste kobiety zabiera, by utrudnić jej identyfikację. Jest pewien, że ciało nie prędko zostanie znalezione.

Na podstawie sposobu dokonania zabójstwa i pozostawienia zwłok ustaliłem, że jest to człowiek pochodzący z tego rejonu. Nikt z zewnątrz nie byłby w stanie tak szybko działać. Ten mężczyzna bowiem w ciągu zaledwie trzech godzin zdążył zwabić dziewczynę do swojego auta, wywieźć do lasu, zgwałcić, zabić, podpalić, a potem przewieźć i porzucić zwłoki w innym miejscu.

Dla Karoliny spotkanie tego mężczyzny było przypadkowe. On natomiast szczegółowo zaplanował ten wieczór i gwałt. Zaczaił się na nią. Śledził ją, dobrze znał jej zwyczaje i wykorzystał tę wiedzę, a także warunki atmosferyczne. Zabrał ze sobą taśmę klejącą, którą skrępował Karolinę. Miał też w samochodzie kanister z benzyną, którą potem polał ciało i usiłował je spalić, by uniemożliwić jego identyfikację.

Prawdopodobnie zaplanował jedynie gwałt, jednak sytuacja wymknęła mu się spod kontroli. Musiał być już wcześniej notowany za podobne czyny, ale niekarany. Nie siedział w więzieniu. To było jego pierwsze zabójstwo. Świadczy o tym nieudolna próba podpalenia zwłok oraz przykrycie ich. Sprawcy seksualni zwykle dokładnie ukrywają swoje pierwsze ofiary. Wstydzą się, chcą, by ciało zostało odnalezione jak najpóźniej, by mieli czas na znalezienie alibi i poradzenie sobie z całą sytuacją.

Posłużył się autem w dobrym stanie – w pewnym sensie było to jego narzędzie zbrodni. Wiedział, że pojazd nie może go zawieść. Możliwe, że samochód jest mu potrzebny do pracy. Być może jest przedstawicielem handlowym lub ma inne zajęcie polegające na przemieszczaniu się. Podałem również, że sprawca posiada wiedzę na temat niszczenia śladów. Być może jest ochroniarzem lub policjantem.

Policjanci rozpoczęli działania operacyjne. Nie natrafili jednak na ślad nikogo, kto pasowałby do profilu. Miesiąc później otrzymali ciekawą informację. W jednej z podkarpackich wsi omal nie doszło do linczu, kiedy to pracownik dużej firmy ochroniarskiej próbował zgwałcić córkę sołtysa. Na szczęście do gwałtu nie doszło. Krzyk dziewczyny usłyszało kilku młodych mężczyzn, w tym jej brat. Ochroniarz został dotkliwie pobity, a potem doprowadzony na pobliski posterunek policji. Kiedy zaczęto badać Zbigniewa Mazura, okazało się, że przez kilka lat pracował w policji, ale został dyscyplinarnie zwolniony z powodu nadużywania alkoholu. Jeździł służbowym oplem astrą, był przedstawicielem handlowym firmy produkującej meble. W jego bagażniku zabezpieczono zwoje taśmy oraz kanister z resztkami benzyny. Analiza śladów biologicznych (pot sprawcy) zabezpieczonych na taśmie samoprzylepnej, którą skrępował Karolinę, wykazała zgodność z DNA Mazura. Na koniec jego winę potwierdziła także analiza spermy pobranej z odbytu ofiary. Na tej podstawie zabójca został zatrzymany i aresztowany. Nigdy się nie przyznał do tej zbrodni. Nawet kiedy obciążyły go pozostawione ślady biologiczne. W tej chwili trwa śledztwo w jego sprawie.

Pozornie wydawałoby się, że ten człowiek miał ustabilizowane życie: żona, dwunastoletnia córka, własny dom i praca, która przynosiła spore dochody. Tymczasem to była jedynie przykrywka jego dewiacyjnych działań. Śledczy przeanalizowali jego życie i wyjazdy w delegacje – porównywali terminy z datami niewykrytych zabójstw nie tylko na tym terenie. Prawdopodobnie na koncie zabójcy są cztery ofiary w różnych województwach, co utrudniało policji powiązanie tych spraw. Jeśli uda się udowodnić winę Mazurowi, grozi mu kara dożywotniego więzienia. Jego żona niczego nie podejrzewała. Kiedy sprawa wyszła na jaw, złożyła wniosek o rozwód.

Komentarz

Sprawcy przestępstw seksualnych stanowią stosunkowo małą grupę kryminalistów.

* * *

Żaden nie uświadamia sobie swojego motywu działania. Nawet jeśli na koncie ma kilka zabójstw.

* * *

Nie zabija, aby zaspokoić popęd seksualny, lecz by zaznaczyć swoją siłę, dominację. Niektórzy mają przekonanie, że są równi Bogu. W trakcie dokonywania zbrodni odczuwa przyjemność seksualną, a nawet osiąga orgazm. Istotę kobiety sprowadza do jednego organu – pochwy. Odczuwa silną niechęć, pogardę do kobiet, a czasem nawet ich nienawidzi. Być może przeżył traumę związaną z matką bądź jedną z partnerek. Naukowcy nie są w stanie jednoznacznie określić, co jest przyczyną dewiacji. Mówi się o uwarunkowaniach zarówno wychowawczych, jak i biologicznych.

* * *

Przy zabójstwach tego typu olbrzymią rolę odgrywają fantazje, zwłaszcza seksualne. Zbrodnia na tle seksualnym zaczyna się w umyśle sprawcy. Zakłada on: „Chwycę ją, pociągnę, zacznę dusić. Ona mi powie, żebym przestał. Ja przestanę. Powiem jej, że ma się rozbierać. Ona się rozbierze. Ona mi powie, że jestem świetny, że jestem super. Odbędziemy stosunek. Będzie mówić, że jestem wspaniały, że jeszcze takiego nie miała. Później ubiorę się i odejdę".

Często w swoich fantazjach sprawca posuwa się do dużo gorszych czynów, niż miałby odwagę zrobić w rzeczywistości. Początkowo wystarcza mu samo fantazjowanie. Potem jednak szuka nowych bodźców, stymulatorów. I zaczynają się pierwsze zachowania, w których realizuje swoje wyobrażenia: obmacywanie, poklepywanie. W dalszym ciągu fantazjuje, jednak pragnienie kontroli i władzy nad kimś jest coraz silniejsze. W końcu dochodzi do gwałtu. Mówi sobie, że zrobi to tak, jak to sobie wyobrażał. Tyle że w rzeczywistości jest to raczej niemożliwe. Zawsze pojawiają się okoliczności, które wymykają się spod kontroli. I okazuje się, że tylko początek spotkania z ofiarą jest zgodny z fantazjami. Potem wszystko ma już zupełnie inny przebieg. Uderzona lub duszona kobieta nie zachowuje się tak, jak to podsuwała mu wyobraźnia. Płacze, krzyczy, wyzywa oprawcę, woła pomocy, błaga o litość, broni się, mówi rzeczy, których on nie chce słyszeć. I już nie ma odwrotu. Dochodzi do brutalnej zbrodni. Kiedy sprawca uświadamia sobie, że nic nie wyglądało tak jak w jego fantazjach, jego uraz do kobiet jeszcze bardziej się nasila. Sprawca mówi sobie: „Nastepnym razem przygotuję wszystko tak doskonale, że ona nawet nie piśnie". I dąży do tego.

* * *

Sprawcy seksualni bardzo słabo znają swoje ofiary. Zwykle są to osoby spoza najbliższego kręgu lub zupełnie obce. Najczęściej kobiety. Wiek nie gra roli, podobnie jak wygląd. Sprawca wybiera je według sobie znanego klucza.

* * *

Sprawca działa pod wpływem impulsu – silnego wzburzenia, kłótni. Musi zaistnieć element, który wyzwoli w nim moc:

Jestem gotowy, by to zrobić. W jednej ze spraw zabójca czyhał na kobietę o określonej fryzurze, dla innego ważny był kontur sylwetki, jeszcze innego – zapach perfum, których używała jego matka. To jest szczegół, który psycholog powinien odnaleźć. Jest to trudne, ale możliwe do wykonania zadanie. Bo działaniem każdego sprawcy seksualnego kieruje bodziec wyzwalający agresję.

* * *

Dokładnie wybiera miejsce, w którym zaatakuje. Teren działania musi być w jego poczuciu bezpieczny. Zna go, dobrze się w nim czuje. Potrafi kilka godzin czekać na osobę, która będzie pasowała do jego wyobrażeń.

* * *

Niezwykle szybko się uczy – jak wciągnąć ofiarę w swój psychologiczny rewir działania, jak skutecznie zabić, nie zostawiając śladów. Jest to osoba przebiegła i inteligentna. Bardzo często się przemieszcza. Świetnie radzi sobie z podporządkowaniem ofiary, czynnikami sytuacyjnymi, ucieczką z miejsca zbrodni. Często sprawnie ukrywa zwłoki, nawet je zakopuje. Po zabójstwie nieznacznie zmienia swoje zachowanie. Nie ma poczucia winy lub jest ono znikome. Dlatego tak trudno jest ją złapać.

* * *

Przed dokonaniem zbrodni stosuje tak zwane ułatwiacze. Alkohol, narkotyki powodują, że puszczają ostatnie hamulce i już nic nie jest w stanie powstrzymać go przed działaniem.

* * *

Jeśli mamy do czynienia z seryjnym zabójcą, bardzo istotny jest jego *modus operandi.* Sprawcy seksualni bowiem działają zawsze w podobny sposób. To wiąże wszystkie dokonane przez nich zbrodnie.

* * *

Jest kilka typów sprawców seksualnych:

- Agresywny zdobywca – żyje w przekonaniu, że przemoc seksualna jest akceptowana przez kobiety, a nawet marzą o niej i jej pragną. Uważa takie relacje pomiędzy płciami za normalne. Jeśli podczas popełniania zbrodni dzieje się inaczej, tłumaczy sobie, że prawdopodobnie akurat ta kobieta tego sobie nie uświadamia.
- Egoista – popełnia przestępstwo dla zaspokojenia własnych potrzeb seksualnych. Nie liczy się kobieta.
- Frustrat – doznał pewnych form przemocy ze strony kobiet w dzieciństwie lub wczesnej młodości i uważa, że teraz ma prawo do zadośćuczynienia. Jego schemat myślowy to: „Zrobię tak, bo taki jest świat".
- Ambiwerywny lub ambiwalentny – zdaje sobie sprawę, że jego postępowanie jest złe, jednak odczuwa nieodparty przymus działania, nie potrafi się opanować. Ważniejsze jest dla niego czerpanie przyjemności i dążenie do niej niż późniejsze konsekwencje. Nie przewiduje, co będzie się działo dalej.
- Sadysta – sprawia mu przyjemność zadawanie bólu. Im bardziej cierpi ofiara, tym silniejsze podniecenie sprawcy. Największą rozkosz daje śmierć ofiary – sprawca osiąga orgazm.

* * *

Seryjny zabójca może wywodzić się z każdej grupy. Pomiędzy jego poprzednim a kolejnym atakiem jest tak zwany interwał – przebywanie w uśpieniu. Sprawca napawa się wtedy swoją siłą i mocą. Fantazjuje. W nieskończoność przeżywa swoje poprzednie zbrodnie. Interwał się skraca. Atakuje coraz częściej i agresywniej. Jest doskonalszy w zadawaniu śmierci i niezostawianiu śladów.

* * *

Po dokonaniu zbrodni układa ciało ofiary w pozycji poniżającej ją. Obnażone, z rozłożonymi nogami.

* * *

Często zabiera trofea (elementy ciała) lub pamiątki (przedmioty lub rzeczy osobiste, należące do ofiary). Zdarzały się przypadki, że sprawca wycinał narządy rodne kobiet. Nazywamy to mutylacją. Sadysta robi to przed, dewiant – po śmierci ofiary. Takie zachowanie świadczy o jego całkowitym uprzedmiotowieniu kobiety. Po co to robi? Po pewnym czasie wspomnienia o zdarzeniu bledną, a sprawca ich potrzebuje. Trofea lub pamiątki pozwalają mu wracać do tych zdarzeń, by przeżywać je w nieskończoność.

* * *

Wokół przestępstw seksualnych narosły pewne mity i stereotypy – kreowane głównie przez amerykańskie filmy i książki. Jeden z nich to opinia, że jeśli na miejscu zdarzenia nie ma śladów spermy, to można wykluczyć motyw seksualny. Nie jest to prawdą, bo tylko w dwudziestu trzech procentach zdarzeń popełnionych z powodu tego motywu znaleziono spermę. Zwłaszcza sprawca, który był już karany za podobne przestępstwa, nie zostawia takich śladów – wie, że to może pomóc w jego zidentyfikowaniu. By dokonać gwałtu na kobiecie, używa reprezentantów: dezodorantu, długopisu, butelki. Nie zmienia to faktu, że zadawanie bólu sprawia mu satysfakcję seksualną. Zgon ofiary daje zaś emocjonalne zaspokojenie porównywalne do orgazmu.

* * *

Przez społeczeństwo postrzegany jako „dziwak". Na ogół nie wygląda groźnie. Często jest niepozorny, skryty, ma problemy z komunikacją z ludźmi. To typ odludka. Z jednej strony ma niskie poczucie własnej wartości, które wynika z nieudanych kontaktów z kobietami. Z drugiej zaś charakteryzuje go przeświadczenie o własnej wyjątkowości. Charakter dewiacji jest indywidualny i kształtuje się już w okresie dojrzewania. Taka osoba nie potrafi zwykle wskazać żadnego autorytetu w swoim życiu. Nie jest nim ani matka, ani ojciec, ani nikt z dalszego otoczenia. W pewnym momencie dochodzi do wniosku, że sam dla siebie jest największym autorytetem. Każda krytyka jego zachowania lub nawet dezaprobata pogłębia ten stan.

2

MOTYW ZEMSTY

TCHÓRZOSTWO MA RÓŻNE OBLICZA

Bomby na pokładzie – Logo jak tarcza – Opos śpi głową w dół – Kto nie chciał śmierci Craziego – Księgowa uwodzi profilera – Kuszownik: „Widzę was"

OPOS

Szóstego grudnia 2000 roku na biurko dyrektora jednego z największych banków w Katowicach trafił list: „Jesteśmy organizacją zajmującą się pomocą osobom skrzywdzonym (OPOS). Działamy w ich imieniu. Poprzez waszą działalność wiele osób straciło wiele pieniędzy, w tym ci, którzy stanowią trzon organizacji. Doznali z waszej strony upokożenia. Jako odszkodowanie za poniesione szkody żądamy kwoty wysokości dwa miliony złotych. Nie dumajcie, że to blef, inaczej wasze budynki rarzące przepychem pójdą na łono abrachama"[1].

Szantażysta podał też szczegółowe wskazówki, w jaki sposób mają być przekazane „jego" pieniądze. Wyznaczył dokładną datę i godzinę, wskazał kosz na śmieci, do którego pracownik banku miał włożyć kartę, i opisał, jak ma być zabezpieczona. Wszystkie te informacje były zawarte na wydruku z komputera na czystej kartce, w białej kopercie. Żadnych elementów pozwalających na identyfikację nadawcy. Dyrektora zaniepokoił ton anonimu. Mimo to nie spełnił żądań OPOS-a, ani nie zawiadomił policji.

Dziesiątego grudnia list od szantażysty dostał dyrektor oddziału tego samego banku, ale w Chorzowie. OPOS przedstawił ponownie swoje żądania i zapewnił, że to nie żarty. Zapowiedział podłożenie bomby.

[1] Zachowano oryginalną pisownię oraz błędy ortograficzne.

Wkrótce do dyrektora banku zadzwoniła kobieta. Była poirytowana. Oświadczyła, że On się denerwuje, że ma dość prowadzonych z nim gierek. Twierdziła, że jeśli szybko nie przekażą tej karty, o którą chodzi, to będzie źle. Ostrzegła, że nie jest w stanie dłużej powstrzymywać Go przed podjęciem krwawych działań. Dyrektor odrzekł, że nie wie, jaka jest ostateczna decyzja władz banku.

Jedenastego grudnia ktoś powiadomił policję, że w oddziale w Rudzie Śląskiej „mają bombę na pokładzie". Ewakuowano ludzi z banku i sąsiednich budynków, policjanci zablokowali wszystkie ulice w promieniu pięciuset metrów – tak aby ewentualna eksplozja nie zagrażała życiu pracowników biurowca ani osób postronnych. To spowodowało gigantyczne korki, a w efekcie paraliż miasta. Przeszukano budynek banku i znaleziono ładunek domowej roboty przygotowany do eksplozji. Nie wybuchł tylko dlatego, że miał źle skonstruowany zapalnik. Gdyby był sprawny, siła rażenia objęłaby kilka pięter. Sprawa była poważna.

Powołano specjalną grupę, która miała zajmować się wyłącznie tą sprawą. Policjanci, technicy, negocjatorzy, prokuratorzy. Niewiele to dało. Mijały dni, a o OPOS-ie praktycznie nic nie wiedziano. Śledczy nie mieli żadnego punktu zaczepienia. Zbliżały się święta Bożego Narodzenia. W policji i prokuraturze zapanowała atmosfera gorączkowego poszukiwania. Nikt nie miał wątpliwości – OPOS nie jest osobą, która z takiego powodu jak święta zawiesza swoje groźby. Przeciwnie, ten czynnik może je tylko nasilić. Przypuszczenia nie były bezpodstawne.

Piętnastego grudnia do kolejnej filii tego samego banku w Piekarach Śląskich przyszedł czwarty list. „Wciąż myślicie, że to żarty?" – pytał OPOS. I zapowiadał podłożenie kolejnych ładunków, jeśli bank nie spełni jego woli. Szefowie centrali zaczęli rozważać wypłatę pieniędzy na warunkach szantażysty.

Tymczasem w specgrupie śledczych pojawiły się propozycje, by o wszystkim zawiadomić dziennikarzy. Jeśli dojdzie do tragedii, ludzie mogą mieć pretensje, że nikt ich przed nią nie ostrzegł, nie uchronił – tłumaczyli niektórzy. I dodawali, że prasę i telewizję można byłoby wykorzystać do nawiązania dialogu z OPOS-em. Gdyby dał się wciągnąć w tę grę, może czymś by się zdradził, naprowadził śledczych na jakiś trop. „Nie wiemy przecież, gdzie sprawca zaatakuje ponownie. Co zrobi jutro? Czy wyśle list, czy może podłoży ładunek?".

Siedemnastego grudnia śledczy postanowili zaangażować do sprawy psychologa. Miał uczestniczyć na bieżąco w wydarzeniach jako konsultant, ale przede wszystkim zinterpretować zachowania sprawcy pod kątem psychologicznym i stworzyć jego profil. Ponieważ sytuacja była bardzo groźna, nadkomisarz Bogdan Lach na przeanalizowanie wszystkich danych i napisanie opinii miał tylko dwa dni.

Spotkałem się z policjantami ze specgrupy. Słuchałem tego, co mówią, i włos mi się jeżył na głowie. Niektóre hipotezy, kim może być OPOS, były naprawdę fantastyczne. Jedna zakładała, że to międzynarodowa organizacja terrorystyczna. Kolejna – iż jest to grupa, która ma rozległe wpływy na terenie Polski. Padł pomysł, że to człowiek chory psychicznie. Pojawił się głos, że to pracownik banku, który chce wyłudzić pieniądze. Rzeczywiście, OPOS dużo wiedział o obiegu dokumentów, zyskach i znał wewnętrzne tajemnice tej instytucji, ale zarówno ta, jak i pozostałe hipotezy wydały mi się mało prawdopodobne. Jedno jednak wiedziałem na pewno – pod żadnym pozorem nie wolno nagłaśniać sprawy w mediach, bo to spowoduje panikę wśród ludzi, a OPOS „urośnie". Posłuchano mnie. Wszystkie informacje dotyczące sprawy zostały przed dziennikarzami zatajone, w prasie i telewizji nie było o groźbach OPOS-a ani słowa.

Zabrałem się za tworzenie profilu. Najpierw przeanalizowałem logo[1] *– to rodzaj podpisu, którym przestępcy nie tylko się przedstawiają, ale też zasłaniają jak tarczą. Jest ono znamienne dla sprawców działających z ukrycia. Wszyscy oni mają przekonanie, że nikt nie jest w stanie ich schwytać, bo są sprytniejsi od innych. W związku z tym nie mają hamulców, drwią sobie z instytucji, które zajmują się ich poszukiwaniem. Sądzą, że skoro udało im się tak uwikłać ofiarę, że przez dłuższy czas nie zgłaszała sprawy policji, to mają olbrzymią wiedzę i są po prostu nie do złapania.*

Wybór logo nigdy nie jest przypadkowy. Musiałem się zastanowić, dlaczego szantażysta lub szantażyści działający w grupie wymyślili sobie akurat taki skrót i pod jego egidą działali. Bo OPOS, słowo powstałe z pierwszych liter nazwy Organizacja Pomocy Osobom Skrzywdzonym, to był jednocześnie symbol.

Sprawdziłem, co charakteryzuje oposa – zwierzę, jego cechy, zwyczaje i tryb życia. To miało istotne znaczenie

---

[1] Sposób przedstawiania się sprawcy szantażysty. Wszelka tworzona przez niego korespondencja zawierała identyczne sformułowania.
Sprawca poszukuje idei, która usprawiedliwiałaby jego postępowanie, zwykle tłumaczy się, że działa w interesie innych. Potem szuka dla siebie nazwy symbolu, który najlepiej scharakteryzuje jego i jego działania. To właśnie logo, którego używa jako swojego „podpisu" we wszelkich kontaktach z ofiarą, policją.

dla określenia, kim może być sprawca lub sprawcy, jeśli działają w grupie. W encyklopedii przeczytałem, że opos to nieprzyjemny gryzoń, trudny do zwalczenia, lecz niezwykle ceniony ze względu na futro. A zatem dawał policji do zrozumienia: „Jestem nieprzeciętny, niezwykły, cenny, nigdy mnie nie znajdziecie". Prowadzi nocny tryb życia, swoje młode nosi na grzbiecie: „Troszczę się o swoich ludzi, występuję w ich obronie, będę ich bronił własnym ciałem, jeśli będzie trzeba, poświęcę życie". Żyje w Ameryce Południowej: „Mieszkam w takim miejscu, które jest dla was trudno dostępne, nie możecie mnie znaleźć". Kiedy rozszyfrowałem logo, wziąłem się za analizę listów.

OPOS napisał i wysłał pięć listów. W takich sprawach zawsze bada się podłoże anonimów, czyli papier i pozostawione na nim ślady, ponieważ to może dać jakąś wskazówkę o sprawcy. Tutaj jednak badania okazały się bezużyteczne, bo sprawca użył białego papieru do drukarek, który można kupić wszędzie. Pisał na komputerze, standardową czcionką, litym tekstem. Nie zabezpieczono żadnych odcisków palców czy śladów biologicznych – fragmentów włosów, śliny, perfum. Jakby szantażysta w ogóle nie dotykał papieru, na którym był wydrukowany list. I rzeczywiście – okazało się, że to były kserokopie! OPOS po prostu pisał list, potem zanosił go do punktu ksero i tam powielał. Kopia wychodząca z urządzenia sporządzona była na czystym papierze i trafiała wprost do czystej koperty – dlatego nie ujawniono żadnych śladów. Niemniej wiadomo już było, że działania OPOS-a charakteryzuje duża dbałość o szczegóły. Że niezwykle pieczołowicie przygotowuje się do podejmowanych działań.

Treść listów była najważniejszym elementem potrzebnym do stworzenia profilu w tej sprawie. To tak zwany wytwór **własny sprawcy**[1]*. Wiele zdradza. Jego analiza pozwala na ustalenie motywu działania przestępcy. OPOS chciał ukarać bank. Miałem więc motyw: zemsta. Teraz musiałem sobie odpowiedzieć na kluczowe pytanie: Dlaczego ten człowiek pragnie zemsty, za co chce ukarać bank? Nie znalazłem w jego pismach informacji dotyczących obsesji politycznych ani gospodarczych. Wykluczyłem, by był fanatykiem jakiejś organizacji czy religii, bo treść gróźb była racjonalnie wyłożona. Sprawdziłem też, czy uprawia jakieś gierki słowne. Na przykład w pogróżkach od przedstawicieli organizacji często występuje powiedzenie typu: Jedna gałąź inaczej funkcjonuje niż cała wiązka, co oznacza, że jedną gałąź można łatwo złamać, ale wiele cienkich gałązek nie podda się tak łatwo. Jednak w listach OPOS-a nie znalazłem takich sformułowań. Szukałem, czy nie posługuje się wyszukanymi symbolami, czy nie używa słów w określonej kolejności, co mogłoby stanowić swoisty kod, który policja – jego zdaniem – powinna rozszyfrować. Ale nic takiego nie znalazłem.*

Zacząłem się zastanawiać, dlaczego OPOS pisał kolejne listy? Co się działo w tym czasie? Co było dla niego bodźcem? Znalezienie odpowiedzi na te pytania pozwoliłoby lepiej zrozumieć jego sytuację, a to z kolei zbliżyłoby mnie do jego map mentalnych.

---

[1] Zwykle analiza pisma daje wskazówki związane z funkcjonowaniem sprawcy, m.in. sposób formułowania myśli, techniki wikłania wybranej ofiary, określony sposób przekazania gratyfikacji, o które mu chodzi, poczucie kontroli, charakter pisma, jeśli list został sporządzony ręcznie.

Założyłem, że pierwszy list wysłał na próbę. Drugi napisał, kiedy poczuł się zignorowany i pieniądze, na które liczył, nie spłynęły. Trzeci – kiedy był już tak zdesperowany, że postanowił podłożyć ładunek; w liście poinformował, który oddział wybrał na cel. W czwartym kpił z pracowników banku i szukających go policjantów: „Co wy na to? Wciąż myślicie, że to żarty? To poważna sprawa. Teraz wasz ruch". Jakby na udowodnienie swojej determinacji ładunek, który podłożył, był doskonalszy i miał sprawny zapalnik. Tylko zbieg okoliczności sprawił, że nie doszło do wybuchu. Tu zastanowił mnie fakt, że choć ochrona dostała polecenie, by wszystkie podejrzane osoby sprawdzać niezwykle dokładnie, jemu jednak udało się podłożyć ładunek. Jakby naśmiewał się z organów ścigania: „Wiecie, co jeszcze charakteryzuje OPOS-a? Jest bardzo zwinny". Postanowiłem poszukać dodatkowych informacji o oposie. I znalazłem bardzo ciekawą: Opos robi wszystko na opak, śpi zawieszony na drzewie głową w dół, zawsze czujny. Jest naprawdę niekonwencjonalny. I tak zachowywał się sprawca. Przekonany, że bank zdecydował się wykonać jego żądanie i przygotował kartę kredytową z limitem wypłaty dwóch milionów złotych, napisał piąty, ostatni list. Po raz kolejny wyznaczył datę i miejsce przekazania karty.

Po tej wstępnej analizie zacząłem badać intelektualną spójność listów[1]*. Interesowało mnie, czy mamy do czynienia z osobą psychicznie chorą, czy zaburzoną*[2]*.*

---

[1] Proces sprawdzania, czy wytwory sprawcy charakteryzuje logiczna struktura.

[2] Osoba chora psychiczne posiada zaburzoną sferę emocjonalną, wolicjonalną (zaburzenie woli) i intelektualną, zaś osoba z zaburzeniami psychicznymi posiada zaburzenia tylko w sferze emocjonalnej i wolicjonalnej.

Sprawdziłem, czy autor ma jakąś wizję, omamy, nierealistyczny obraz świata. Jeśli chodzi o listy osób chorych psychicznie, to często zaczynają się one od jakiegoś stwierdzenia, ale potem autor traci wątek i gubi słowa, a nawet całe zdania. Tutaj wszystko było spójne, napisane z sensem. Na dodatek sprawca ujawniał niuanse funkcjonowania banku, zdradzał triki pozwalające czerpać niemałe zyski, pisał o machinacjach, które jego zdaniem pozbawiły ludzi wielu dóbr. Nie podobały mu się wysokie prowizje pobierane od klientów za przeprowadzane transakcje. Wskazywał na praktyki, które w rzeczywistości oznaczały ukryte opłaty za prowadzenie konta. Opisując to wszystko, udowodnił, że dużo wie o funkcjonowaniu tej konkretnej instytucji. Zna doskonale obowiązujące w banku procedury i sposób realizacji operacji.

W jego listach nie zauważyłem roztargnienia. Przeciwnie – wszystko było zaplanowane. Nawet błędy ortograficzne. To jak pozorowanie motywu po dokonaniu przestępstwa. Sprawca rozbiera ofiarę, żeby upozorować motyw seksualny, a tak naprawdę mamy do czynienia z rabunkiem, czyli motywem ekonomicznym. Podobnie postępował OPOS. Stwierdziłem, że robił błędy ortograficzne celowo, by zmylić śledczych. Chciał zniekształcić obraz własnej osoby, próbował zamglić obraz sytuacji. Nieudolnie. Te dwie cechy: niedbałość w postaci błędów, a jednocześnie dbałość o to, by nie zostać wykrytym (ksero), wzbudzały podejrzenia, bo wzajemnie się wykluczały. Ale od razu wiedziałem, którą odrzucić – OPOS pisał przecież na komputerze, a edytor tekstu sam poprawia, a przynajmniej zaznacza błędy.

OPOS był niezwykle konkretny i precyzyjny. Żądał dokładnie dwóch milionów złotych. Wiedział, że dla banku to kwota niemała, ale możliwa do wyegzekwowania. Przekonywał, że ryzyko wysadzenia budynków razem z ludźmi jest duże, warto więc tyle zapłacić. Nie negocjował, nie targował się. Konsekwentnie dążył do osiągnięcia celu. Z dyrekcją banku nie kontaktował się telefonicznie. Wiedział, że policja będzie próbowała go namierzyć. Telefon kobiety po drugim liście szantażysty był jedynym kontaktem telefonicznym. Zresztą bardzo krótkim – OPOS wiedział, że policjanci będą próbowali namierzyć tę rozmowę, więc kazał kobiecie szybko się rozłączyć.

Udział kobiety w sprawie to był element gry, którą sprawca prowadził ze śledczymi. Chodziło mu o to, by sądzili, że mają do czynienia nie z jedną osobą, ale z grupą szantażystów. Chciał wzbudzić strach.

Działania OPOS-a charakteryzowała świetna strategia. Wszystko miał zaplanowane i przemyślane. Biegły z zakresu materiałów wybuchowych stwierdził, że podkładane przez niego bomby były naprawdę pieczołowicie wykonane. I choć w pierwszej był źle skonstruowany zapalnik, to przygotowując drugą, tego błędu już nie popełnił. Poza tym na bombach OPOS-a również nie zabezpieczono żadnych śladów.

Jeśli chodzi o ładunki, najbardziej mnie interesowało, jak były konstruowane i ile czasu mogło mu to zająć. Na podstawie opinii ekspertów, którzy podkreślali ich fachowe wykonanie, stwierdziłem, że OPOS musi mieć na ten temat jakąś wiedzę. To był dla mnie sygnał, że poszukiwany nie może być osobą młodą. Wiedziałem też – co było bardzo ważne – że sprawca szybko się uczy.

Prawdopodobnie gdyby miał okazję zbudować trzecią bombę, byłaby doskonała. Zwróciłem więc uwagę śledczych na kilka cech OPOS-a: wytrwałość, nieustępliwość, zdolność planowania, rozwaga. Ostrzegłem, że nie zaprzestanie swoich działań, jeśli się czegoś wystraszy. Jego frustracja i złość będą prowadziły do eskalacji agresji.

Ustaliłem, że pomysłodawcą i mózgiem przedsięwzięcia jest jedna osoba. Nie organizacja czy grupa (policjanci ucieszyli się na wiadomość, że nie są to terroryści), ale mężczyzna w wieku pomiędzy trzydziestym piątym a czterdziestym piątym rokiem życiat. Dlaczego nie ktoś młodszy? Bo szantażysta niezwykle starannie przygotowywał swoje listy i ładunki. Miał precyzyjnie przygotowany plan i poświęcał na jego wykonanie dużo czasu. Charakteryzuje go cierpliwość. Jest skłonny modyfikować swoje działania. A tak postępują ludzie dojrzali, ze sporym bagażem doświadczeń życiowych. Dla kogoś młodego, powiedzmy dwudziestolatka, takie przygotowania byłyby całą wiecznością. Młody człowiek działałby inaczej: bardziej spontanicznie, nawet gwałtownie, byłby niecierpliwy, a także nieobliczalny.

Wykonałem mapę ataków sprawcy i na jej podstawie stwierdziłem, że pochodzi z Katowic lub najbliższych okolic. Zna teren i dobrze się tutaj czuje. Teraz jednak mieszka na obrzeżach aglomeracji. Uznałem, że OPOS funkcjonuje w związku małżeńskim, być może ma dzieci. Wywnioskowałem to z treści jego listów – używał formy „my", jakby czuł się odpowiedzialny za większą grupę ludzi. Terrorystów wykluczyłem, uznałem więc, że OPOS występuje w imieniu rodziny. Wskazałem także, że kobieta, która dzwoniła, to najprawdopodobniej jego partnerka lub żona. Jest jednak tylko osobą wspomagającą, wykonuje polecenie sprawcy wiodącego.

To człowiek wykształcony i inteligentny – umiejętnie podjął i prowadził grę z policją. Prawdopodobnie ma wyższe wykształcenie wojskowe lub chemiczne. Wie sporo o konstrukcji ładunków wybuchowych, a takiej wiedzy nie nabywa się na weekendowych kursach. Możliwe, że ukończył specjalistyczne szkolenia policyjne.

OPOS jest osobą dominującą. Nie widzi swoich wad ani negatywnych zachowań. Uwielbia być panem sytuacji. Cechuje go rozmach. Lubi zarządzać ludźmi, którzy skrupulatnie wykonują jego polecenia. Mógł prowadzić lub mieć firmę o zasięgu makroregionalnym. Jest osobą usystematyzowaną, perfekcyjną i konsekwentną. Chce wywołać frustrację i lęk we władzach banku, marzy, by go podziwiano za siłę i moc. Ale tak naprawdę czuje się upokorzony, poniżony i oszukany, czego nie jest w stanie zaakceptować. Kiedy został zlekceważony, natychmiast podłożył ładunek. Chciałby, by bez zmrużenia oka wypełniano każde jego słowo. Ma manię wielkości, a jednocześnie jest wrażliwy i łatwo go urazić, jeśli nie okazuje się mu należytego uznania. Panicznie boi się, że zostanie odrzucony, więc nie wchodzi w bliskie, intymne relacje z ludźmi. Jest określany jako dziwak i odludek.

Pragnie bezpieczeństwa, utrzymania swojej pozycji, która została zachwiana. Jednak jest tak uwikłany w sytuacje konfliktowe, dziejące się wokół niego, że nie może na nie spojrzeć w sposób obiektywny. Jest w stanie

„huśtawki emocjonalnej". Dlatego realność spełnienia jego gróźb jest duża.

Pisanie anonimów jest dla niego rodzajem terapii oczyszczającej. W ten sposób kompensuje sobie swoje rzeczywiste poczucie niskiej wartości. Przedstawia siebie w liczbie mnogiej, a to oznacza również, że uważa się za autorytet społeczny. Poczucie anonimowości obniża jego lęk, daje mu iluzoryczne poczucie bezpieczeństwa. Dlatego bank jest dla niego ofiarą idealną. Nie ma szans obronić się przed atakiem nieistniejącego wroga, a dodatkowo sprawca działa z zaskoczenia.

Wybór placówek, w których podłożył ładunki, nie był przypadkowy. Z tymi oddziałami wiązały się jego negatywne doświadczenia. Tam chciał wzbudzić największy strach. Dlatego nie wystarczyło mu kilka gróźb w liście.

Być może cofnięto mu kredyt bądź zlicytowano nieruchomość na nieatrakcyjnych warunkach, co spowodowało frustrację i złość. Doznane rozczarowania związane z działaniem banku spowodowały u niego stres, a także ostrożność i czujność, które to cechy w jego mniemaniu mają mu zapewnić ochronę przed dalszymi niepowodzeniami. Jest podejrzliwy, nie wierzy w przyszłość, odrzuca kompromisy, wysuwa wygórowane żądania.

Należy go szukać w gronie dawnych dłużników banku. Jest możliwe, że był klientem jednego z dwóch oddziałów, w których podłożył ładunki wybuchowe. Jego nazwisko znajdziecie na liście dłużników nie dalej niż dwa lata wstecz. Z jego listów i żądań wynikało, że OPOS przeżywa ogromną frustrację związaną z poczuciem straty, niesprawiedliwości i krzywdy dokonanej przez bank – w jego odczuciu instytucję zachłanną i krwiożerczą. To nie pozwalało mu normalnie funkcjonować. Żądał wysokiego odszkodowania, eskalował groźby. Według mojej wiedzy i badań psychologicznych poziom tak silnych emocji spada dopiero po dwóch latach.

Policjanci zatrzymali OPOS-a w Wigilię Bożego Narodzenia. Został wytypowany na podstawie profilu oraz listy osób, którym bank właśnie zlicytował majątek na poczet wierzytelności. Policjanci wzięli pod uwagę aż dwustu dłużników z ostatnich dwóch lat. Następnie wytypowali kilkanaście osób, których życiorysy i cechy charakteru porównano z podanymi przez nadkomisarza Lacha. Przyjrzano im się bardzo dokładnie.

Jak doszło do zatrzymania? OPOS wiedział, że rozmowy telefoniczne mogą go zdemaskować. Natomiast w interesie policji było, by w ten sposób kontaktował się jak najczęściej. Podczas rozmowy z kobietą dyrektor banku grał na zwłokę. Mówił, że szefowie nie podjęli jeszcze ostatecznej decyzji, gdzie i kiedy możliwe byłoby przekazanie karty, o którą zabiegał OPOS. Poprosił o telefon innego dnia. Szantażysta był jednak sprytny. Nie zadzwonił – napisał. Podał termin i miejsce, w którym miało dojść do przekazania karty. Miejsce, które szantażysta wskazał, było dla niego wygodne. Dobrze je przygotował, znajdowało się w okolicy trudnej do obserwacji. Śledczy już wtedy wiedzieli jednak, kim jest ten człowiek. Od kilku dni był pod ścisłą obserwacją, znali każdy jego ruch. I właściwie mogli go zatrzymać od razu – na gorącym uczynku, kiedy pojawił się w okolicy wskazanego przez siebie kosza na śmieci. Ucharakteryzował się na bezdomnego i faktycznie wyglądał na zaniedbanego. Był autentycznie brudny, zarośnięty – zadał sobie trud, by wyhodować niechlujny zarost. Zawsze perfekcyjnie planował swoje przedsięwzięcia, więc tym bardziej teraz – w finale. Karta kredytowa czekała na niego w koszu, zawinięta w ścinki papieru i folię. By ją uzyskać, konieczne było grzebanie w śmieciach. Dostosował swój wygląd do roli, jaką miał odegrać. Musiał być wiarygodny i nie wzbudzać zainteresowania. Dobrze to obmyślił. Policjanci filmowali jego działania. Potrzebowali dowodów, dlatego pozwolili mu wziąć tę kartę i odejść.

OPOS-owi wydawało się, że osiągnął swój cel. Trzymał w garści swoje dwa miliony. Wygrał z bankiem i policją, zastraszył ich, a teraz odbierze swoje pieniądze. Jednak karta była tak skonstruowana, że jednorazowo można było wyciągnąć jedynie dziesięć tysięcy złotych. OPOS jeździł więc od bankomatu do bankomatu i wyjmował pieniądze. W miarę jak zbliżał się do domu, był coraz bardziej pewny siebie i mniej czujny. O to chodziło. Został zatrzymany niedaleko własnego domu, gdzie jednocześnie dokonano przeszukania.

Fabian Stolarczyk, chemik, w momencie zatrzymania miał trzydzieści dziewięć lat. Prowadził własną firmę w branży papierniczej, która ostatnio przestała przynosić zyski. Groźba bankructwa zmusiła go do zaprzestania spłaty kredytu zaciągniętego na firmę pod hipotekę domu. W końcu bezduszny bank za relatywnie niewielkie pieniądze zlicytował dom – dorobek życia Stolarczyka. Z całą rodziną musiał wyprowadzić się na obrzeża miasta do rudery, która wymagała kapitalnego remontu. Budynek był zapuszczony i wymagał naprawdę sporych środków finansowych, by przywrócić mu świetność. Desperacja OPOS-a rosła wraz z jego frustracją spowodowaną tym, że nie może sobie poprawić warunków życiowych.

Podczas przeszukania policjanci natrafili na jeden zamknięty na klucz pokój, który po otwarciu nazwali „małym laboratorium". Tam Stolarczyk opracowywał strategię zastraszenia banku i wyłudzenia pieniędzy. Policja zabezpieczyła w tym miejscu mnóstwo prasy branżowej, dotyczącej budowy ładunków wybuchowych, książki z dziedziny kryminalistyki, publikacje o zabezpieczaniu śladów, a także prawie gotowe ładunki, które szantażysta zamierzał podłożyć. Okazało się, że miał przeszkolenie wojskowe w jednostce minersko-pirotechnicznej.

Natychmiast został aresztowany pod zarzutem spowodowania zbiorowego niebezpieczeństwa, oszustwa oraz gróźb. Jego żona również była chemikiem (poznali się na studiach). Jeszcze tego samego dnia została zatrzymana i pociągnięta do odpowiedzialności za współudział. To ona dzwoniła. Godziła się na to wszystko, ponieważ miała podobne przeżycia i wierzyła, że tylko taki ruch może odmienić ich los. Najgorsze jednak było w tym wszystkim to, że państwo Stolarczykowie mieli małe dzieci – cztero- i siedmioletnie. Szkoda ich w tej sprawie najbardziej. Gdyby po aresztowaniu rodziców nie zgłosili się dziadkowie, którzy spełniali warunki, by być rodziną zastępczą, trafiłyby do domu dziecka.

Crazy man

Krzysztof Jasiński i Ewa Piekarzewicz tworzyli bardzo silny, choć burzliwy związek. On – były „żołnierz mafii"– oficjalnie zajmował się biznesem, ale tak naprawdę handlował kradzionymi autami i robił przekręty. Był dominujący i niezwykle pewny siebie. Nosił ksywkę Crazy, co idealnie odzwierciedlało jego osobowość. Porywczy, gwałtowny, agresywny. Zdarzało się, że zupełnie bez powodu robił Ewie sceny zazdrości. Chciał ją sobie całkowicie podporządkować, zapanować nad nią. Kontrolować każdy jej ruch. Ale ona nie była typem kobiety uległej. Miała silną osobowość i buntowała się. Bywało, że dochodziło między nimi do bardzo poważnych kłótni, a nawet rękoczynów. Mimo to Ewa – atrakcyjna, zgrabna, dobrze ubrana – była typową kobietą żołnierza mafii. Umiała czekać, kiedy jej mężczyzna trafiał za kratki. Odwiedzała go w areszcie. Kiedy było trzeba – dawała mu alibi. Wiedziała, że za swoją cierpliwość i oddanie otrzyma gratyfikację. Nie myliła się. Crazy nie szczędził pieniędzy na jej zachcianki: ciuchy, sprzęt, operacje plastyczne, auta. To dlatego nawet po wielkiej kłótni Krzysztof i Ewa zawsze dochodzili do porozumienia. Zdecydowali się nawet na dziecko.

Niestety, Crazy wpadł na kilku przekrętach, był też podejrzany o udział w poważnych aferach. W końcu trafił za kratki. Aby wyjść na wolność i uniknąć odpowiedzialności, złożył zeznania obciążające kompanów. Pierwsze miesiące na wolności były niemal sielankowe, jednak potem ktoś zaczął Krzysztofowi grozić. Zważywszy na branżę, w jakiej pracował Crazy, groźby miały charakter jednoznaczny. Ewa widziała, jak Krzysztof się zmienia. Przestał dbać o siebie. Cierpiał na bezsenność – nocami objadał się i upijał. W ciągu dwóch tygodni przytył aż trzydzieści kilogramów. Stał się agresywny, konfliktowy, nieufny. Bał się. Czuł, że wydano na niego wyrok.

Jedenastego marca 2006 roku o dziesiątej rano Ewa znalazła go martwego. Sprawcy tak ułożyli zwłoki, by osoba, która je odkryje, w pierwszym momencie ulegała złudzeniu, że mężczyzna siedzi w fotelu. Tak też się stało. Ewa po wejściu do mieszkania sądziła, że jej partner odpoczywa. Dopiero kiedy podeszła bliżej, zobaczyła, że nie żyje. Na ścianie naprzeciwko, na oknie i firanach były rozbryzgi krwi. W salonie i korytarzu ślady walki, a w całym mieszkaniu oznaki plądrowania. Ułożenie ciała ofiary wskazywało jednoznacznie, że są to gangsterskie porachunki. Głowa Crazy'ego była oparta o prawy bok fotela. Lewą rękę zgięto mu w łokciu pod kątem dziewięćdziesięciu stopni i położono na brzuchu, natomiast palce dłoni lekko zaciśnięto jak do groźby. Tymczasem prawa ręka była ułożona wzdłuż tułowia z dłonią w okolicy krocza.

Medyk sądowy ustalił, że zabójstwa dokonano pomiędzy ósmym a jedenastym marca 2006 roku. Przyczyną śmierci Crazy'ego były liczne rany w obrębie głowy – tłuczone i rąbane. Biegli stwierdzili, że ciosy zadawano rękoma oraz narzędziami tępymi lub tępokrawędzistymi, np. pałką. W sumie sprawcy zadali mu kilkadziesiąt ciosów, w tym dziewięć śmiertelnych. Efekt: głowa i twarz ofiary były rozbite na miazgę. Wszystkie ciosy zadano z wielką siłą, co sprawiło, że Krzysztof zmarł śmiercią gwałtowną – agonia trwała krótko. W chwili śmierci był trzeźwy.

Mijał drugi miesiąc od zbrodni. Policjanci prowadzący dochodzenie znaleźli się w przysłowiowej kropce. Wyczerpali wszystkie hipotezy, nie było kolejnych wątków do sprawdzenia. Na początku maja 2006 roku zadzwonił do mnie prokurator okręgowy i zapytał, czy nie podjąłbym się zrobienia profilu do tej sprawy. Musiałem go ostrzec, że profil będzie mniej dokładny, ponieważ ofiara pochodzi z tzw. grupy ryzyka. Należą do niej osoby zajmujące się działalnością przestępczą – wymuszaniem haraczy, sutenerstwem, handlem narkotykami. Cechy ludzi otaczających ofiarę są bardzo podobne, mają zbliżone do siebie zaburzenia. Są niezwykle zdesperowani i jeśli otrzymają zlecenie zabójstwa, nie wahają się, po prostu je wykonują. To tylko kwestia wynagrodzenia. Z kolei ci, którzy należą do narkogangów, zwykle sami używają środków odurzających, które powodują u nich bardzo podobne do siebie zaburzenia. Dlatego w profilu jest znacznie trudniej wykazać cechy typowe tylko dla jednej osoby. A jeśli te cechy są do siebie zbliżone, to nie zawężają grona osób podejrzanych. Mówiąc najprościej, do profilu będzie pasowała więcej niż jedna osoba z otoczenia ofiary. Prokurator wysłuchał tego wszystkiego, oświadczył, że zdaje sobie z tego sprawę, i mimo wszystko zlecił mi wykonanie tego portretu.

Kilka dni później dostałem akta sprawy, które były dość sporej objętości. Po ich przeczytaniu stwierdziłem, że to jednak nie wystarczy i przez następny tydzień zbierałem dodatkowe informacje na temat ofiary. Pierwszy wniosek, jaki mi się nasunął, to pozorowanie przez sprawcę motywu. Chociaż mieszkanie było splądrowane i panował w nim duży nieład, co jest charakterystyczne dla motywu ekonomicznego, ustaliłem, że ten człowiek zginął z pobudek zemsty. Choćby to dziwne ułożenie ciała świadczyło, że sprawca lub sprawcy w ten sposób chcieli przekazać informację rodzinie Crazy'ego i jego kompanom: „Z nami nie ma żartów. Tak kończą faceci, którzy nie mają jaj". Widać Jasiński zrobił o jeden szwindel za dużo.

Każdy człowiek, jeśli narobiłby tyle oszustw i przekrętów w życiu, spodziewałby się, że w końcu ktoś utnie mu głowę. Tylko nie Crazy. Dużo o tej ofierze mówi jego pseudonim. Był to człowiek bardzo pewny siebie, przeświadczony o własnej wyjątkowości i jakby pozbawiony instynktu samozachowawczego. Zdarzało mu się pochopnie wchodzić w różne interesy i związki, których potem żałował. Często reagował w sposób nieprzemyślany, gwałtowny. Jednocześnie uważał się za szczęściarza, człowieka w czepku urodzonego. Dwa razy trafił do kryminału pod zarzutem udziału w zorganizowanej grupie przestępczej i dwukrotnie wyszedł z tych procesów obronną ręką. Prawda wyglądała jednak tak, że poszedł na współpracę z policją – sprzedał kilku kompanów i ubzdurał sobie, że jest kimś w rodzaju świadka koronnego, który może liczyć na ochronę organów ścigania. Czuł się z tego powodu bardzo pewnie. Przyszłość pokazała, że za bardzo.

Nawet on, który święcie wierzył we własne siły i autorytet w półświatku, w pewnym momencie – jakieś dwa tygodnie przed śmiercią – poczuł, że wokół robi się gorąco. Miał wiele nieciekawych sygnałów. Ktoś na niego polował. I Crazy miał prawo się bać. Doskonale wiedział, że jest wiele osób, które chciałyby się go pozbyć, i czuł, że to może być koniec. Ten strach udzielał się również Ewie. Przekonywała go, żeby sprzedali wszystko, przeprowadzili się gdzieś w Polskę i zaczęli od nowa. Ale Jasiński nie zgadzał się na sprzedaż mieszkania. Spędził tutaj całe życie – to była jego ojcowizna. Wciąż powtarzał, że zna tu wszystkich i wszyscy znają jego, dlatego nikt nie zrobi mu krzywdy.

Rzadko kto ma tylu wrogów co Crazy. Sprawcy musieli o tym wiedzieć. Znali jego tryb życia, wiedzieli, z kim się kontaktuje. Nie mieli wątpliwości, że bardzo wiele osób żywi do niego negatywne emocje i pragnie jego śmierci. Z tego powodu czuli się pewniej – wiedzieli, że policji trudniej będzie trafić na ich ślad.

W tej sprawie praktycznie wszyscy byli podejrzani. I naprawdę każdy z otoczenia Krzysztofa Jasińskiego miał motyw, by się go pozbyć. Oto bohaterowie tego dramatu:

1. Ewa Piekarzewicz, konkubina Krzysztofa i matka jego dziecka

Od dawna chciała od Krzysztofa odejść i poukładać sobie życie na nowo. Kiedy Crazy siedział w więzieniu, rzadko go odwiedzała. Podczas odsiadki Krzysztofa poznała innego mężczyznę, zakochała się w nim. Wyjście na wolność Crazy'ego skomplikowało jej sytuację. Nie chciała już z nim być, a jednocześnie wiedziała, że tego typu mężczyzn się nie zdradza i nie porzuca, ponieważ to może bardzo źle się skończyć.

2. Księgowa

Czterdziestoparoletnia kobieta, która ma problem z nadużywaniem alkoholu i jest hazardzistką. Crazy pożyczył jej sporą kwotę, której nie miała z czego zwrócić, ponieważ tonęła w długach. Naliczał jej „bandycki procent", który sprawił, że w ciągu kilku miesięcy odsetki przerosły kilkunastokrotnie kwotę pożyczonego kapitału.

3. Osoby, które robiły interesy z Crazym

Takich osób pośrednio związanych ze sprawą było kilkadziesiąt. Każdą z nich w jakiś sposób oszukał, okradł lub znieważył. Z racji jego profesji była to całkiem spora grupa ludzi.

4. Koledzy z półświatka

Wielu z nich obciążył w swoich zeznaniach, kiedy poszedł na współpracę z organami ścigania. To również spora i jednorodna grupa ludzi. Uczestnicy różnych afer finansowych, wcześniej rozbojów, kompani z agencji towarzyskich, które w przeszłości Crazy prowadził.

Zacząłem od Ewy, partnerki i matki jedynego dziecka Krzysztofa. Ta kobieta jawiła się w tej sprawie jako jedna z głównych podejrzanych. Znalazła ciało Krzysztofa. Wszystko po nim dziedziczyła. Tydzień przed jego śmiercią pokłóciła się z nim i wyprowadziła z domu. Jego śmierć była dla niej swoistym wyzwoleniem z toksycznego związku. Wykonałem szczegółową rekonstrukcję zdarzeń przed i po zbrodni oraz stwierdziłem, że w zachowaniu Ewy jest co najmniej kilka elementów niejasnych. Na przykład w dniu, kiedy sprawcy weszli do mieszkania Crazy'ego, Ewa kilkakrotnie podjeżdżała pod kamienicę, w której mieszkali, i widziała auto Krzysztofa zaparkowane w bramie. Zeznała policji, że ten fakt ją zaniepokoił, bo nigdy wcześniej Krzysztofowi się to nie zdarzało. Nie weszła jednak do mieszkania, nie powiadomiła nikogo o swoich podejrzeniach, o zgłoszeniu sprawy na policję nie wspominając.

Musiałem poznać ją bliżej. Okazało się, że Ewa to atrakcyjna trzydziestopięciolatka, obdarzona dużym sprytem życiowym, powiedziałbym nawet: wyrachowana. Kiedy poznała Crazy'ego, pracowała jako „hostessa" w prowadzonej przez niego agencji towarzyskiej. Miała już jedno dziecko z pierwszego związku. Drugie urodziła, kiedy była z Krzysztofem. Potem, gdy Jasiński poszedł siedzieć i nie zostawił jej wystarczających środków do życia, znów zaczęła świadczyć usługi w zaprzyjaźnionej agencji. Po jego wyjściu na wolność nie zaprzestała procederu, ale ukrywała to przed partnerem. Twierdziła, że zamierza otworzyć solarium, ale tak naprawdę miała to być agencja towarzyska. Krzysztof podejrzewał ją o zdrady. Na tym tle dochodziło między nimi do poważnych kłótni. Niestety, to jest specyfika tego typu spraw, że nawet jeśli wszyscy o czymś wiedzą, nikt tego nie potwierdzi przed prokuratorem lub sądem, bo nie ma w tym żadnego interesu. Ta kobieta nigdy, nawet pytana wprost, nie przyzna się do tego, że była osobą lekkich obyczajów, ponieważ tutaj chodzi o jej wizerunek, a także dobro dzieci. Dla mnie były to niewątpliwie bardzo ważne informacje, rzucające cień na całą sprawę.

Przeanalizowałem jej bilingi. Zastanawiałem się, czy Ewa mogła zlecić zabójstwo swojego partnera. Pewne elementy wskazywały bezpośrednio na nią. Jego zamordowano ósmego lipca, a Ewa odkryła zwłoki jedenastego. Dzień wcześniej sprawdziła, czy jego ferrari stoi przed kamienicą i odjechała. To było interesujące zachowanie. Mogło wskazywać, że jest zleceniodawczynią zbrodni. Na przykład wynajęła do tego celu ludzi i sprawdzała, czy robota została wykonana. Ale z drugiej strony to właśnie ona odkryła ciało Crazy'ego i wiele osób twierdziło, że była w tak złym stanie psychicznym po jego śmierci, że nie poradziłaby sobie z zorganizowaniem pogrzebu. Nie tylko ta kwestia świadczyła na jej korzyść. Po analizie jej osobowości i siły ich związku doszedłem do wniosku, że jej zachowanie było dokładnie takie, jakie w takich sytuacjach być powinno. Emocje muszą korespondować z sytuacją. Jeśli ktoś opowiada o stracie bliskiej osoby jak o wielkiej tragedii, a jego zachowania tego nie potwierdzają, warto się nim zainteresować. Ewa zareagowała tak, jak się tego spodziewałem. I dlatego namawiałem, by wykluczyć ją z grona podejrzanych.

Księgowa Crazy'ego to był dopiero niezły przekręt. Nie mogłem jej wykluczyć z grona podejrzanych, bo materiał zgromadzony w aktach bardzo silnie na nią wskazywał. To była pozornie zwykła księgowa. Ma normalne biuro, płaci podatki, a przy okazji rozliczała tego mafioza. Byłem u niej osobiście, ponieważ kwestie finansowe w przypadku takiej ofiary są niezwykle istotne i konieczne do sprawdzenia. Ta kobieta ma jednak specyficzny sposób bycia. Mianowicie kokietuje wszystkich mężczyzn. Mnie też nie odpuściła. W pewnym momencie, kiedy ustalaliśmy jakieś kwestie podatkowe, ona nagle mówi: Szkoda, że wcześniej pana nie poznałam. I patrzy mi głęboko w oczy. Roześmiałem się, bo wiedziałem, że ona w ten sposób chce odwrócić moją uwagę od ważnych kwestii związanych ze sprawą. Zwykle luźno prowadzę rozmowy z ludźmi, unikam policyjnego formalizmu. Dzięki temu ludzie, rozmawiając ze mną, nie sztywnieją i pozwalają mi zobaczyć się takimi, jakimi są naprawdę. Wtedy więc zapaliła mi się lampka ostrzegawcza, bo wiedziałem, że księgowa musi mieć w tym jakiś interes. Niewątpliwie było jej na rękę, że Crazy nie żyje. Pożyczyła od niego sporą kwotę pieniędzy, a jak łatwo się domyślić, gangster nie sporządził z nią umowy ani nie było świadków tej pożyczki. Po jego śmierci nikt nie żądałby od niej zwrotu długu, więc miałaby kłopot z głowy. Trudno się dziwić, że bardzo cieszyła się z powodu wyeliminowania Jasińskiego z jej życia.

Ale choć wiele wskazywało na nią, a jej postępowanie budziło wiele zastrzeżeń etyczno-moralnych, uznałem, że to raczej nie ona zleciła zabójstwo. W jej przypadku motywem byłaby nie zemsta, ale motyw ekonomiczny. A wtedy zbrodnia zupełnie inaczej wygląda. Jeśli to księgowa zleciłaby zabójstwo Crazy'ego, na jego ciele nie byłoby tak wielu rozległych obrażeń w obrębie głowy. Wystarczyłaby jedna kulka, dwa ciosy nożem. Z mieszkania zniknęłyby wartościowe przedmioty, gotówka, kluczyki i dokumenty do samochodów, a także same auta, którymi jeździł Crazy. Tymczasem sprawcy zabrali jedynie akt notarialny domu Crazy'ego i dowód rejestracyjny ferrari, które zresztą pozostawili pod kamienicą. Upozorowali rabunek, ale chodziło im o odwet. Żeby już nikt nie miał z jego samochodu ani mieszkania żadnej korzyści.

Wróćmy jednak do księgowej. Choć próbowała mnie uwodzić i oszukiwała w prowadzonej rozmowie, stwierdziłem, że tak naprawdę nie miała powodu, żeby się Jasińskiego pozbywać. Owszem, zalazł jej za skórę, chciała się na nim odegrać – jak wiele osób z jego otoczenia, ale był dla niej kurą znoszącą złote jaja. Po co miałaby go załatwiać?

Zostali do przeanalizowania ludzie, których Crazy oszukał albo „sprzedał" policji. Niezwykle jednorodny materiał do profilowania. Ludzie pod względem zachowań i cech osobowości podobni do siebie. Znalezienie cech pierwszo- lub drugoplanowych graniczyło z cudem. To była mrówcza robota. Musiałem zbadać, z kim Crazy się spotykał, do kogo najczęściej dzwonił oraz jaki był charakter tych związków. Analizowałem, co ich łączyło, co dzieliło. Sprawdziłem tysiące połączeń z kilku komórek ofiary. Zrobiłem analizę jego linii czasowej[1]*. Starałem się*

[1] Dokładna rekonstrukcja ostatnich dni życia.

bardzo dokładnie opisać śledczym jego samego – jakie miał upodobania, nałogi, przyzwyczajenia, skłonności. Kiedy sprawdzałem Ewę, zadałem sobie pytanie, czy w tym zdarzeniu mogła brać udział kobieta. Krzysztof miał swoje słabości i jeśli kobieta była mądra, mogła je wykorzystać do swoich celów. Ale on nie był głupim facetem. Wiedział, że ktoś może na niego czyhać. Zawsze sprawdzał, kto wchodzi za nim do kamienicy, kto przyjeżdża, kto staje pod budynkiem. Pod tym względem był przesadnie ostrożny. I dlatego postawiłem hipotezę, że Crazy zaprosił zabójców do swojego domu. Mało tego – znał ich. Wpuścił ich do mieszkania, nie bał się, choć w ostatnim czasie był szczególnie ostrożny.

Na podstawie zadanych obrażeń oraz oględzin miejsca zdarzenia stwierdziłem, że sprawców było najprawdopodobniej dwóch. Wskazywały na to rozbryzgi krwi na ścianach i podłodze – w bójce z jednym sprawcą poradziłby sobie bez kłopotu, podjąłby czynną obronę i „mapa" krwawych śladów byłaby inna. Ponadto Jasiński nigdy nie umawiał się z więcej niż dwiema osobami. Jeśli byłby trzeci, stałby na czatach i monitorował przebieg akcji. Wykluczone, by sprawców było więcej. Na taką „robotę" nie zabiera się po prostu zbędnych osób.

Obaj sprawcy są przeciętnie inteligentni, mają od dwudziestu pięciu do trzydziestu pięciu lat. Nie posiadają stałej pracy, trudnią się działalnością przestępczą. Jeśli pracują, jest to tylko przykrywka do rzeczywistej działalności w półświatku. Są sprawni fizycznie, gwałtowni, agresywni. Pochodzą z rodzin o niskim statusie ekonomicznym. Mają tendencję do reakcji niewspółmiernych do działającego bodźca. Funkcjonują w krótkotrwałych związkach, nie mają stałych partnerek. W społeczeństwie nie budzą zaufania, nie akceptują społecznych norm moralnych.

Podczas czynu byli zdenerwowani, dlatego zadawali tak silne ciosy. Potem próbowali zatrzeć ślady, co może wskazywać na doświadczenie w podobnych przestępstwach. Prawdopodobnie byli notowani przez policję, a być może i karani za rozboje oraz uszkodzenia ciała. Sprawca wiodący może być niezwykle agresywny, nawet w normalnym kontakcie. Zwykle w zbrodniach dokonanych przez grupę dochodzi do eskalacji agresji, a na sposób zadawania obrażeń wpływa osoba dominująca. Obaj jednak mają doświadczenie w przygotowywaniu tego typu przestępstw. Zanim weszli do mieszkania ofiary, dokładnie poznali jej tryb życia. Przynieśli ze sobą narzędzia zbrodni, ale wykorzystali też przedmioty będące w zasięgu ręki. Prawdopodobnie po morderstwie pili alkohol, by zminimalizować powstały stres sytuacyjny. Potem jednak nie zmienili nic w swoim codziennym zachowaniu, umieją zachować zimną krew. Najprawdopodobniej teraz śledzą postępy w działaniach policji w środkach masowego przekazu.

Dwudziestego siódmego maja 2006 roku dzięki działaniom operacyjnym policjanci z Katowic zatrzymali dwóch mężczyzn. Sławomir Głuszak miał dwadzieścia osiem lat, Rafał Purzycki – dwadzieścia pięć. Mieszkańcy Warmii i Mazur. Sławomir okazał się pomysłodawcą tej zbrodni. Kilka lat wcześniej kupił od Crazy'ego kilka aut po okazyjnej cenie. Potem okazało się, że samochody były kradzione. Głuszak został oszukany na dużą kwotę. Cudem uniknął odsiadki. Wymyślił więc zemstę – kiedy dowiedział się, że Jasiński nadal zajmuje się handlem samochodami, zaproponował, że odkupi od niego ferrari. Jasiński nie kojarzył „Krzyżaków", nie pamiętał, że już raz ich oszukał. Ale oni tego nie zapomnieli. Tym razem bardzo dokładnie sprawdzali każdy dokument auta, które zamierzali kupić. Cóż, Crazy nie byłby sobą, gdyby jego interes znów nie był trefny. Kiedy mieli już dobić targu, wyszły na jaw różne nielegalne sprawy związane z autem. „Krzyżacy" żądali wyjaśnień i zadośćuczynienia za kolejny szwindel, wtedy Jasiński chciał ich wyrzucić z mieszkania. Wobec tego oni wpadli w szał: „Już raz nas przekręciłeś, zapłacisz teraz za to!".

Zginął, bo tak rozwinęła się sytuacja. Kiedy mężczyźni umawiali się z Jasińskim na zrobienie interesu, nie zamierzali go zabijać. Ale zaczęła się interakcja. W grę weszły silne emocje. Kiedy kolejny raz chciał ich oszukać na spore pieniądze, zdenerwowali się. Potem zaczął traktować ich z wyższością, jakby byli kimś gorszym, i chciał wyrzucić z mieszkania. To tylko wzmogło agresję. Pierwszy raz jakoś tę obelgę i stratę przełknęli. Nie mieli przecież stuprocentowych dowodów, że to jego wina, drugi raz już nie chcieli odpuścić. Crazy zginął na własne życzenie. Zgubiło go wyolbrzymione poczucie własnej wartości, kompleksy i mitomania. Nie miał żadnych hamulców – jeśli widział w czymś zysk, to się za to brał. Oszukiwał ludzi czasem nawet bez potrzeby, zupełnie bez sensu. Był zbyt pewny siebie. Nie docenił tych mężczyzn. Do głowy mu nie przyszło, że akurat oni podniosą na niego rękę. Tymczasem oni, choć nie wyglądali na ludzi „z miasta"[1]*, byli już karani za rozboje i pobicia. Być może, gdyby sprawców było nie dwóch, ale tylko jeden, lub gdyby Crazy był w lepszej formie – przypominam, że w ostatnim czasie bał się o życie i przytył trzydzieści kilogramów w dwa tygodnie! – być może zdołałby uciec oprawcom. W tej sytuacji raczej nie miał szans.*

Kuszownik

Trzydziestego pierwszego maja 2005 roku do komisariatu w Gliwicach zgłosił się Marian Wolski, mistrz budowy przedsiębiorstwa robót inżynieryjnych. „Ktoś do nas strzela z zarośli", zgłosił. Kilku jego pracowników zostało trafionych metalowymi gwoździami i kawałkami prętów. Szaleniec ukrywający się w krzakach nikogo nie zabił, ale jeden z pracujących ludzi stracił oko. Niecałe pół godziny później na miejsce wskazane przez mistrza budowy przyjechali policjanci i rozpoczęli oględziny. Kiedy zbierali ślady, robili zdjęcia, nagle zasypał ich grad pocisków. Cudem udało im się uniknąć obrażeń.

Jeszcze tego samego dnia zadzwonił do mnie przełożony tych funkcjonariuszy i poprosił, żebym przeanalizował zebrany materiał i pomógł im znaleźć szaleńca. Inspektor Dariusz Zasadziński nigdy wcześniej nie zwracał się do mnie o pomoc, choć prowadził naprawdę poważne śledztwa. Pomyślałem, że jest kompletnie zdezorientowany

[1] Członkowie zorganizowanych grup przestępczych tak o sobie mówią.

i zupełnie nie wie, jak zabrać się do tej sprawy, skoro tym razem poprosił o pomoc psychologa. Po kilku dniach przybyłem na miejsce.

Pierwsze, co zwróciło moją uwagę, to teren i moment ataku sprawcy. Strzelał zza krzaków – trudno dostępnych miejsc po miesiącu od rozpoczęcia prac nad budową autostrady Kraków–Gliwice. Za cel wybierał sobie robotników pracujących przy tej inwestycji. Najpierw przeanalizowałem wszystkie informacje prasowe pod kątem protestów Green Peace'u, które miały miejsce, zanim rozpoczęto budowę.

Ciekawy był scenariusz ataku szantażysty. Sprawca strzelał cztery, pięć razy, po czym znikał. Nie było żadnych strzałów próbnych ani niecelnych. Trafiał tam, gdzie chciał trafić. Chodziło o efekt zaskoczenia i wzbudzenie strachu. Uznałem, że musi umieć strzelać, ponieważ dokładnie wybierał cel i go osiągał. Zastanawiały mnie również karteczki, które mocował do wystrzeliwanych gwoździ. Były to odręcznie pisane niewielkie liściki, na których znajdowały się krótkie komunikaty w stylu: „Widzę was", „Widać was jak na dłoni".

Zauważyłem, że sprawca jest bardzo precyzyjny. Nigdy nie chybiał, błyskawicznie znikał – żaden z pościgów nic nie dał. Wniosek: miał wszystko perfekcyjnie przygotowane. Musiał wcześniej wybrać, zbadać i sprawdzić miejsce ataku. Wcześniej także ustalał i przygotowywał drogę ucieczki. To świadczyło o tym, że czuł się panem sytuacji, że to nie było działanie spontaniczne czy żywiołowe, a raczej wyrachowana i przemyślana akcja. Uznałem, że przez pierwszy miesiąc po rozpoczęciu budowy autostrady sprawca przygotowywał plan działania: szukał dogodnego stanowiska do ataku i opracowywał strategię, a także gromadził i sprawdzał broń, której zamierzał użyć.

Śledczy nazwali go Kuszownikiem. Biegli ustalili bowiem, że zakrzywione gwoździe i pręty, których używał jako pocisków, musiały być wystrzeliwane z broni pneumatycznej, najprawdopodobniej z kuszy. Kuszownik atakował w różnych odstępach czasu i z różnych miejsc. Śledczym trudno było przewidzieć, skąd uderzy następnym razem. Autostrada, przeciwko której protestował Kuszownik, jest żłobiona w ziemi, biegnie dołem. Kiedy więc sprawca strzelał do robotników i policji z zarośniętej skarpy, był dla nich zupełnie niewidoczny. Tymczasem on sam widział ich jak na dłoni.

Wykonałem szczegółową analizę czasową jego ataków. Zwykle było to pomiędzy siedemnastą a osiemnastą lub rano – pomiędzy ósmą a dziesiątą. Działanie właśnie w tych godzinach dało mi do myślenia. Dlaczego nigdy nie zaatakował w porze obiadowej lub na przykład w dzień wolny od pracy? W profilu określiłem, że ten człowiek pracuje pomiędzy dziesiątą a szesnastą. Ma uregulowany rytm pracy i dnia, choć może wykonywać zawód, który nie podlega ścisłej kontroli – na przykład jest przedstawicielem handlowym firmy albo prowadzi własną działalność.

Ma doskonałe pojęcie o broni pneumatycznej. Mógł służyć w piechocie, bo tam zajmują się taką bronią. Zresztą niezależnie od tego musiał mieć przeszkolenie wojskowe, ponieważ w jego działaniach była duża precyzja. I nie chodziło jedynie o dobrze skonstruowaną broń i umiejętności strzeleckie, ale także strategię przygotowanych działań. Być może nadal należy do klubu strzeleckiego.

Wskazywałem również, że to człowiek, który ma poczucie misji. Na bieżąco sprawdza, co dzieje się w mieście. Interesuje się nowymi wydarzeniami, jest kontaktowy, zaangażowany. Typ walczącego pieniacza. Prawdopodobnie zanim wpadł na pomysł, by strzelać do robotników budujących autostradę, pisał skargi i donosy do różnego rodzaju urzędów. Mogło to dotyczyć przeróżnych spraw, ale wskazywałbym szczególnie na te związane z ekologią. Na początku na pewno pisał rzadko i podpisywał swoje skargi własnym imieniem i nazwiskiem. Dopiero kiedy uznał, że to nie przynosi zamierzonych efektów, spotęgował swoją aktywność. Wskazałem, by prześwietlić wszystkich ludzi, którzy na coś się skarżyli, tak zwanych pieniaczy urzędowych.

Mógł być notowany lub karany za oszustwo. Dlaczego? Ludzie piszący wiele skarg i donosów, potocznie nazywani „pieniaczami", charakteryzują się bardzo dużymi umiejętnościami komunikacyjnymi. I wykorzystują te cechy do tego, by za pomocą manipulacji wprowadzać ludzi w błąd i osiągać swoje cele. Podsunąłem więc do sprawdzenia trop – mógł kiedyś prowadzić działalność gospodarczą i wtedy kogoś oszukał. Podkreśliłem jednak, że to nie jest typ sprawcy, który konfrontuje się z ofiarą. Ten człowiek nie działa wprost – wykorzystuje element zaskoczenia do wygrania danej rozgrywki. To jednak nie wyklucza bardzo dobrej taktyki, którą przygotowuje o wiele wcześniej. Jest typem przestępcy zorganizowanego[1].

Choć profil powstał w błyskawicznym tempie, a działania operacyjne były wyjątkowo intensywne, szantażysta działał bezkarnie przez ponad miesiąc.

Policjanci pracujący nad tą sprawą przeanalizowali donosy i skargi pisane do Urzędu Miasta Katowice. Podpis Jerzego Małeckiego przewijał się wśród pism, w których nadawca wskazywał mankamenty dotyczące polityki ochrony środowiska i zanieczyszczenia terenu. Donosił, gdzie i z jakiego powodu śmieci nie są wywożone na czas. Dopytywał, dlaczego w jakimś miejscu nie ma pojemników do segregacji odpadów. Innym razem zawiadamiał o korupcji, bo ktoś zatrudnił prywatną firmę, która miała zajmować się oczyszczaniem miasta.

Z czasem przestał te skargi podpisywać. Urzędnicy byli po prostu zalewani anonimowymi donosami, które namiętnie produkował. Bardzo wiele z nich dotyczyło właśnie łapówkarstwa. Co ciekawe, niemal wszystkie listy zawierały takie treści, że należało sprawdzić każdy szczegół. Urzędnicy mieli więc pełne

---

[1] Klasyfikacja przyjęta przez Akademię FBI w Quantico; ogólnie dzieli się sprawców na 3 kategorie: zorganizowanych, niezorganizowanych i mieszanych. Zorganizowany to taki człowiek, który odznacza się zazwyczaj dobrą inteligencją, nie musi mieć koniecznie wyższego wykształcenia, może mieć średnie lub zawodowe, na pewno nie podstawowe; jest kompetentny, komunikatywny. Potrafi skonstruować plan działania. Bardzo łatwo nawiązuje relacje. Zazwyczaj pracuje, a jeśli tak – podejmuje zajęcia pracowników wykwalifikowanych, np. działalność gospodarczą w określonej dziedzinie. Jeśli jest chemikiem, to zajmuje się konkretnie tym. Nie zmienia pracy co tydzień ani branży – dziś jest malarzem pokojowym, jutro murarzem, a za miesiąc najmuje się do budowy autostrady. Kontroluje nastrój w czasie popełniania przestępstwa – umie się opanować, zachować zimną krew, potrafi się dopasować do tłumu, wtopić w niego, oddalić się z miejsca zbrodni niezauważonym.

ręce roboty. W jednym z ostatnich wysłanych anonimów wskazywał, jak inaczej poprowadzić autostradę Kraków–Gliwice, by nie doszło do „istotnego uszczerbku na środowisku naturalnym". Grafolog porównał pismo z listów i karteczek wystrzeliwanych z kuszy i stwierdził, że należy do tego samego człowieka. Powstał pełny obraz jego działania.

Policjanci zaczęli obserwację Małeckiego. Kiedy mieli już zgromadzony materiał dowodowy, doszło do zatrzymania. Po przesłuchaniu znajomych Małeckiego okazało się, że miał on tzw. dwie twarze. Z jednej strony był spokojnym legalistą aktywnie działającym w jednej z organizacji „zielonych", a z drugiej – kiedy okazało się, że protestem i artykułami w internecie niewiele zdziała – zamarzył być Supermanem. Chciał powstrzymać budowę tej autostrady. Nikt z jego kolegów w organizacji o tym nie wiedział, ani go nie podejrzewał.

Rzeczywiście był notowany za oszustwa – prowadził firmę i kilka osób naciągnął na niewielkie pieniądze. W momencie zatrzymania nie pracował na etacie. Zajmował się handlem – starocie, militaria. Zresztą brak pozwolenia na starą broń pozwolił na jego natychmiastowe zatrzymanie. Podczas przesłuchania jego żona zaznaczyła, że nie chce mieć nic wspólnego z tym dziwakiem. Kiedy ją zapytano dlaczego, odpowiedziała, że Jerzy czasami zachowuje się tak, że ciarki jej chodzą po plecach. Bardzo łatwo wpada w złość, jeśli ktoś nie akceptuje jego zdania lub decyzji albo sprzeciwia się jego woli. Kiedy się na coś uprze, musi to zrealizować, nawet jeśli nie ma to racjonalnego wytłumaczenia. W sumie okazał się całkiem inteligentnym facetem, jednak za swoje wyczyny spędzi w więzieniu parę lat.

Komentarz

Sprawca działający z zemsty zwykle jest inteligentny. Rzadko zdarza się, aby był upośledzony czy wykazywał deficyty intelektualne. Ma jednak problem z emocjami. Boi się konfrontacji z ofiarą, nie czuje potrzeby spojrzenia jej w oczy. Dlatego działa z ukrycia, zza tak zwanej fasady. Chce być anonimowy – to daje mu wrażenie dominacji i podnosi poczucie własnej wartości. Dokonując przestępstw, zaspokaja te potrzeby.

* * *

Trudno się przed nim bronić, ponieważ atakuje znienacka. Ofiara dostaje wiele negatywnych sygnałów, które mają wywołać w niej strach. To mogą być anonimowe telefony, rzucanie kamieniami w okna, niszczenie każdego ranka auta stojącego przed domem czy też listy z pogróżkami. Dlatego też w sprawach, gdzie dochodzi do zbrodni, której motywem jest zemsta, ofiara przed śmiercią funkcjonuje w ciągłym stanie niepokoju, nad którym nie może zapanować ani go kontrolować, czy też powstrzymać. Efekt? Negatywne bodźce przesyłane przez sprawcę mają tak wielką siłę oddziaływania, że ofiara gwałtownie się zmienia. Fizycznie – w krótkim czasie mocno chudnie lub tyje, oraz psychicznie – wpada w depresję, jest w ogólnym stanie rozbicia emocjonalnego. Ofiara zwykle nie jest w stanie się domyślić, kim może być sprawca, ani co chce powiedzieć, wysyłając te wszystkie bodźce. I taki jest cel ich przekazywania – mają dać do myślenia osobie, która ma zostać ukarana, i sprawić, że poczuje się kompletnie zagubiona. Ofiara czuje się osaczona i zastraszona. Uważa, że podejmowanie jakichkolwiek działań nie ma sensu. W tym także zawiadomienie policji.

* * *

W zbrodniach popełnionych z powodu zemsty ofiara ma zwykle obrażenia na plecach. Sprawca atakuje bowiem od tyłu, kiedy ofiara go nie widzi.

* * *

Zbrodnia z zemsty stanowi dla sprawcy zadośćuczynienie za krzywdy – nawet jeśli są pozorne, wyimaginowane lub subiektywnie odczuwane. Po zdarzeniu przestępca odczuwa spokój, wie, że załatwił bardzo ważną dla siebie sprawę. Wzrasta jego poczucie własnej wartości, ma lepsze samopoczucie, oczyszcza się z negatywnych emocji. Kiedy czuje się ignorowany, eskaluje działania.

* * *

Wielu zbrodni popełnionych z zemsty nie udało się wykryć. Bardzo trudno ustalić osobę z kręgu bliższych lub dalszych znajomych ofiary, która mogłaby mieć tego rodzaju motyw. Pamiętajmy, że sprawca może chcieć się zemścić nawet z wydawałoby się całkiem błahego powodu, za krzywdę, którą obecna jego ofiara wyrządziła mu dziesięć lat temu. Ale on przez te lata gromadzi w sobie nienawiść i choć ją tłumi – wciąż szuka dogodnego sposobu, by „wyrównać rachunki". Czasem naprawdę trudno jest ustalić sprawcę, chociaż on ukrywa się w tle – coś zawsze wiąże go z ofiarą, zetknął się z nią w jakimś momencie, jest lub był związany z instytucją, którą teraz atakuje. Trzeba umieć to całe tło rozjaśnić jak światłem latarki. I do tego idealnie przydaje się wiedza profilera.

3

POCZUCIE KRZYWDY I URAZY

CIAŁO OFIARY JEST KSIĄŻKĄ, KTÓRĄ TRZEBA UMIEĆ CZYTAĆ

Ludzka głowa pod parkanem – Związek emocjonalny zabójcy i ofiary – Demony i anioły Bojanowskiego – Co łączyło Leona i Krystynę? – Pieniądze oraz… pieniądze – Piecyk i mandarynki – Zbrodnia (nie)doskonała

Demony i anioły

Była zima 2004 roku. Siódmego lutego około godziny dziewiątej rano podczas rutynowego obchodu parkingu przy firmie transportowej w Lublinie dozorca natknął się na ludzką głowę. Znaczny stan rozkładu uniemożliwiał rozpoznanie rysów twarzy. Funkcjonariusze przyjechali w ciągu pół godziny, zaraz po nich na miejsce dotarł medyk sądowy, który potwierdził, że to głowa mężczyzny zamordowanego w okresie ostatniego miesiąca.

Już tego samego dnia rozpoczęto poszukiwania reszty ciała ofiary. W pobliskim lesie, w kilku różnych miejscach wykopano dwa podudzia ze skarpetami, ucięte w okolicy kolan, oraz rękę z fragmentem kraciastej flanelowej koszuli. Ponieważ były w znacznym stanie rozkładu, medyk nie mógł stwierdzić ze stuprocentową pewnością, że wszystkie znalezione fragmenty ciała należą do jednej osoby. Podkreślił natomiast, że żadne z miejsc, w których odnaleziono szczątki zwłok, nie było miejscem zbrodni. Aby uniemożliwić identyfikację ofiary, zabójca rozczłonkował ciało, po czym przemieścił części i ukrył w miejscach według niego niedostępnych. Nawet najstarsi policjanci nie pamiętali tak makabrycznego morderstwa.

W ciągu następnego tygodnia policjanci stopniowo odkrywali kolejne części ciała: prawe przedramię, lewe udo, tułów z kręgosłupem. Wszystkie trafiły do Zakładu Medycyny Sądowej w Lublinie. Na podstawie linii papilarnych zidentyfikowano ofiarę – był nią Paweł Bojanowski z Kraśnika, od ponad miesiąca poszukiwany przez policję jako zaginiony. Wszczęto śledztwo w sprawie zabójstwa. Niestety, umorzono je z powodu niewykrycia sprawcy.

Sprawą zainteresował mnie jeden z policjantów, który pracował w lubelskim oddziale Archiwum X. Poznaliśmy się, kiedy prowadziłem szkolenia z profilowania w Pile. Marian Różański analizował postępowanie prowadzone przez lokalną policję i stwierdził, że popełniono kilka rażących błędów. Nie sprawdzono wszystkich śladów, za późno i niezbyt rzetelnie przesłuchano świadków, którzy mogli wiedzieć coś więcej o zaginięciu mężczyzny. Zasugerował też, że profil pomógłby w zawężeniu grona podejrzanych i umożliwiał nowe spojrzenie na sprawę zabójstwa Bojanowskiego. Wprawdzie policjant szykował się już na emeryturę, ale za punkt honoru postawił sobie rozwiązanie zagadki śmierci właściciela „Młyna u Pawła".

Poprosiłem o dokumentację. Po trzech dniach na moim biurku pojawiło się wielkie pudło zawierające sześć tomów policyjnych akt. Obiecałem, że zapoznam się z nimi i powiem, czy tworzenie profilu w tej sprawie ma sens.

To była głośna sprawa i bardzo trudna, ponieważ rozczłonkowane zwłoki zdarzają się naprawdę rzadko. W ciągu ostatnich dziesięciu lat mojej pracy miałem do czynienia z dziewięcioma tego rodzaju zabójstwami, ale żadne z nich nie było tak drastyczne – nigdy fragmentów zwłok nie znajdowano w różnych miejscach i różnych odstępach czasu. Dlatego pamiętam bardzo dokładnie tę sprawę, a zwłaszcza emocje, jakie mi towarzyszyły, kiedy przygotowywałem profil.

Paweł Bojanowski urodził się pierwszego sierpnia 1964 roku. Z zawodu młynarz, ukończył szkołę średnią. Był jednym z zamożniejszych gospodarzy w okolicy. Po rodzicach odziedziczył spory majątek w postaci ziemi. Część sprzedał i za pieniądze rozkręcił interes – miał dobrze prosperujący młyn, cukrownię i kilka gospodarstw. Dodatkowo niedaleko domu postawił budynek, w którym wynajmował mieszkania pracownikom i lokatorom. W 1991 roku ożenił się z Krystyną, jedną z ładniejszych panien w okolicy, z którą znali się od czasów szkolnych. Krystyna szybko zaszła w ciążę. W momencie śmierci ojca dzieci z tego związku miały trzynaście oraz dwanaście lat.

Początkowo układało się im nie najgorzej. Ale po pięciu latach małżeństwa Paweł zaczął odwiedzać agencje towarzyskie oraz utrzymywał kochanki. Wszyscy w okolicy o tym wiedzieli, żona też, choć oficjalnie nikt o tym nie mówił, a ona udawała niczego nieświadomą. Rekompensowała sobie tę wiedzę, robiąc zakupy za horrendalne kwoty i popijając w samotności. Krystyna wiedziała, że mąż ma utrzymanki, ale nigdy tego nie udowodniła. Kilka miesięcy przed śmiercią Paweł zatrudnił swoją kochankę na stanowisku kierowniczki młyna.

Krystyna musiała tolerować taki stan rzeczy, choć czuła się upokorzona. Podczas przesłuchań wielokrotnie podkreślała, że mąż jej nie szanował, o czym świadczy choćby fakt, że niezbyt krył się ze swoimi romansami. Potwierdzał to Leon Matyjaszczyk, partner życiowy Agnieszki, siostry Krystyny, który wyraźnie opowiedział się po stronie żony zamordowanego: „W tej sytuacji najbardziej szkoda mi jego żony. Dlatego jego śmierć z jednej strony jest tragedią, a z drugiej wybawieniem".

Bojanowski pracował z doskoku. Był hulaką, nadużywał alkoholu. Gdy wypił, stawał się agresywny i popadał w konflikty z prawem. Za jazdę po pijanemu odebrano mu prawo jazdy, mimo to wciąż jeździł autem. Spowodował dwa poważne wypadki, z których sam wyszedł bez szwanku. Kiedy nie pił, był miłym facetem – jak to określali świadkowie: „do rany przyłóż". Jednak w ciągu alkoholowym stawał się nie do zniesienia. Nie umiał dotrzymywać tajemnic i wszystkie cudze zwierzenia natychmiast puszczał w obieg. Był pełen sprzeczności. Choć fizycznie doskonale zbudowany – uprawiał karate i boks, dobrze strzelał – miał bardzo słabą konstrukcję psychiczną. Mimo wybuchowego charakteru był zamknięty w sobie, nie potrafił okazywać uczuć. Choć sam niewierny, o żonę był potwornie zazdrosny i wszczynał awantury. By dać upust agresji, niszczył przedmioty, które miał w zasięgu ręki.

Krystyna usilnie starała się „wyprostować" wizerunek męża i ich małżeństwa w opinii publicznej. Kłamała, opowiadała niestworzone rzeczy, a co niedziela zmuszała go, by chodzili pod rękę do kościoła. Udawała, że nie widzi zdrad męża, tolerowała jego wyskoki. Nawet jeśli zdrada była oczywista, nie dopytywała się. Deprecjonowała natomiast wartość męża w oczach dzieci i jako wzór do naśladowania dawała im Leona Matyjaszczyka, partnera swojej siostry.

Choć były podejrzenia, że Leon i Krystyna mieli romans, policji nie udało się tego udowodnić. Bohaterowie dramatu konsekwentnie temu zaprzeczali. Faktem natomiast było, że małżeństwo Bojanowskich było podtrzymywane sztucznie. Paweł i Krystyna od lat ze sobą nie sypiali. Jednak to Krystyna separowała się od męża, twierdząc, że nie mogłaby kochać się z kimś pod wpływem alkoholu. Na tym tle dochodziło do rękoczynów i to Krystyna dotkliwie biła Pawła.

Trwali tak całe lata, ale żadne nie wystąpiło o rozwód. Ona ze względów finansowych – w jej życiu priorytetową sprawą była pozycja społeczna oraz pieniądze. On ze względu na dobro dzieci, które były najważniejszą częścią jego życia. Rodzina stanowiła dla Bojanowskiego najwyższą wartość i choćby dlatego nie zamierzał porzucać matki swoich dzieci.

W ciągu ostatnich miesięcy Bojanowski był rozdygotany i rozbity. Pił jeszcze więcej niż zwykle, głównie wódkę. Zdarzało się, że w zamroczeniu alkoholowym miał zwidy – widział na przykład diabła. Dużo palił, nieregularnie się odżywiał. Bardzo schudł, wyglądał na dziesięć lat starszego, niż był w rzeczywistości. Kłócił się ze wszystkimi. Stanowił łatwy obiekt do manipulacji. Rodzina podkreślała, że „stało się z nim coś takiego, że nie można było na nim polegać". Zmiany w jego wyglądzie i zachowaniu zauważali nawet obcy ludzie. Wdawał się w konflikty z pracownikami, które kilkakrotnie skończyły się ich pobiciem. Przez pijaństwo oddalił się nawet od swoich dzieci.

Powodem jego frustracji była konieczność sprzedania dwudziestohektarowego gospodarstwa rolnego, które odziedziczył po rodzicach. Kilka lat wcześniej Bojanowscy wzięli na firmę kredyt w wysokości pięciuset tysięcy złotych, którego nie byli w stanie spłacić. Mężczyzna długo zwlekał ze sprzedażą ojcowizny. Był z tym miejscem związany emocjonalnie, często tam jeździł i zostawał na noc. Twierdził, że tam się uspokaja, bo to jest jego miejsce na ziemi i tam czuje się najlepiej. Dlatego też robił wszystko, by gospodarstwa w Kropicach nie sprzedawać. Myślał o wywozie drewna do Danii, założeniu agencji towarzyskiej, pożyczce na spłatę zadłużenia. Żaden z tych pomysłów nie przekonywał Krystyny, która wraz z Leonem naciskali na szybkie przeprowadzenie transakcji. Paweł zaczął zachowywać się jak furiat. Zarzucał żonie, że nic nie robi, by uratować jego ojcowiznę.

Ostatecznie w sylwestra 2003 roku sprzedał ziemię w Kropicach za siedemset pięćdziesiąt tysięcy złotych; pięćset dziewięćdziesiąt tysięcy zostało wpłacone na poczet spłaty kredytu, reszta, czyli sto sześćdziesiąt tysięcy, wpłynęła na wspólne konto Bojanowskich. Aby pobrać te pieniądze, potrzebne były podpisy obojga.

Pierwsze, co wziąłem na warsztat, to rozczłonkowanie ciała. Nadzabijanie[1] *oraz zadawanie dużej ilości obrażeń jest typowe dla zabójstwa z motywu krzywdy i urazy. Rozległe obrażenia są obrazem emocji sprawcy – jakby zabójca „malował" na ciele ofiary swoje odczucia, które mu towarzyszyły w trakcie tego czynu. Są rewanżem zabójcy za doznane krzywdy. W tym przypadku zwłoki były też nadpalone. Sprawca zadał sobie sporo trudu, by każdą część ciała ukryć osobno, każda z nich była zakopana w innym miejscu, większość na terenie rozległego kompleksu leśnego.*

Z jakimi emocjami mamy tutaj do czynienia? Najpierw upokorzenie, potem skupienie – precyzyjne planowanie i podjęcie decyzji o zabójstwie, rosnące podniecenie i wielka agresja spowodowana chęcią rewanżu za doznane krzywdy, a na koniec strach przed wykryciem.

Wiedziałem, że bez pojechania na miejsce się nie obejdzie. Musiałem ustalić kwestie związane z życiem i rytuałami ofiary. Powiedziałem prowadzącemu dochodzenie, że jeśli nie poznam bliżej jej otoczenia, nie mam po co

[1] Zadawanie większej ilości ciosów, niż potrzeba, by zadać śmierć. Jest zwłaszcza spotykane u młodych sprawców, którzy nie mają „doświadczenia w zabijaniu", więc zadają dużo ciosów. Są to makabryczne zbrodnie.

zabierać się do tej sprawy. Ostatecznie, na oficjalną prośbę prokuratora nadzorującego dochodzenie, przyjechałem do Lublina, gdzie intensywnie pracowałem przez trzy dni. Słuchałem świadków, rozmawiałem z policjantami i rodziną zamordowanego.

By uporządkować zgromadzoną wiedzę, profiler wykonał bardzo szczegółową rekonstrukcję ostatnich dni życia Pawła Bojanowskiego.

- Wigilia Bożego Narodzenia 2003 roku – Paweł rozmawia z jednym z pracowników. Snuje plany rozwoju gospodarstwa w Kropicach. Ani przez moment nie wspomina o planowanej sprzedaży gospodarstwa.
- 27 grudnia – Paweł i Krystyna idą z wizytą do kolegi ze szkoły. Rozmawiają o konieczności sprzedania ziemi. Paweł sprawia wrażenie niepocieszonego z tego powodu.
- 31 grudnia – dochodzi do sprzedania gospodarstwa. Paweł przyjeżdża do notariusza sam. Żona – mająca w ręku upoważnienie do samodzielnej sprzedaży – przyjeżdża wkrótce potem z Leonem Matyjaszczykiem. Po południu, podczas spotkania sylwestrowego z pracownikami młyna, Paweł wznosząc toast, oświadcza, że musiał sprzedać gospodarstwo, więc następny rok będzie gorszy od minionego.
- 3 stycznia 2004 roku – jeden z pracowników widzi u Pawła ślady zadrapań, między innymi na rękach.
- 4 stycznia, niedziela – po mszy świętej na kawę do Bojanowskich przychodzą Leon Matyjaszczyk z Agnieszką. Ani Leon, ani Krystyna, ani jej siostra Agnieszka nie pamiętają, o czym wtedy rozmawiali.
- 5 stycznia, poniedziałek – jeden z sąsiadów widzi opla astrę Bojanowskich. Za kierownicą siedzi Paweł, obok niego

Krystyna. Kierują się na główną trasę na Warszawę. Krystyna zeznaje, że tego samego dnia wieczorem ostatni raz rozmawiała z mężem. Kiedy wstała nazajutrz, około szóstej, nie zastała go w mieszkaniu. Jest ostatnią osobą, która widziała Pawła Bojanowskiego żywego.

- 16 stycznia, piątek – Krystyna po jedenastu dniach nieobecności zgłasza zaginięcie męża. Twierdzi, że próbowała go szukać przy pomocy rodziny i sąsiadów. Bezskutecznie. Nie potrafi wyjaśnić, dlaczego dopiero teraz przychodzi na policję. Policjantka spisująca jej zeznania zauważa, że kobieta jest na porządnym kacu. Określa to wręcz: „Śmierdziało od niej nieprzetrawioną wódą, jakby ostro piła przez tydzień".
- 17 stycznia, sobota – Krystyna powoduje kolizję drogową. Na pustej drodze wjeżdża w słup drogowy. Jej nic się nie stało, ale auto ulega kasacji. Kilka dni później zostaje sprzedane na złom.
- 7 lutego – dozorca podczas obchodu parkingu w niedalekiej odległości od ogrodzenia cukrowni odnajduje szczątki ludzkie.

Szczegółowa rekonstrukcja wydarzeń pozwoliła mi uporządkować dane i spojrzeć na sprawę z dystansu. Co najbardziej rzucało się w oczy? Główną podejrzaną była żona zamordowanego, która najwięcej zyskiwała na jego śmierci. Dlaczego czekała aż jedenaście dni, by zgłosić zaginięcie męża? Dlaczego przyszła na komendę policji po ostrym piciu? Czy to przypadek, że fragmenty ciała ofiary znaleziono w niedalekiej odległości od parkingu firmy transportowej, należącej do Leona Matyjaszczyka?

Dodatkowo ten mężczyzna był podejrzewany o romans z Krystyną i nie potrafił powiedzieć ani jednego dobrego słowa o Pawle Bojanowskim. Czy Bojanowski, skoro był osobą ostrożną i podejrzliwą, mógłby zaufać komuś obcemu i dać się wywieźć w odosobnione miejsce, gdzie łatwo dokonać zbrodni? Kto oprócz bliskich i znanych mu osób był w stanie zwabić go w pułapkę? Zawsze, kiedy dostaję sprawę, zastanawiam się, ilu mogło być sprawców. Czasem wniosek jest prosty. Tutaj jednak nie miałem pewności, były tylko niejasne domysły. Aby zweryfikować hipotezy, przeanalizowałem wyniki sekcji zwłok.

Opis obrażeń, jakie wskazywali medycy, to jedna wielka masakra. Najpierw został bardzo dotkliwie pobity, zadawano mu ciosy nożem, był podduszany. Profiler na tej podstawie uznał, że Bojanowski starał się ratować życie ze wszystkich sił – atakiem, ucieczką i próbą obrony. Bez skutku. Ofiara najprawdopodobniej była zaskoczona atakiem sprawców i to osłabiło jej zdolność do skutecznego działania, a nie na przykład alkohol – bo Bojanowski w momencie zadawania mu śmierci był całkowicie trzeźwy, biegli nie stwierdzili w jego krwi alkoholu.

Ofierze zadano liczne rany w obrębie głowy. Ale przyczyną zgonu było uduszenie. Po zabójstwie sprawcy próbowali spalić ciało, ale ponieważ to im się nie udało, postanowili je rozczłonkować. Prawdopodobnie zrobili to piłą do cięcia metalu. Nacinali łączenia kości, a następnie przełamywali.

Na podstawie odniesionych obrażeń napisałem w profilu, że sprawców musiało być co najmniej dwóch. Sprawca, który podjął się rozkawałkowania zwłok, wiedział, jak ciąć ciało. Musiał więc znać anatomię, mógł trudnić się ubojem zwierząt lub był obserwatorem tego typu praktyk w dzieciństwie. Ciął w miejscach, gdzie są ścięgna, a nie po kościach – na przykład przedramię odciął w miejscu zginania się ręki w łokciu.

Głównym celem takiego działania miało być oczywiście utrudnienie identyfikacji zwłok w przypadku ich odnalezienia, ale z punktu widzenia psychologicznego sprawca w ten sposób rozładował napięcie związane z osobą ofiary.

Sprawców tej zbrodni podzieliłem na dwie grupy: pełniących role wiodące i wykonawców. Jeśli chodzi o wykonawców, napisałem, że są to osoby w wieku dwudziestu do trzydziestu lat, mocno zdegenerowane, o dużym poziomie agresji, która może być widoczna nawet w codziennych zachowaniach. Przynajmniej jeden z nich ma na swoim koncie podobne przestępstwa, za które był już notowany lub nawet karany. Wykonawcy pochodzą z rodzin o niskim statusie społecznym. Znali ofiarę, uważali ją za osobę zamożną i najprawdopodobniej za dokonanie zamachu na jej życie otrzymali sowite – w ich mniemaniu – wynagrodzenie. Zbrodni dokonali pod wpływem alkoholu lub środków odurzających, co minimalizowało ich stres i „rozhamowywało".

Jeśli chodzi o zleceniodawców – była wśród nich kobieta. Prawdopodobnie jednak nie zadawała ciosów. Jej zadaniem było zwabić Bojanowskiego w miejsce, które zostało wybrane na dokonanie zbrodni. Musiały to być osoby bliskie (jedna lub dwie), które na przykład zaproponowały ofierze wyjście „na kielicha". Ten, kto zlecił zbrodnię, wiedział o znakach szczególnych ofiary: zwyrodnieniu małego palca oraz bliźnie nad prawym łukiem brwiowym. Także dlatego sprawcy mogli zdecydować o próbie ich likwidacji poprzez rozczłonkowanie i podpalenie.

Kolejny element, który świadczy o bliskości ofiar i sprawców – Bojanowski doskonale znał miejsce, w którym dokonano zbrodni, oraz osobę, która go tam zawiozła. Ktoś nieznany Bojanowskiemu nie byłby w stanie zwabić go i wywieźć w odosobnione miejsce, sprawić, by przyjął zaproszenie na wódkę. Zabójcy wiedzieli, jak „wejść w posiadanie ofiary".

Po zabójstwie w życiu sprawców nie zaszły większe zmiany. Wykonawcy po takim czynie potrafią zachować „zimną krew". Prawdopodobnie używali alkoholu, by zminimalizować stres po zaistniałej sytuacji.

Na podstawie profilu wytypowano kilku podejrzanych. Policjanci mieli do dyspozycji próbki DNA sprawcy, zabezpieczone na zwłokach. Porównali krew jednego z podejrzanych – analiza z dużym prawdopodobieństwem wykazała, że ten człowiek mógł brać udział w zabójstwie. Mężczyzna był karany, między innymi za pobicie ze skutkiem śmiertelnym, i siedzi w więzieniu. Kiedy policjanci go przesłuchali, wskazał wspólnika.

Sprawców wykonawców było rzeczywiście dwóch. Wszystkie cechy, które nadkomisarz Lach podał w profilu, potwierdziły się. Skierowano przeciw nim do sądu akt oskarżenia. Niestety, ponieważ byli to „zawodowcy w zabijaniu", nie udało się postawić przed sądem ich zleceniodawców.

Kto mógł zlecić zabójstwo? Prawdopodobnie żona Bojanowskiego. Jednak, biorąc pod uwagę jej delikatną konstrukcję psychiczną, nie zdołałaby sama ułożyć tak misternego planu zbrodni, a co dopiero wprowadzić go w życie. Wpadłaby od razu lub przyznała się do winy. Być może jednak zastosowano wobec niej złą taktykę przesłuchania? Faktem jest, że po śmierci męża z trudem sobie radziła. To, co przeżyła w związku z jego zabójstwem, po stokroć ją przerosło. Dlatego pewnie przez kilkanaście dni po zbrodni praktycznie nie trzeźwiała.

Kto zatem był mózgiem przedsięwzięcia? Wszystko wskazuje na Leona, domniemanego kochanka Krystyny, rzutkiego przedsiębiorcę, który od dawna miał chrapkę na majątek i niemałe pieniądze na koncie Bojanowskich, którymi mógłby spokojnie dysponować jako „szara eminencja". Warto tutaj przypomnieć, że na tym koncie po sprzedaży ziemi i gospodarstwa było ponad sto sześćdziesiąt tysięcy złotych. To niebagatelna suma do obrotu lub inwestycji w tamtych rejonach kraju. A jeszcze młyn, gospodarstwo i domek z lokatorami. Z punktu widzenia biedniejszego, ale ambitnego szwagra było się o co bić. Leon miał w swoim życiu do czynienia z ubojem zwierząt. Pochodzi z gór i gdy tam mieszkał, takie usługi świadczył ludziom – uchodził zresztą za świetnego rzeźnika. Prawdopodobnie to on wpadł na pomysł, by po zabójstwie ciało Bojanowskiego pociąć i ukryć w różnych miejscach.

Dla Krystyny powodem były silne emocje (miała dość męża), dla Leona – finanse, możliwość kontroli majątku, a w perspektywie definitywne przejęcie go. Szwagier wykorzystał fakt, że Krystyna idealizowała go i dawała jako przykład dzieciom. Mieli romans, który starali się ukryć. I chociaż twierdzą, że między nimi nigdy nie było bliższych relacji („jesteśmy tylko przyjaciółmi"), ich związek nie uszedł uwadze wielu osób, a także przesłuchującym ich policjantom. Leon już za życia Bojanowskiego miał plany, by w tej rodzinie dominować. Marzył, by grać pierwsze skrzypce. Nie mógł jednak być numerem jeden, dopóki

Bojanowski wyśmiewał go i się wywyższał. A miał ogromną przewagę nad Leonem – dysponował większym majątkiem. I tylko dlatego przez tyle lat Krystyna nie zamierzała się rozwodzić. Tak więc u obojga podejrzanych z czasem narastało poczucie krzywdy i urazy. Bojanowski, niczego nieświadomy, coraz bardziej oboje ignorował, pomiatał nimi, wierząc, że jest zbyt silny, by ktokolwiek mógł mu zagrozić.

Fakt, że Leon i Krystyna współpracowali ze sobą, potwierdza analiza ich zeznań. Oboje twierdzili, że Pawła porwali Ukraińcy, bo przekręcił kogoś z tamtejszej mafii. Tymczasem nie było żadnych przesłanek, by tak sądzić, poza tym nikt poza nimi nie wysnuł podobnej hipotezy. Zupełnie jakby to między sobą wcześniej ustalili. Wygłaszają podobne opinie na neutralne tematy, a także podtrzymują wzajemnie swoje wersje.

Gdyby w śledztwie nie było tylu uchybień, pobieżnego przechodzenia nad faktami, prawdopodobnie także oni zostaliby aresztowani. W prawidłowo prowadzonym dochodzeniu okoliczności i czas zgłoszenia zaginięcia męża były dokładnie zbadane. Podobnie jak sprzeczność w zachowaniach żony. Z jednej strony odgrywa rolę zrozpaczonej małżonki, ale z drugiej nie zamierza zwrócić się o pomoc w odszukaniu męża do fundacji ITAKA, ani nawet nie zapisuje telefonu podanego jej przez policjanta.

Zaraz po zgłoszeniu przez Krystynę zaginięcia męża jeden ze śledczych zauważył krew na wycieraczkach w jej aucie. Nie pobrano próbek do badań, ponieważ kobieta oświadczyła, że wiozła mięso z masarni. Kilka tygodni potem, kiedy sprawą zajęło się Archiwum X i profiler, wycieraczki zniknęły. Oficjalnie zostały zniszczone po wypadku razem z autem. Krystyna spowodowała kolizję następnego dnia po wizycie na komisariacie...

Tylko według jej zeznań auto nadawało się wyłącznie do kasacji. Można zakładać, że tym sposobem pozbyła się samochodu razem ze śladami biologicznymi i innymi dowodami swojej winy, jeśli takowe tam były. Gdyby go sprzedała, możliwe byłoby jego odnalezienie i pobranie próbek do badań. A tak: auto rozbite, nie będę go remontować, zamierzam kupić nowe. Czy to prawda? Raczej nie, jak zresztą większa część jej zeznań. Na przykład to, że jest zadłużona, a kilka dni później kupuje sobie nowiutkiego mercedesa. Dla tej kobiety pozycja i prestiż są w życiu najważniejsze.

Na razie pomysłodawcy tej zbrodni nadal są na wolności. Prawdopodobnie zaniedbania oraz zaniechania prowadzących dochodzenie spowodowały, że trudno zleceniodawcom cokolwiek udowodnić, a wykonawcom zbrodni nie zależy, by ich wsypać. To degeneraci, ludzie, którzy mają bogate doświadczenie w takich sytuacjach. Wiedzą, że nie warto zadzierać z kimś, kto nie szczędził sił i środków, by wyeliminować Bojanowskiego. Za milczenie otrzymali sowitą zapłatę, więc skoro i tak siedzą – nie leży to w ich interesie.

Finał? Krystyna zostaje wdową, ma pieniądze. A Leon prowadzi firmę, która bardzo dobrze prosperuje. Jej reklamy na wielkich billboardach mogą podziwiać kierowcy poruszający się jedną z największych przelotowych tras Polski. Zleceniodawcy tej zbrodni nie zostali osądzeni, dlatego nie możemy podać nazwy firmy ani numeru trasy.

Leon przez sześć miesięcy przebywał w areszcie pod zarzutem zabójstwa Pawła Bojanowskiego. Ponieważ jednak bronił go wzięty w województwie adwokat, środek zapobiegawczy wobec niego z aresztu zamieniono na dozór policyjny. Dalej prowadzi firmę, dość dobrze funkcjonuje w społeczeństwie. Krystyna po zabójstwie męża nie radziła sobie z emocjami. Popadła w alkoholizm i w ciągu bardzo krótkiego czasu zbrzydła i postarzała się. Rok po zdarzeniu została zatrzymana pod zarzutem zabójstwa ze szczególnym okrucieństwem męża. Czeka na proces.

Piecyk i mandarynki

Emerytowana urzędniczka Jadwiga Cichocka z Brzegu była życzliwą, uprzejmą i uczynną osobą. Niezwykle religijna – udzielała schronienia pielgrzymom, chodziła na coniedzielne spotkania parafialne. Mimo podeszłego wieku (osiemdziesiąt dwa lata) była bardzo samodzielna i sprawna umysłowo – sama załatwiała sprawy finansowe, wypełniała PIT-y. Dom Jadwigi był zadbany, czysty, panował w nim perfekcyjny porządek. Cichocka była rozwódką od dwudziestu lat. Żyła samotnie. Jedynie na weekendy przyjeżdżał do niej trzydziestoletni syn, Aleksander, który mieszkał i pracował we Wrocławiu. Panią Jadwigę bardzo lubili jego koledzy, natomiast narzeczona po prostu jej nie znosiła, z wzajemnością.

Jadwiga miała swoje dziwactwo. Niczego nie wyrzucała., Wychodząc z założenia, że wszystko może się przydać, gromadziła najróżniejsze przedmioty. Jej strych była jedną wielką graciarnią. Ale Jadwidze każda rzecz wydawała się cenna. Dwa tygodnie przed śmiercią ze strychu Cichockiej zginęła gazowa kuchenka turystyczna. Starsza pani bardzo przeżywała jej stratę. Poszła nawet do sklepu sprawdzić, ile kosztuje podobna.

Kobieta żyła bardzo skromnie. Nie miała oszczędności, raczej długi (wieczny debet na koncie). Wszystkie pieniądze wydawała na nieustanny remont domu, w którym mieszkała. Kiedy brakowało jej gotówki, wspomagał ją syn. Znajomi, sąsiedzi i siostra podziwiali ją za determinację w prowadzonych pracach budowlanych, ponieważ nawet wtedy, gdy z powodu remontu w domu nie dało się mieszkać, Jadwiga dziękowała za propozycje przygarnięcia jej pod czyjś dach. Miała obsesję, że ludzie chcą ją wykorzystać.

Przed siódmą rano jedenastego czerwca 2001 roku do Cichockiej przyszła siostra, Lubomira. Tego dnia miały odwiedzić chorą koleżankę. Jadwiga dała Lubomirze dwa złote, by ta kupiła mandarynki. Miały się spotkać przed dziesiątą w mieszkaniu Lubomiry. Jadwiga powiedziała, że jest prawie gotowa i być może będzie u niej wcześniej. Pokazała zapakowane w folię aluminiową ciasto, które upiekła, peklowane mięso w pojemniku próżniowym i termos z herbatą. Cichocka nie dotarła jednak ani o dziewiątej trzydzieści, ani nawet po dziesiątej. W pół do jedenastej Lubomira przyszła do siostry. Furtka była otwarta, drzwi wejściowe także. Kiedy weszła do kuchni, zobaczyła leżącą na podłodze martwą Jadwigę. Mieszkanie było splądrowane, z szaf powyrzucano mnóstwo rzeczy. Kobieta natychmiast wezwała pogotowie i policję.

Medycy sądowi ustalili, że zabójca zadał kobiecie jedenaście ciosów nożem. Uderzał jej głową o podłogę, kopał ciężkim butem po całym ciele. Ciosy zadano z dużą siłą. Większość obrażeń była zlokalizowana w obrębie głowy. Zgon nastąpił szybko. Obok zwłok leżała torebka Jadwigi. Sprawca nie zabrał pieniędzy ukrytych w wewnętrznej kieszonce, jedynie drobne z portfela. Z szuflad, z których wszystko zostało wyrzucone, nie wziął biżuterii – złotych pierścionków, kolczyków, obrączek.

Na tej podstawie od razu powiedziałem śledczym, że sprawca próbował upozorować motyw rabunkowy. Tak naprawdę nie planował zabójstwa – wskazywało na to umiejscowienie i rozległość obrażeń. Ciosy były chaotyczne, zadawane pod wpływem wielkich emocji. Zabójca wziął trochę drobnych z portfela oraz prawo jazdy syna Cichockiej, czyli to, co według niego zabrałby włamywacz. Nie trudził się, by szukać wnikliwiej. Zastanawiałem się, kto miał być celem ataku sprawcy – Cichocka czy jej syn. Tutaj przyszedł mi z pomocą obraz miejsca zdarzenia. Sprawca powyrzucał z szaf rzeczy, wyciągnął szuflady w salonie i opróżnił ich zawartość. Większość dolnych drzwi mebli była otwarta, także tych w kuchni. Postawiłem hipotezę, że zabójca zrobił to jedynie w celu, by stworzyć wrażenie chaosu. W pokoju syna ofiary tylko zrzucił kilka książek z regału. To również potwierdzało hipotezę, że nie był to przypadkowy atak i że to pani Jadwiga była jego celem. Potem zauważyłem w zlewie kubek z fusami po kawie. Kiedy rozmawiałem z siostrą zamordowanej, wspomniała, że Jadwiga nie częstowała jej kawą. Zresztą w ogóle jej nie piła. To mogło oznaczać, że zabójca odwiedził panią Jadwigę, ta poczęstowała go kawą, zaczęli rozmawiać. Musiała znać swojego zabójcę. I to całkiem dobrze. Potem doszło do interakcji.

Nadkomisarz Bogdan Lach próbował odtworzyć przebieg wydarzeń mających miejsce kilka dni przed zbrodnią. Nie ujawnił żadnych rewelacji. W przeddzień zabójstwa – był dziesiąty czerwca 2001 roku – Cichocką jak zwykle w niedzielę odwiedził syn. Wspólnie skopali ogródek, zjedli obiad. Po południu syn wrócił do siebie. Wieczorem zadzwonił do matki, że szczęśliwie dojechał i zobaczą się za tydzień. Cichocka wspominała mu, że w poniedziałek rano jedzie odwiedzić dawną znajomą, jeszcze z ławy szkolnej.

Zastanawiałem się, z jakiego kręgu znajomych mógł być zabójca. Wszyscy świadkowie podkreślali, że kobieta od lat niestrudzenie remontowała dom. Pomyślałem, że w związku z tym przez jej mieszkanie przewinęło się co najmniej kilka ekip fachowców, tak zwanych złotych rączek. A taka osoba mogła pasować do profilu, który sporządziłem. Założyłem, że ofiara znała swojego zabójcę. Wpuściła go do mieszkania i poczęstowała kawą. Całe zdarzenie odbyło się w ciągu niespełna dwóch godzin. Sprawca znał więc teren i okolicę. Musi tu mieszkać lub pracować. Opuścił niepostrzeżenie miejsce zbrodni, co świadczy, że wpisywał się w tło okolicy. Wiedział bardzo wiele o życiu pani Jadwigi, jej zwyczajach, rytuałach, obawach. Wiedział, że o tej porze z pewnością będzie w domu, nie zamyka drzwi i przewidział, że dostanie się do środka bez problemu. Wiedział też, jak niewidocznie opuścić miejsce zbrodni. Sposób pozostawienia ciała zamordowanej oraz zadanie większej niż niezbędne, by zabić liczby ciosów (overkill), świadczy o tym, że Jadwiga Cichocka była dla niego bliską osobą.

Pewnie rozmawiała ze sprawcą, gdy ten pił kawę. Wtedy musiały paść słowa, które wywołały jego agresję. Z analizy obrażeń wiedziałem, że kobieta praktycznie się nie broniła. Była zaskoczona przebiegiem sytuacji. Stąd wniosek, że sprawca bywał w tym domu wielokrotnie, dobrze się w nim czuł. Zbrodnia była wynikiem nagromadzonego między nimi napięcia.

Określiłem, że sprawca posiada przynajmniej średnie wykształcenie i jest dość inteligentny. Prawdopodobnie ma nie więcej niż trzydzieści lat. Motywem jego działania nie był rabunek, ale poczucie doznanej krzywdy i urazy. Jest to mężczyzna, który stara się przedstawić siebie w korzystniejszym świetle, niż ma to miejsce w rzeczywistości. Ma wysokie mniemanie o sobie. Nie ma stałej partnerki, izoluje się społecznie – to typ dziwaka, samotnika. Potrafi nagle zmienić środowisko, często się przemieszcza.

Na podstawie profilu i śladów biologicznych pozostawionych na miejscu zdarzenia wkrótce zatrzymano sprawcę. Okazał się nim jeden z robotników, który wykonywał remont domu Cichockiej. Tego poranka przyszedł do niej, żądając większej kwoty pieniędzy jako wypłaty, na co kobieta nie chciała się zgodzić. Wcześniej podejrzewała go, że to on ukradł jej kuchenkę, co w jej poczuciu stanowiło straszną zbrodnię, długo nie mogła przeżyć tej straty.

Pomiędzy nimi doszło do ostrej wymiany zdań, w której prym wiodła Cichocka, wyzywając Mieczysława Sławoja od złodziei, czego z kolei on nie mógł znieść. Nie dość, że nie otrzymał swoich pieniędzy, to jeszcze został zmieszany z błotem. W pewnym momencie sytuacja wymknęła się spod kontroli i doszło do zabójstwa. To była krótka, ale niezwykle emocjonalna akcja. Kiedy sprawca ochłonął, wpadł na pomysł, by upozorować motyw rabunkowy. Zabrał dokumenty syna Cichockiej, akty notarialne, które leżały na biurku, kilka drobnych przedmiotów z torebki starszej pani, ponieważ wydało mu się, że tak czynią złodzieje. Wziął też nalewkę domowej roboty, aby ją wypić i tym samym wyciszyć stres. Wszystkie porozrzucane przedmioty miały stworzyć pozory plądrowania mieszkania. Niestety, profiler stwierdził, że te zachowania nie korespondują z pozostałymi zachowaniami sprawcy i nie udało mu się oszukać śledczych.

Podczas przeszukania w mieszkaniu podejrzanego znaleziono feralną kuchenkę. To powiązało go ze sprawą, choć on sam nigdy do zbrodni się nie przyznał. Nawet po wyroku skazującym.

Komentarz

W tego typu sprawach najważniejsze jest zebranie danych o ofierze. Często to one stanowią klucz do rozwikłania zagadki zabójstwa, którego motywem jest poczucie krzywdy i urazy.

* * *

Zabójstwo z tego powodu należy do najczęściej popełnianych zbrodni, których motywem są względy emocjonalne. I dlatego nie ma mowy o pominięciu danych dotyczących ofiary. Dlaczego? Zemsta musi być czymś uwarunkowana. Motyw rabunkowy jest oczywisty dla wszystkich. Natomiast poczucie krzywdy i urazy może mieć naprawdę różne oblicza. I czasami wydaje się, że zabójca nie miał żadnego powodu, by zabić, a jednak to zrobił. Wystarczyło, że ofiara krzywo spojrzała na sprawcę, powiedziała coś lekceważącego, czy zrobiła gest, który wywołał wybuch wulkanu agresji. W takich przypadkach nawet niewielki bodziec wystarczy, by doszło do zbrodni.

* * *

Motywem większości zbrodni rodzinnych[1] jest właśnie poczucie krzywdy i urazy. Mechanizm niektórych zdarzeń jest

[1] Gdzie sprawca i ofiara są ze sobą blisko spokrewnieni więzami krwi.

bardzo prosty. Kobieta po raz tysięczny przygotowuje obiad i tysięczny raz jest szykanowana i obrzucana obelgami przez męża czy konkubenta. Ten mężczyzna nie zdaje sobie sprawy, że właśnie powiedział o jedno słowo za dużo. Kobieta odchodzi od deski do krojenia, wbija mu nóż w serce (paradoksalnie jest to bardzo często spotykane) i oto finał.

* * *

W tego typu zbrodniach sprawcę i ofiarę wiążą określone uczucia. A w ponad osiemdziesięciu procentach[1] są to osoby sobie bliskie. Przy czym bliskość nie oznacza, że coś do siebie czują, istnieje jednak jakiś kontekst emocjonalny, który sprawia, że profiler może odnaleźć elementy łączące te dwie osoby. I to jest klucz do ustalenia, kim jest sprawca zbrodni.

* * *

Ofiary zabójstw dokonanych z tego motywu są dominujące. Narzucają swoje zdanie, w stosunkach międzyludzkich odgrywają przewodnią rolę. Bardzo często same generują konflikty. Najczęściej są to osoby dojrzałe bądź starsze i z racji wieku uważają, że wszystko wiedzą najlepiej. Zwykle mają jakiś problem życiowy – trauma lub uzależnienie od alkoholu, hazardu czy seksu.

* * *

Jak to możliwe, że ktoś zabił z tak błahego powodu? Czy coś z nim nie tak? Czy to świadczy o jego zaburzonej osobowości? Bardzo często zdarza się, że sprawca wcześniej był nieagresywnym, miłym, nawet spolegliwym człowiekiem. Tylko że ten bodziec, który wywołał eskalację agresji, tylko pozornie był słaby. Napięcie pomiędzy zabójcą a jego ofiarą nasilało się przez długi

[1] Badania wykonane przez nadkomisarza Lacha.

czas, zdarza się, że całe lata. Narastało powoli, z ciągłym natężeniem – raz większym, raz mniejszym, lecz nieustannym, niczym przysłowiowa kropla wody drążąca skałę. Podczas analizy sprawy nie można zapominać o czasie, kiedy ta skała była drążona, czyli o całym jej kontekście. Nie można rozpatrywać jedynie momentu dokonania zbrodni. Trzeba poznać wszystkie meandry sprawy, w przeciwnym razie powód podany przez sprawcę może się wydać absurdalny. Do historii kryminalistyki przejdzie sprawa pewnej morderczyni, która zadźgała męża nożem, ponieważ zjadł jej górną część bułki. Kiedy jednak w trakcie procesu przeanalizowano dwadzieścia lat ich pożycia, okazało się, że mężczyzna robił to od lat, a była to tylko jedna z wielu złośliwości i perfidnych zachowań, które stosował wobec żony, by się nad nią psychicznie znęcać. Pił na umór, bił ją i dzieci oraz więził tygodniami w piwnicy, gdzie ją gwałcił. Kiedy znany jest już cały kontekst sprawy, można zrozumieć, dlaczego doszło do zbrodni. Zjedzona przez mężczyznę górna część bułki była katalizatorem nieoczekiwanej zamiany ról: dotychczasowa ofiara zamieniła się w kata.

4

MOTYW EMOCJONALNY Z DOMINACJĄ LĘKU I NIEPOKOJU

JEŚLI NIE JESTEŚ PEWIEN, CZY OFIARĘ COŚ ŁĄCZYŁO Z ZABÓJCĄ, POPATRZ NA JEJ TWARZ

Rzeź na rodzinie Danwar – Rytuały ofiary – Rękawiczki na poduszce – Gra na zwłokę – Urodzona dziewiętnastego września – Zerwana kłódka – Cierpiąca i skrzywdzona – Zapomniani przez wszystkich – Braterstwo lęku

Rzeź na rodzinie Danwar

Maria Wilcz, opiekunka z miejskiego ośrodka pomocy społecznej, jak co dzień przez ostatnie pięć lat, około godziny dziewiątej rano zapukała do drzwi państwa Danwar. Zawsze o tej porze odprowadzała do ośrodka rehabilitacyjnego ich upośledzonego umysłowo syna. Dwudziestego piątego czerwca 2003 roku drzwi do mieszkania były jednak zamknięte. Na wetkniętej we framugę kartce w kratkę, równo przyciętej nożyczkami, przeczytała: „Pojechali My do Poznania Wrócim 8 lipca". Nie wzbudziło to podejrzeń pani Marii. Zabrała kartkę i wróciła do ośrodka.

Następnego dnia wieczorem, około dwudziestej pierwszej, na komisariat policji w Wałbrzychu zgłosił się Wiesław Tuziński, właściciel sklepu „Złoty Róg", u którego pracował dorywczo osiemdziesięciopięcioletni Jakub Danwar. Staruszek wykonywał w sklepie drobne prace remontowe, czasami naprawiał elektroniczny monitoring. Tuziński przekonywał, że pan Jakub był osobą bardzo odpowiedzialną. Przez wszystkie lata pracy nigdy się nie spóźniał, a gdy nie mógł przyjść – dzwonił. Tego dnia jednak nie tylko nie pojawił się w sklepie, ale też przez cały dzień nie odezwał się, by usprawiedliwić swoją nieobecność. Na dodatek jego telefon milczał. To zaniepokoiło Tuzińskiego. Od sąsiadów i opiekuna społecznego policjanci dowiedzieli się, że od co najmniej dwóch dni nikt nie widział państwa Danwar. Ludzie mówili, że od dwóch dni nie świeciło się u nich światło, okna były pozasłaniane. Nie odbierali też telefonów. Tuziński zasugerował, by policjanci sprawdzili, czy coś się nie stało. Przekazał policji zapasowy komplet kluczy, który miesiąc wcześniej dał mu pan Jakub. Policjanci postanowili wejść do mieszkania.

Drzwi zewnętrzne były zamknięte na jeden zamek przekręcony kluczem dwukrotnie. Drugie drzwi wejściowe były uchylone. Światła we wszystkich pomieszczeniach były zgaszone, w mieszkaniu panował półmrok. Weszli do środka. W największym pokoju na podłodze leżało ciało Jakuba, a obok na łóżku – zwłoki jego pięćdziesięcioletniego upośledzonego syna, Grzegorza. Policjanci przeszli korytarzem i przy wejściu do mniejszego pokoju zobaczyli zwłoki kobiety – jak się okazało siedemdziesięciopięcioletniej żony Jakuba – Liliany Danwar.

Medycy sądowi stwierdzili, że zostali zamordowani dwudziestego czwartego czerwca pomiędzy dwudziestą pierwszą a dwudziestą drugą. We krwi i moczu ofiar nie stwierdzono obecności alkoholu. Przyczyną śmierci Jakuba było wykrwawienie spowodowane obrażeniami w okolicy głowy. Oprócz tego sprawca zadał mu liczne rany nożem, a także twardymi, tępokrawędzistymi lub tępymi narzędziami. Liliana została uderzona w głowę ciężkim przedmiotem, a następnie uduszona. Prawdopodobnie próbowała się bronić – na jej ciele stwierdzono kilkanaście drobniejszych obrażeń. Syn państwa Danwar zginął od uduszenia.

Z mieszkania zginęły dowody osobiste Jakuba i Liliany oraz pieniądze, które państwo Danwar trzymali pod pościelą w komodzie, w cukiernicy w kredensie oraz w Biblii stojącej pomiędzy innymi książkami.

Rodzina Danwarów nie miała wrogów. Byli spokojnymi, uczynnymi ludźmi, którzy prowadzili bardzo uregulowane życie. Jakub był niezwykle ostrożny. Przed wejściem do klatki schodowej zawsze sprawdzał, czy w pobliżu nie ma obcych osób. Do mieszkania nie wpuszczał nawet listonosza, wszelkie sprawy załatwiał przy drzwiach zamkniętych na łańcuch. Z osobami postronnymi, akwizytorami czy Świadkami Jehowy rozmawiał przez zamknięte drzwi. Inaczej sytuacja wyglądała, gdy w domu była pani Liliana. Miała sklerozę i początki choroby Alzheimera. Otwierała więc wszystkim, nawet jeśli widziała człowieka pierwszy raz w życiu.

Jakuba ostatni raz widziano dwudziestego czerwca, kiedy wysiadał z samochodu dostawczego właściciela sklepu „Złoty Róg", gdzie tego dnia wykonywał drobne prace remontowe. Właściciel sklepu zeznał, że kilka dni wcześniej staruszek opowiadał mu, iż do ich mieszkania przyszedł mężczyzna, który podawał się za pracownika miejskiego ośrodka pomocy społecznej i próbował wyłudzić od nich pieniądze.

Tak się złożyło, że w tej sprawie uczestniczyłem niemal na bieżąco. Byłem z funkcjonariuszami na miejscu zdarzenia. To mieszkanie przypominało istną jatkę. Było tam tyle krwi, że nie dało się wyjść z czystymi butami. Kiedy technicy wykonywali swoje obowiązki, ja rozglądałem się wokół. Na poduszce w pokoju Liliany zauważyłem czarne skórzane rękawiczki. Zwróciły moją uwagę, bo był czerwiec, wielkie upały, i co najmniej dziwne mi się wydało, żeby ktoś o tej porze roku chodził w rękawiczkach. Poprosiłem o ich zabezpieczenie i zbadanie cech charakterystycznych typu wytarcia, zagięcia, ubytki oraz ewentualne zebranie śladów biologicznych. Podobnie było z medalami Jakuba Danwara. Zauważyłem je i założyłem, że sprawca mógł ich dotykać, żeby sprawdzić, czy nie da się któregoś spieniężyć. One również pojechały do badania.

Na ciałach ojca i matki było wiele ciosów, natomiast najsłabszy fizycznie i psychicznie – upośledzony Grzegorz – został uduszony poduszką. Praktycznie nie stawiał oporu, nie uciekał. Zachowywał się niczym małe dziecko, które ufnie traktuje osoby wpuszczone do domu. Dlatego uznałem, że sprawcy należy szukać wśród znajomych rodziny.

By napisać profil i precyzyjnie określić cechy potencjalnego sprawcy lub sprawców, musiałem zebrać dokładne dane wiktymologiczne.

Państwo Danwar poznali się w czasie okupacji. Liliana pracowała u siostry Jakuba jako krawcowa. On był wówczas żołnierzem przymusowo wcielonym do Wehrmachtu. Liliana była śliczną dziewczyną, młodszą od Jakuba o dziesięć lat. Pochodziła z niezbyt dobrze sytuowanej, ale porządnej rodziny robotniczej. Miała cztery siostry, spośród których żyje jedna. Ukończyła szkołę podstawową, przepracowała ponad trzydzieści lat jako krawcowa, nigdy jednak nie miała płaconych świadczeń ZUS. Ostatnio była na utrzymaniu męża. Nie posiadała żadnych oszczędności, nie miała konta bankowego, zupełnie nie zajmowała się finansami.

Dwunastego marca 1952 roku na świat przyszedł syn Danwarów. Grzegorz od urodzenia był upośledzony umysłowo. Mimo że w rozwoju intelektualnym zatrzymał się na poziomie sześcioletniego dziecka, udało mu się ukończyć szkołę specjalną. Całe życie uczęszczał na rehabilitację, na którą przez lata codziennie odprowadzała go matka, potem ojciec, następnie opiekunowie społeczni. Poza tym Grzegorz rzadko wychodził z domu, głównie przesiadywał w mieszkaniu, czasem wyglądał przez okno.

Choć Liliana bardzo dbała o swoje zdrowie – rzuciła palenie papierosów, alkoholu praktycznie nie piła – i nie oszczędzała na lekarstwach, w ostatnim okresie jej stan bardzo się pogorszył. Często, w związku z chorobą krążenia, dokuczały jej zawroty głowy. Miała cukrzycę i dolegliwości ze strony układu pokarmowego. Przeszła operację trzustki. Cierpiała na postępującą chorobę Alzhimera. W związku z tym o wielu rzeczach zapominała – nie zamykała drzwi na klucz, potrafiła kilkakrotnie pytać o to samo, nawet podczas jednej krótkiej rozmowy. Z domu nie wychodziła sama, bo mogłaby nie wrócić. Widziano ją tylko w towarzystwie męża. Choć była osobą otyłą i schorowaną, wyglądała na młodszą, niż była w rzeczywistości. Uważano ją za niezwykle sympatyczną osobę. Nigdy się nie kłóciła, była zawsze życzliwa i skłonna do pomocy innym. Nie potrafiła „poznać się na ludziach" , byłaby bardzo łatwym obiektem do manipulacji. Nie umiała kłamać, wolała sama stracić, niż być powodem czyjegoś niezadowolenia. Nie utrzymywała szerokich kontaktów towarzyskich – jedynie z rodziną męża, zwłaszcza z jego siostrą. Starała się pamiętać o ważnych dla najbliższych datach – urodzinach, imieninach, rocznicach. Była religijna, ale nie chodziła do kościoła w każdą niedzielę. Co roku przyjmowała księdza po kolędzie.

Jakub był bardzo niskim (sto pięćdziesiąt pięć centymetrów wzrostu) i chudym mężczyzną. Niezwykle dbał o swój wygląd zewnętrzny – zawsze chodził schludnie i czysto ubrany, codziennie się golił. Znajomi nazywali go rycerzem. Miał bowiem rycerskie zasady: był punktualny, honorowy, uprzejmy, życzliwy, słowny i terminowy. Jeśli coś obiecał, miało się pewność, że słowa dotrzyma. Mówiono, że jest wzorem do naśladowania i osobą godną zaufania. Był tak skromny, że nigdy nie pochwalił się rodzinie, iż został odznaczony przez Prezydenta RP Krzyżem Kawalerskim Orderu Odrodzenia Polski oraz Złotym Krzyżem

Zasługi. Poza tym w 1980 roku został odznaczony Złotą Odznaką Brygady Pracy Socjalistycznej, Orderem za Długoletnią Pracę w Górnictwie oraz Złotą Odznaką Zasłużonemu w Rozwoju Województwa.

Był prawdziwą głową rodziny. Zarabiał na utrzymanie i podejmował ważniejsze decyzje. Narzucał też rytm dnia. Uwielbiał porządek i trzymanie się harmonogramu. Dlatego od lat w domu państwa Danwar jadało się obiad o trzynastej piętnaście, w piątek musiała być ryba, a przed ważniejszymi świętami firany i pościel noszono do pobliskiej pralni i magla „Foka". Każdego dnia Jakub oglądał „Modę na sukces", zawsze o tej samej porze wychodził do pracy. Nie znosił, kiedy ktoś się spóźniał, nawet pięć minut. Wszystko musiało być dokładnie tak, jak zaplanował. To on zrywał kartki z kalendarza, co robił zawsze przed pójściem spać.

Ponieważ należał do ludzi ostrożnych, irytowało go, że żona otwiera drzwi przygodnym osobom. Nie był jednak asertywny i nie posiadał tak zwanego sprytu życiowego. Kiedy do jego drzwi pukali domokrążcy, nie był w stanie ich odprawić. Zwykle coś kupował, a gdy czasem zdarzyło mu się odmówić, przez długi czas miał poczucie winy. Kiedy ostatnio przyszedł do niego węglarz i poskarżył się, że stracił pracę, Jakub pożyczył mu trzysta złotych, chociaż sam miał problemy finansowe – musiał się zapożyczyć, żeby wysłać syna na letni obóz rehabilitacyjny. Ale nie umiał odmówić pomocy. Często pożyczał pieniądze znajomym, choć nieraz miał problem z wyegzekwowaniem długu. On sam wszystkie zobowiązania spłacał wcześniej, niż było ustalone. Po jego śmierci znaleziono w mieszkaniu kilka czerwonych segregatorów, w których trzymał dowody wpłaty oraz historię zadłużenia. Kredyt zaciągnięty w Banku Śląskim w wysokości sześciuset złotych spłacił w styczniu 2003 roku, choć mógł to zrobić dopiero w grudniu. Również dużo wcześniej uregulował poprzedni kredyt. Policjantom nie udało się ustalić, na co Danwar przeznaczał pożyczane pieniądze.

Był skrajnym introwertykiem, rzadko się skarżył. Przez swoją rodzinę był określany jako pracoholik. Nie mógł siedzieć bezczynnie – najmował się jako „złota rączka", prowadził remonty instalacji elektrycznej, pomagał w pracach dekoratorskich w sklepie. Interesował się elektrotechniką. W dniu, kiedy stwierdzono śmierć Jakuba, policjanci znaleźli na stole w kuchni książkę dotyczącą systemu ochrony obiektów oraz zeszyt z notatkami. Danwar był niezwykle ambitnym człowiekiem. Z zawodu radiotechnik – skończył szkołę średnią z wynikiem bardzo dobrym. Znał język niemiecki w mowie i piśmie. I wciąż się czegoś uczył – ostatnio napraw urządzeń alarmowych. Za największy cios od losu uważał utratę lub zmianę pracy. Był to człowiek starej daty, dla którego etos pracy miał ogromne znaczenie. W swoim życiu nigdy nie był bezrobotny. Podczas wojny pracował w Austrii, a potem w Polsce – w cegielni, na kopalni, miał zakład naprawy sprzętu RTV. Był wielce szanowany za rzetelne wykonywanie swoich obowiązków.

Wyręczał innych. Zamiast narzekać, że ktoś coś źle robi, sam zabierał się do pracy. Gdy Liliana zaczęła się gorzej czuć i podczas gotowania rozsypywała mąkę czy sól, stwierdził, że teraz on będzie gotował. Planował z wyprzedzeniem menu na każdy dzień. Robił skrupulatnie plan zakupów i starał się wyręczać żonę w domowych obowiązkach, mimo iż sam nie był wcale okazem zdrowia. Chorował na osteoporozę, niedawno miał operację jelita grubego, cierpiał na niedowład ręki.

Martwił się o los rodziny, dlatego spisał testament. Państwo Danwar mieszkali w starej kamienicy w centrum Wałbrzycha. Mieszkanie było bardzo czyste, zadbane, panował w nim idealny porządek. Jakub odziedziczył je po swoich rodzicach, po jego śmierci otrzyma je w spadku siostra. Mieszkanie składa się z trzech pokoi, kuchni oraz łazienki, a także piwnicy, w której trzymali węgiel i drewno. Opał do mieszkania przynosili opiekunowie społeczni, gospodarz budynku, a także inne osoby. Każda z nich miała płacone za wykonaną usługę, wszystko regulował Jakub.

Danwarowie żyli bardzo skromnie. Oszczędności trzymali w domu, mimo iż kilka lat wcześniej okradł ich człowiek podający się za inkasenta. W 1999 roku obchodzili pięćdziesięciolecie pożycia małżeńskiego i z tego tytułu otrzymali medal od Prezydenta Miasta Wałbrzycha. Największą wartością w ich życiu była rodzina i jej dobro.

> *Po przeanalizowaniu danych dotyczących ofiar zastanowiłem się przede wszystkim, z jakim motywem możemy tutaj mieć do czynienia. Zginęła cała rodzina. Oznaczało to, że sprawca lub sprawcy nie chcieli być przez nikogo rozpoznani. To był czynnik, który potwierdzał hipotezę, iż sprawcy znali ofiary. Zastanawiałem się, czy zabójstwa tego mógł dokonać człowiek, który podając się za pracownika MOPS-u, próbował wyłudzić pieniądze od Danwara. Jakub pożyczał wielu osobom, mogła więc powstać plotka, że ma w mieszkaniu dużo gotówki. Ale sprawca atakujący z motywu ekonomicznego robi to w momencie, kiedy jest największe prawdopodobieństwo, że ofiara posiada pieniądze. Tymczasem zabójstwa dokonano pod koniec miesiąca, podczas gdy*

emerytura Jakuba miała nadejść dopiero piątego lipca. Sprawca znalazł w mieszkaniu trochę pieniędzy, a ponieważ nie były to duże kwoty, zaczął przeglądać medale Jakuba. Zastanawiał się, czy można część z nich spieniężyć.

Stwierdziłem wobec tego, że zabójstwo było wynikiem źle rozwiniętej interakcji. Prawdopodobnie sprawca był znany rodzinie. I choć odwiedził ich późnym wieczorem, został wpuszczony, mimo że Jakub o tej porze nie przyjmował już gości. Rozmawiali, być może pokłócili się i doszło do zbrodni. Żona i syn Danwara zginęli, ponieważ sprawca chciał wyeliminować świadków. Emocje – właśnie lęk i niepokój – wymknęły się spod kontroli. Zresztą gdyby zabójstwo zostało dokonane na tle ekonomicznym, miałoby całkiem inny przebieg. Choćby fakt, że sprawca nie przyniósł ze sobą żadnych narzędzi zbrodni. Wykorzystał w tym celu przedmioty z otoczenia ofiar, co jest typowe dla motywu emocjonalnego.

Zastanawiała mnie jeszcze kartka pozostawiona w drzwiach: „Pojechali My do Poznania Wrócim 8 lipca". Sprawca użył specyficznej formy gwarowej, tak zwanego śledzikowania. Musiał wiedzieć, że Danwarowie tak ze sobą rozmawiali, i zostawił tę kartkę, by zyskać na czasie. Zanim zostaną znalezione zwłoki, chciał uporządkować swoje sprawy, pozbyć się wszystkiego, co mogłoby go połączyć ze sprawą. Zastanawiałem się, dlaczego wybrał akurat Poznań. Musiało to być dla niego miejsce znane, z którym był związany emocjonalnie. Może stamtąd pochodzi? A może o wyjeździe do Poznania akurat rozmawiał z Danwarem? Musiałem wykonać rekonstrukcję ostatnich dni życia ofiar. Byłem pewien, że to pomoże znaleźć odpowiedź na nurtujące mnie pytanie o Poznań.

24 czerwca – wtorek

9:00 – Opiekunka prowadzi syna Danwarów, Grzegorza, do ośrodka rehabilitacyjnego. Uprzedza, że odbierze go około 12:30.

10:00 – Liliana i Jakub idą na skromne imieniny do siostry Jakuba. Piją kawę, zjadają po kawałku tortu, po czym wracają do domu, by gotować obiad.

13:15 – Opiekunka przyprowadza Grzegorza. Rodzina siada do obiadu. Tego dnia jest kapuśniak.

15:00 – Wszyscy oglądają „Modę na sukces".

18:30 – Jakub wychodzi do pracy w sklepie „Złoty Róg". Mówi właścicielowi, że wczoraj przyszedł do niego jakiś oszust i próbował wyłudzić pieniądze.

21:00 – Rodzina Danwarów wspólnie je kolację. Tego dnia były kanapki z pomidorami i cebulą.

Zwykle po kolacji Jakub oglądał telewizję, a przed położeniem się spać zrywał kartkę z kalendarza. Tego dnia jej nie zerwał, bowiem rodzinę nieoczekiwanie odwiedził zabójca.

25 czerwca

9:00 – Do mieszkania Danwarów przychodzi opiekunka, by zaprowadzić Grzegorza na rehabilitację. Znajduje kartkę, zabiera ją ze sobą.

Stwierdziłem, że sprawców musiało być dwóch. Ale tylko jeden wszedł do mieszkania, drugi stał na czatach. Określiłem to na podstawie obrażeń zadanych ofiarom. Zabójca był znany Danwarom. Znał też doskonale miejsce zbrodni, bywał w tym mieszkaniu wielokrotnie. Wiedział o codziennych rytuałach gospodarzy, ich dbałości o bez-

pieczeństwo. Wiedział, kiedy przyjść. Ustaliłem to na podstawie położenia ciał po przestępstwie.

Zabójca pochodzi z rodziny o niskim statusie ekonomicznym. Nawet niewielkie kwoty stanowią dla niego wartość. Jest nim mężczyzna w wieku pomiędzy trzydzieści pięć a czterdzieści pięć lat, o intelekcie poniżej normy, prawdopodobnie z wykształceniem podstawowym. Nie posiada stałej pracy, może być bezrobotny. Jego pomocnik jest starszy – ma czterdzieści, czterdzieści pięć lat, posiada wykształcenie najwyżej zawodowe, może mieć problemy z nadużywaniem alkoholu.

Zbrodnia była efektem nagromadzonego negatywnego napięcia pomiędzy gościem a Jakubem Danwarem. Motywem wiodącym tej zbrodni był lęk i niepokój. Prawdopodobnie sprawca nie przyszedł, by zabić. Najpierw rozmawiał z Jakubem, kiedy jednak rozmowa potoczyła się nie po jego myśli, doszło do agresywnych zachowań, a potem ich eskalacji i zbrodni na Jakubie. Zabójstwa jego żony i syna dokonano, by wyeliminować świadków.

Użycie przez sprawców nazwy Poznań wskazuje na fakt, że to miasto niesie dla nich negatywne lub pozytywne, ale silne emocje, wywołuje wspomnienia.

Zabójca dobrze funkcjonuje społecznie, umiejętnie się maskuje, lecz to typ osobowości zaburzonej. Nie posiada stałej partnerki, nie funkcjonuje w związku emocjonalnym.

Prawdopodobnie przyszedł do Danwarów pod wpływem alkoholu. Po dokonaniu przestępstwa analizował sytuację. Mógł też powrócić w okolice miejsca zbrodni, obserwować je, a nawet przyjść do kamienicy, co traktował jako psychiczne zadośćuczynienie ofierze. Potrafi jednak zachować „zimną krew". Nie można zauważyć większych zmian w jego zachowaniu po tym zabójstwie.

Policjanci sprawdzili kilkanaście osób z bliskiego otoczenia ofiary. Cechy podane w profilu pasowały do Mieczysława Głuwaka. W momencie popełnienia zbrodni miał czterdzieści lat. Nie płacił podatków, nie regulował składek na ubezpieczenie zdrowotne. Był to człowiek, który od lat woził Danwarom węgiel. Nie miał stałego zatrudnienia, żył na granicy ubóstwa. Zajmował się zbieraniem złomu oraz rabowaniem węgla z pociągów, który potem sprzedawał za niewielkie kwoty. Danwarowie kupowali od niego węgiel i drewno, ponieważ od Głuwaka dostawali je za bezcen.

To właśnie on prosił Danwara o pożyczkę trzystu złotych i ten mu jej udzielił. Prawdopodobnie dwudziestego czwartego czerwca przyszedł, by wynegocjować wyższą cenę za swoje „usługi", ale starszy pan nie chciał się na to zgodzić. Już wcześniej mężczyźni o tym rozmawiali, lecz wówczas Danwar zbył go i zagroził, że zacznie kupować węgiel od kogoś innego. Tym razem zażądał zwrotu pożyczonych pieniędzy. Wskutek nagromadzonych silnych negatywnych emocji wywiązała się szarpanina, potem walka. Najpierw zginął ojciec rodziny, następnie jego żona, na koniec upośledzony syn. Przed opuszczeniem mieszkania Mieczysław Głuwak zastanawiał się, jak odsunąć od siebie podejrzenia. Dlatego napisał kartkę zabezpieczoną na miejscu zbrodni. Grafolog potwierdził, że to on był jej autorem. Dlaczego znalazł się na niej Poznań? Głuwak przez te wszystkie lata zdążył poznać nie tylko zwyczaje i tryb życia Danwarów, ale także ich przeszłość. Głuwak pochodził z okolic Poznania (lubił opowiadać, że jest z dużego miasta), a Jakub Danwar miał tam kiedyś rodzinę. Często więc rozmawiali o Poznaniu, o tym, co w dawnych czasach działo się w tym mieście, wspólnie żartowali ze skąpstwa poznaniaków.

Policjanci aresztowali tego człowieka na podstawie pozostawionych przez niego śladów: odcisków palców i śladów biologicznych. Badania DNA potwierdziły, że na wezgłowiu łóżka Liliany Danwar leżały rękawiczki Głuwaka. On sam nigdy do tej zbrodni się nie przyznał. Nie wskazał także swojego wspólnika, który stał na czatach i miał zareagować, gdyby coś się działo. Nigdy nie potwierdził tej hipotezy, odmówił składania wyjaśnień. W trakcie całego śledztwa nie powiedział nic – stosował bardzo prymitywny rodzaj obrony, który zresztą nie przyniósł spodziewanego efektu. Sąd skazał go na dożywocie. Sprawa jest w apelacji, jego adwokat wniósł o zmniejszenie kary.

Urodzona dziewiętnastego września

Trzydziestoczteroletnia Anita Pokrzeptowicz z Głuchołazów umówiła się ze znajomą, że przyjdzie do niej pierwszego lutego 2002 roku – potrzebowała pomocy w napisaniu pisma do sądu. Wanda Majer z tego powodu przełożyła wizytę u teściów. Niestety, Anita nie pojawiła się ani o umówionej godzinie, ani przez cały wieczór. Wandzie wydało się to dziwne, bo Anita przekonywała, że bardzo jej na tym spotkaniu zależy. Były mąż Pokrzeptowicz utrudniał jej kontakty z dziećmi i zamierzała w tej sprawie interweniować w sądzie. Przez ostatni tydzień dzwoniła i prosiła, by Wanda znalazła dla niej czas, ponieważ – jak twierdziła – sprawa nie może czekać. Zresztą następnego dnia musiała zgłosić się do szpitala na poważny zabieg, który miała umówiony już kilka miesięcy temu.

Wanda czekała na Anitę kilka godzin. Około dwudziestej zadzwoniła do niej na komórkę i telefon stacjonarny, lecz ta nie odbierała żadnego z nich. Sąsiadkę bardzo to zaniepokoiło. Wybrała się do Anity, ale nikogo nie zastała. W oknach panowała ciemność. Obeszła posesję dookoła i kiedy zamierzała wsiąść do samochodu, zauważyła, że drzwi balkonowe są uchylone, co wcześniej pod nieobecność Anity się nie zdarzało.

Sytuacja zaniepokoiła Wandę. Nie znała jednak telefonu do żadnej bliskiej jej osoby, nie mogła sprawdzić, czy Anity u niej nie ma. Dopiero rano udało jej się zdobyć numer do siostry Anity, Magdy, która mieszkała w sąsiednim miasteczku. Magda niezbyt orientowała się w planach Anity. Ostatnio widziała ją dwa tygodnie wcześniej. Nie miała pojęcia, gdzie siostra mogła pojechać. Kobiety zdecydowały, że o zaginięciu Pokrzeptowicz zawiadomią policję. Rozpoczęto poszukiwania. Funkcjonariusze sprawdzili każdy zakamarek jej posesji. W kuchni na stole znajdowała się napoczęta kolacja. W największym pokoju leżał przewrócony telewizor. Po przeszukaniu okazało się, że z mieszkania zginęło pięćset złotych, które kobieta pożyczyła na wyjazd do Niemiec, magnetofon CD oraz biżuteria. Policjanci podejrzewali, że Anita mogła zostać zamordowana. Kilka godzin później, w studni znajdującej się około dwudziestu metrów od domu, znaleziono jej zwłoki.

Biegli ustalili, że sprawca zadał Anicie kilkadziesiąt mniejszych lub większych obrażeń. Między innymi miała poderżnięte gardło. Zanim jednak się wykrwawiła, oprawca bił ją jeszcze tępym narzędziem, a na koniec wrzucił do studni. W tym momencie Anita jeszcze żyła. Na podstawie stanu naskórka (powstało charakterystyczne sfałdowanie, tak zwana skóra praczek) biegli określili, że Anita przebywała w wodzie nie dłużej niż trzy dni i nie krócej niż jeden dzień.

Do tej sprawy dołączyłem po miesiącu. Choć miejscowość znajdowała się w dużej odległości od mojej macierzystej komendy, pojechałem do Głuchołazów, ponieważ wiedziałem, że powinienem na własne oczy zobaczyć miejsce zbrodni i okolice, bo to jest klucz do określenia, kim może być sprawca. Faktycznie, kiedy się tam się znalazłem, zrozumiałem już, dlaczego tak trudno było odnaleźć zwłoki Anity.

Teren wokół domu był pagórkowaty. Budynek został zbudowany w dolinie, na obrzeżach miejscowości. Nie było stąd widać innych zabudowań. Do najbliższego gospodarstwa Majorkiewiczów szło się na piechotę kilkanaście minut. Do domu Anity nie prowadzi utwardzona droga, tylko szersza polna ścieżka. Objechałem całą okolicę samochodem, zastanawiając się, którędy Anita zwykle chodziła, jak sobie skracała drogę do domu, skąd nadeszli sprawcy.

Dom zamordowanej był niewykończony. Kobieta mieszkała na parterze, bo tylko tam panowały jako takie warunki do życia. Pozostałych pomieszczeń nawet nie otynkowano. W budynku nie założono ogrzewania, więc w miesiącach jesienno-zimowych panowało tam przenikliwe zimno.

Anita większą część roku przebywała w Niemczech, tam pracowała. Do kraju przyjeżdżała tylko po to, by zobaczyć się z dziećmi. Właśnie dlatego, że bardzo często jej nie było, zaprzestała inwestycji w remont lokalu. Poza tym kilka razy włamywano się do samotnie stojącej posesji i rabowano wszystkie przywiezione przez nią sprzęty. Kiedy Anita przebywała w Polsce, nocowała w pokoju z dużymi drzwiami balkonowymi – tłumacząc, że w sytuacji zagrożenia zawsze będzie mogła uciec. Z tych słów wynika, że nie czuła się w swoim domu bezpiecznie.

Musiałem się dowiedzieć, co to była za kobieta. Jakich miała wrogów, jakie kłopoty, z kim się przyjaźniła, gdzie bywała. Sprawa poruszyła mnie szczególnie, ponieważ okazało się, że zamordowana urodziła się dokładnie tego samego dnia i miesiąca co ja.

Pochodziła z wielodzietnej rodziny. Miała trójkę rodzeństwa – dwóch braci i siostrę. Jej ojciec pił i znęcał się nad rodziną. Kiedy Anita miała sześć lat, matka rozwiodła się i ponownie wyszła za mąż. Urodziła kolejne dziecko, córkę – Anita miała więc jeszcze przyrodnią siostrę. Drugi związek matki nie okazał się lepszy. Sytuacja materialna rodziny była bardzo zła.

Dziewczyna nie miała żadnych zdolności – ukończyła zaledwie szkołę zawodową. Pracowała jako bufetowa, kucharka, kelnerka, referent magazynów i piekarz. Była jednak nieprzeciętnie piękna. Drobna, filigranowa, o dużym uroku osobistym i łagodnym usposobieniu. Miała wielu adoratorów. W wieku dwudziestu jeden lat poznała przyszłego męża. Konrad był tak zwaną dobrą partią w mieście. Jego rodzice mieli piekarnię, kilka sklepów oraz bar. Dobrze sytuowani, zaprzyjaźnieni z władzami miasteczka oraz lokalną „elitą" przedsiębiorców. Kiedy więc okazało się, że ich syn zamierza poślubić Anitę, nie mogli się pogodzić z taką „porażką". Zwłaszcza matka Konrada zupełnie inaczej wyobrażała sobie synową. Miała kilka upatrzonych kandydatek, godnych dostąpienia tego zaszczytu. Los spłatał wszystkim figla. Okazało się, że Anita jest w ciąży i Konrad postanowił się ożenić. Ślub odbył się w 1986 roku, gdy do rozwiązania pozostały cztery miesiące. Młodzi zamieszkali najpierw u rodziców Konrada, teściowa zaś mogła nieustannie wypominać synowej, że „ich dziedzic zasługiwał na coś lepszego". Pomiędzy teściami a dziewczyną nieustannie dochodziło do kłótni.

Konrad w takich sytuacjach dyplomatycznie się wycofywał. Ani razu nie stanął w obronie żony.

Teściowie uważali, że Anita zrujnowała życie ich synowi i szczerze jej nienawidzili. Ponieważ jednak urodziła im wnuka, rozpoczęli budowę domu dla młodych – tego, w którym Anita została napadnięta i zamordowana. W 1989 roku postanowili, że Konrad wyjedzie do Niemiec, a synowa zostanie w Polsce pod ich opieką i zajmie się wychowywaniem dzieci (wkrótce po pierwszym synu – Krystianie, na świat przyszła córka – Róża). Przez kilka lat Konrad Pokrzeptowicz mieszkał w Kolonii. Zarabiał, wykonując proste prace murarskie, tynkarskie i hydrauliczne. Pieniądze przesyłał do matki, ta zaś przeznaczała je na budowę ogromnego domu. Anita nie otrzymywała z tej puli ani grosza. Była na całkowitej łasce i niełasce teściów. Z biegiem lat Konrad na dobre zakorzenił się w niemieckiej rzeczywistości, a wkrótce otrzymał status uchodźcy. Wtedy teściowie postanowili, że Anita i dzieci powinni dołączyć do niego. Budowę domu wstrzymano. Młodzi zaczęli się urządzać w Niemczech. Wkrótce Anita urodziła kolejne dwoje dzieci – Samantę i Lukasa. Ich życie coraz mniej przypominało sielankę.

Pomiędzy małżonkami zaczęło dochodzić do nieporozumień. Kłótnie zawsze dotyczyły pieniędzy oraz przyszłości. Anita pracowała jako sprzątaczka, opiekunka do dzieci w tureckiej rodzinie, kasjerka w sklepie oraz salowa. Nie zarabiała dużo, namawiała męża, by wrócili do Polski i tam układali sobie życie. Źle czuła się na emigracji, tęskniła za krajem i swoją rodziną. Konrad nie chciał o tym słyszeć. Upierał się, by zostali za granicą. Roztaczał przed żoną wizje, ile jeszcze mogą zarobić i zapewniał, że nie chce stracić dobrej okazji „ustawienia się na całe życie". W końcu zdecydowali się na rozwiązanie – zdaniem

Konrada – „salomonowe". Anita miała wrócić do kraju, mąż dołączy do niej po kilku miesiącach, jak tylko zakończy swoje kontrakty.

Anita znów zamieszkała u teściów. Tymczasem Konrad zamiast wrócić do domu, przeniósł się do Frechen, tam wynajął mieszkanie i pracował. Mijały miesiące, a mąż w dalszym ciągu przekazywał zarobione pieniądze matce. Anita nie miała praktycznie żadnych środków na utrzymanie. Wciąż jednak liczyła, że Konrad szybko wróci i wtedy zamieszkają w nowo wybudowanym domu. Niestety, okazało się, że mąż chciał się jej pozbyć z Niemiec i już wtedy wcale nie zamierzał wracać. Szybko związał się z inną kobietą i przestał przesyłać jakiekolwiek pieniądze. Anita z trudem zaakceptowała nową sytuację. Zdecydowała się pójść do pracy, ale z powodu konfliktu z teściami nikt nie chciał jej zatrudnić. Była bezrobotna i systematycznie spadała jej samoocena. Z czasem przestała już wierzyć, że kiedykolwiek znajdzie pracę, stanie na nogi. Rodzice męża to wykorzystali. W 1996 roku złożyli do sądu wniosek o przyznanie im opieki nad wnukami. Anita nie miała szans, by wygrać. Nie dość, że teściowie cieszyli się dużym zaufaniem w mieście, to jeszcze wynajęli najlepszego adwokata w okolicy. Bez trudu wykazali, że Anita nie jest w stanie zapewnić czwórce dzieci warunków życia na takim poziomie, do jakiego były przyzwyczajone w Niemczech. Sąd przychylił się do wniosku dziadków i ustanowił ich opiekunami dzieci. Anicie wyznaczył dni, kiedy mogła się z nimi widywać. Kobieta nie mogła się z tym pogodzić. Dzieci były całym jej światem. Dziadkowie bardzo szybko zaczęli manipulować dziećmi, a w końcu nakłaniać je, by odmawiały widywania się z matką. Kiedy ta domagała się spotkań – dochodziło do dramatycznych incydentów.

Ponieważ opiekunom tymczasowym każdego miesiąca przysługiwało po pięćset złotych na dziecko – w sumie dziadkowie dostawali z krajowego funduszu alimentacyjnego dwa tysiące złotych. Mogli więc do woli rozpieszczać dzieci, kupować im drogie prezenty i dawać gotówkę. Jednocześnie nastawiali wnuki przeciwko Anicie, opowiadali o niej niestworzone i przerażające historie. W efekcie dzieci zaczęły uważać matkę za kogoś gorszego, między innymi dlatego, że była biedna.

Anita pisała prośby o pomoc do komisji do spraw rodziny w gminie. Na odpowiedzi czekała miesiącami i praktycznie nie otrzymała żadnej pomocy. W końcu udało jej się znaleźć pracę, ale wciąż ledwie starczało jej na życie. Każdy grosz odkładała, by kupować dzieciom prezenty. Starała się, jak mogła, by zaspokoić ich zachcianki. Bezskutecznie. Cokolwiek by zrobiła, zawsze było źle. Urządziła dla nich pokoje. One jednak nie chciały tam przebywać. Wolały mieszkać u dziadków, bo w porównaniu z domem-widmem matki, ich posiadłość była luksusową rezydencją. Pragnęła stworzyć im dom. Chciała, by przychodziły do niej o każdej porze, dała im klucze, jednak dzieci wpadały tam tylko po to, żeby się pobawić, coś zdemolować albo gdy potrzebowały pieniędzy czy sprzętu. Anita lubiła dobrze zjeść. Ale gotowała tylko wtedy, kiedy miały do niej przyjść dzieci. Tymczasem one wyrzucały jedzenie ugotowane przez matkę. Lekceważyły ją, wyśmiewały się z niej, publicznie upokarzały. Mimo to kobieta kochała je bezgranicznie, wszystko im wybaczała, bo wierzyła, że kiedyś – gdy dorosną – zrozumieją kontekst dramatu i zmienią swoje nastawienie.

Sytuacja pogorszyła się w 1999 roku, a teściowie zaczęli być wobec synowej agresywni. Dochodziło do tak dramatycznych incydentów jak przemoc fizyczna. Pewnego razu Anita przyszła odwiedzić dzieci, teść wybiegł jej na spotkanie i kilka razy uderzył ją łopatą. Kobieta upadła na ziemię, straciła przytomność – doznała wstrząśnienia mózgu. Zajście skończyłoby się tragicznie, gdyby ochroniarze z sąsiadującej z posesją firmy Melisa nie udzielili jej pomocy. Po tym zdarzeniu Anita próbowała spotykać się z dziećmi z dala od dziadków. Problem polegał jednak na tym, że one zaczęły jej unikać. Traktowały ją wyłącznie jako świetne źródło gotówki, nie żywiły jednak żadnych cieplejszych uczuć. Mniej więcej w tym samym czasie Anita dowiedziała się, że mąż ma romans z jej przyrodnią siostrą. O tym, że ze sobą sypiają, dowiedziała się od Konrada. Także i to kobieta byłaby skłonna mu wybaczyć. Niestety, w 2000 roku w sądzie w Kolonii małżonek złożył wniosek o rozwód.

Anita była załamana. Postanowiła jednak, że będzie ze wszystkich sił walczyć o kontakt z dziećmi. To tylko spowodowało, że między nią a teściami dochodziło do coraz brutalniejszych starć. Na przykład w lipcu 2001 roku, kiedy jechała na rowerze, teść ścigał ją samochodem, a kiedy dopadł, zastraszał nożem. Bała się zgłaszać tych incydentów policji, gdyż teściowie mieli z lokalnym posterunkiem doskonałe układy.

Anicie wydawało się, że wszystkie jej problemy rozwiążą pieniądze. Liczyła, że jeśli będzie dobrze sytuowana, odzyska dzieci, a także będzie miała na adwokatów. Wyjeżdżała więc do pracy do Niemiec. Wracała tylko po to, by widywać się z dziećmi. Ostatnie lata przed śmiercią wciąż kursowała pomiędzy Kolonią a Głuchołazami. Znała biegle niemiecki – w mowie i piśmie. Często pomagała znajomym w znalezieniu tam pracy, pisała pisma w języku niemieckim. W Niemczech pracowała na kurzej fermie, a gdy przyjeżdżała do Polski – w tartaku i przy produkcji tytoniu. W ostatnim czasie schudła dziesięć kilogramów, ponieważ praca na kurzej fermie była bardzo ciężka. W dodatku kładła się spać po północy, a wstawała wcześnie, gdyż miała problemy z oddawaniem moczu. Wciąż jednak była bardzo atrakcyjna, dawano jej mniej lat, niż miała w rzeczywistości – nie dobiła jeszcze do trzydziestki.

Mąż kilkakrotnie przyjeżdżał do Polski, ale nigdy nie odwiedził żony w ich domu. Zawsze mieszkał u swoich rodziców. Do Głuchołazów przybywał ze swoją nową kobietą – Polką mieszkającą w Niemczech, którą przedstawił byłej małżonce. Anita spotykała się z Borysem Wikariuszem, który jednak wyparł się tej znajomości podczas przesłuchania. Zapewniał, że to było tylko koleżeństwo. Nie sypialiśmy ze sobą, nie planowaliśmy ślubu – twierdził. Kilka razy stanął w jej obronie przed teściem i czasem słuchał jej zwierzeń. Był jednak niewątpliwie na tyle blisko, by dobrze znać jej trudną sytuację.

Anita nie była osobą agresywną czy wulgarną. Stroniła od alkoholu, nigdy nie przyjmowała narkotyków. Była spokojną, odpowiedzialną kobietą uwikłaną w wiele niepotrzebnych konfliktów. Szkoda, że nigdy nie dochodziła swoich praw w sądzie, nie poskarżyła się policji, nie zawiadomiła o atakach teściów prokuratury.

Była typem ufnej, łagodnej kobiety, niemal całkowicie pozbawionej sprytu życiowego, co czyniło ją łatwym obiektem do manipulacji. Zawsze prawdomówna, za wszelką cenę dążyła do zgody i starała się unikać konfliktów. Idealizowała ludzi i tłumaczyła ich agresywne zachowania, chętniej biorąc winę na siebie, niż obarczając ją innych. Kiedy była w sytuacji stresowej, nie umiała sobie z czymś poradzić – tłumiła emocje, zamykała się w sobie. Nie miała prawa jazdy, co, biorąc pod uwagę miejsce jej zamieszkania, bardzo utrudniało komunikację.

I choć w okolicy wiele osób korzystało z tak zwanych okazji, ona poruszała się wyłącznie autobusami lub rowerem. Ludzie ją bardzo lubili. Poza rodzicami byłego męża praktycznie nie miała wrogów.

Kiedy zebrałem te informacje, jedno pytanie nurtowało mnie najbardziej: Dlaczego ta kobieta musiała zginąć? Dalej zaczęły pojawiać się kolejne: Jak to się stało? Komu Anita przeszkadzała? Komu najbardziej zależało na jej śmierci? Kto na tym najwięcej skorzystał? Wiadomo, że na początku śledztwa zawsze jest wielu podejrzanych i trzeba wyeliminować tych, którzy z całą pewnością nie mają związku z zabójstwem. Rzecz jasna oprócz teściów najbardziej niejasna zdawała się być postać jej chłopaka. Byli ze sobą czy też nie? Kochankowie czy koledzy? Z całą pewnością ta relacja była niesztampowa. Co ciekawe mężczyzna był od zamordowanej wiele lat młodszy. Niby z nią był, a nie był. Niby jej pomagał, ale kiedy zaginęła, nawet nie próbował nawiązać z nią kontaktu. Wyparł się jej definitywnie. Dlaczego? Skąd tak wiele o niej wiedział? Tym bardziej że poza grupą kilku osób prawie nikt się Anitą nie interesował, nie potrafił podać na jej temat żadnych szczegółów. Czy ten mężczyzna wpadłby na pomysł, by wrzucić ją do studni? Dlaczego twierdził, że to była tylko luźna znajomość? Czy powiedział tak ze strachu przed rodziną, sąsiadami? Jaki człowiek w obliczu śmierci bliskiej koleżanki, a może nawet przelotnej kochanki, bardziej dba o dobrą opinię w środowisku niż o znalezienie sprawcy zbrodni? Borys dokładnie znał sytuację życiową Anity. Mógł rzecz jasna obawiać się, że agresja teściów przeniesie się na niego, jeśli publicznie opowie się po stronie dziewczyny. Ale też wiele jego zachowań wskazywało, że nie był poważnie zaangażowany w ten związek. Raczej asekurował się i tak rozgrywał karty, by w razie czego szybko zakończyć tę znajomość i nie mieć wobec Anity żadnych zobowiązań.

Ponieważ wyjątkowo trudno było zebrać dane dotyczące Anity, wykonałem rekonstrukcję ostatnich dni jej życia. Uznałem, że to może dać odpowiedź na pytanie, komu i dlaczego zależało na jej śmierci. Dlatego tak ważne było ustalenie, kto ostatni widział ją żywą.

Dwudziestego dziewiątego stycznia rozmawiała z sąsiadką, której powiedziała, że idzie do szpitala i dlatego zależy jej na spotkaniu i napisaniu pisma do sądu. Bardzo źle się czuła, była podłamana, o czym powiedziała kilku znajomym. Wieczorem następnego dnia (trzydziestego stycznia) wyszła z domu do baru teściów, gdzie miała spotkać się z dziećmi. Do tego samego baru zmierzała Magdalena Lipka, więc kobiety weszły do środka razem. Mimo umówionego spotkania, dzieci Pokrzeptowicz w barze nie było. Anita zauważyła kilku znajomych – w tym Macieja Jankowskiego, który pił piwo z kolegami. Przysiadła się do nich, rozmawiali o dzieciach. Około dwudziestej drugiej Jankowski zaproponował, by poszli do innego baru, gdzie pewnie siedzi jej chłopak. Tak zrobili. Ponieważ jednak Borysa tam nie było, rozstali się, a Anita wróciła do siebie. Była godzina dwudziesta druga trzydzieści. Wychodziło na to, że Jankowski był ostatnią osobą, która widziała kobietę żywą.

Miejsce ukrycia zwłok Anity dawało wiele do myślenia – trudno w studni umieścić ciało, podobnie jak trudno policji było je znaleźć. Ujawnienie zwłok kosztowało jednostkę sporo zachodu: pompowanie wody, wyciąganie ciała. Dlatego należało uznać, że przynajmniej jeden ze sprawców musiał mieć wcześniej konflikty z prawem i wiedział, jak najlepiej pozbyć się śladów zbrodni. Przestępca przewidział, że skóra ofiary pozostawionej w takim miejscu zmarszczy się, co utrudni identyfikację i zebranie materiałów do badań. Dodatkowo woda sprawia, że wszelkie ewentualne ślady zostaną całkowicie zmyte. Należało założyć, że sprawca na to właśnie liczył.

Stworzyłem **skecz behawioralny**, *czyli ustaliłem hipotetyczne działanie sprawców, analizując ich zachowanie. Według mnie pojawili się w mieszkaniu Anity, kiedy ona poszła do baru teściów. Nie podejmowali większego ryzyka, ponieważ kobieta mieszkała sama, na pustkowiu, z dala od innych zabudowań. Wiedzieli, że jeśli wróci, będzie na tyle późno, że nikt przypadkowo nie wpadnie w odwiedziny, a potem nikt nie usłyszy jej wołania o pomoc. Prawdopodbnie wiedzieli, że Anita ma kłopoty zdrowotne, ostatnio sporo schudła. Mogli z całą pewnością założyć, że nie będzie trudnym przeciwnikiem w walce.*

Anita weszła do mieszkania około dwudziestej trzeciej i wtedy sprawcy byli już przygotowani na dokonanie zbrodni. Czekali na ofiarę na półpiętrze. Nie napadli jej od razu, z uwagą obserwowali rozwój wydarzeń. Chcieli zaatakować, kiedy kobieta będzie się tego najmniej spodziewać, będzie najbardziej bezbronna.

W domu było ciemno, więc Anita nie zauważyła otwartych drzwi balkonowych. Włączyła telewizor, przeszła do części kuchennej i zaczęła przygotowywać coś do jedzenia. Na podstawie treści żołądka oraz naczyń pozostawionych na stole wiedziałem, że jadła gotowane mięso, ziemniaki i ogórki konserwowe. Po kolacji zaczęła się rozbierać i szykować do snu. Kiedy była prawie naga, sprawcy zeszli na dół. Zaczęli z nią rozmawiać, a raczej rzucili pod jej adresem stek wyzwisk. Doszło do szarpaniny. Kobieta próbowała uciekać. By odciąć jej drogę, jeden ze sprawców zrzucił na podłogę telewizor. Nastąpiła eskalacja emocji. Kopnięcie, uderzenie w twarz, silny cios w głowę. Kiedy Anita straciła przytomność, oprawcy rozpoczęli penetrację mieszkania. Zajęci plądrowaniem lokalu nie zauważyli, że kobieta się ocknęła. Miała skrępowane ręce, ale udało jej się wyswobodzić z więzów i próbowała wydostać się z domu. Dostrzegł to jeden z przestępców, dopadł ją w korytarzu i zaczął dusić. Drugi podszedł z nożem. Próbowała się osłonić – bez skutku. Na koniec dostała dwa potężne ciosy w głowę czymś tępym i ciężkim. Sprawcy wytargali ją nieprzytomną z budynku – zamierzali podciąć jej gardło na zewnątrz, by nie zostawiać w mieszkaniu śladów krwi. Kiedy odzyskała świadomość – byli już przy studni. Jeden poderżnął jej gardło, ale rana nie okazała się śmiertelna. Zdecydowali, że wrzucą ją do studni, by tam skonała. Dokładnie zamknęli wieko i założyli kłódkę. Ponieważ jednak nie znaleźli klucza, zamek pozostawili jedynie przymknięty. Następnie wrócili do mieszkania, przeszukali je ponownie (szukali konkretnej rzeczy, jakiej?), po czym przez łąkę dotarli do samochodu, którym przyjechali, i nie niepokojeni przez nikogo oddalili się z miejsca zbrodni.

Oprawcy, choć wszystko dokładnie zaplanowali, nie spodziewali się, że Anita będzie tak zaciekle walczyć o życie. Zaskoczyło ich to, że to zabójstwo zajęło im aż tyle czasu i tak bardzo musieli się namęczyć. Od początku w tej interakcji występowało **nadzabijanie**, *czyli zadawanie ofierze więcej ran, niż to konieczne do spowodowania śmierci. To mogło wynikać z faktu, że oprawców było kilku i wzajemnie się nakręcali.*

W profilu zaznaczyłem, że sprawców było dwóch. Pierwszy ma około trzydziestu pięciu lat, drugi jest młodszy i pełni rolę podrzędną. Wiodący zabójca jest bezrobotny lub pracuje dorywczo. Ma wykształcenie podstawowe lub zawodowe. Obaj sprawcy funkcjonują w stałych związkach. Znali dobrze ofiarę, a ona ich. Prawdopodobnie pozostawali z nią w bliskich relacjach. Musieli mieć do niej negatywny stosunek – na przykład za sprawą plotek rozpowszechnianych przez jej teściów. Sposób poruszania się sprawców po terenie świadczył o ich doskonałej znajomości tego miejsca oraz trybu życia ofiary. Bywali w nim często. Być może mieli klucze do tego mieszkania, a jeśli nie – wiedzieli, że z łatwością będą mogli dostać się do środka, wybijając szybę w drzwiach balkonowych.

Ponieważ w studni znaleziono nasadkę mikrofonu – część aparatu telefonicznego zainstalowanego w barze „Pod lasem", powstała hipoteza, że sprawcy skradli ją po to, by upozorować mord na tle ekonomicznym i skierować podejrzenia na jakichś młodych ludzi. Ta mistyfikacja nie spełniła swojego zadania. Liczne obrażenia usytuowane na całym ciele świadczyły o tym, że zabójcy działali pod wpływem silnych emocji. Ich agresja wynikała z ogromnego napięcia, które dodatkowo spotęgowała niespodziewana i długo skuteczna obrona ofiary.

W czasie aktu zabójstwa sprawcy byli pod wpływem alkoholu lub środków psychoaktywnych. Jednak pozostawienie miejsca zbrodni po przestępstwie świadczy o ich kontroli i panowaniu nad sytuacją. W mieszkaniu nie było śladów krwi. O tym, że coś tu się działo, świadczyła jedynie rozbita szyba w drzwiach balkonowych oraz przewrócony telewizor.

Policjanci mieli duży problem z odnalezieniem zwłok, bo zostały skutecznie ukryte. Powiadomiłem śledczych, że poszukiwani zabójcy z pewnością interesują się sprawą i śledzą ją w mediach, słuchają plotek. Czytają gazety, oglądają telewizję, ponieważ liczą na poznanie postępów śledztwa. Bardzo możliwe, że będą kontaktować się z policją, próbując mylić tropy.

Kilka miesięcy później zatrzymano Piotra Kolanko, który znał Anitę, ale przede wszystkim był kolegą jej męża. Chodził z Konradem do tej samej szkoły, bywali na tych samych imprezach, mieli wspólnych znajomych. Mężczyzna utrzymywał bardzo dobre kontakty z rodzicami Konrada. Często słuchał, jak teściowie oskarżają Anitę o to, że się prostytuuje, chce im odebrać dom, nie interesuje się dziećmi i nie daje ani grosza na ich wychowanie. Policjanci ustalili, że nic z tego nie było prawdą. Niemniej teściowie rozpowszechniali takie plotki i wiele osób w nie uwierzyło.

Kolanko dobrał sobie kompana, który był już karany za rozboje, pobicia i kilkakrotnie siedział w więzieniu. Obaj twierdzili, że chcieli tylko dziewczynę nastraszyć i odebrać od niej dokumenty, które ukradła teściom. Na miejscu jednak okazało się, że Anita nic nie wie o żadnych dokumentach. Sprawcy wpadli w szał. Uznali, że kłamie, dlatego stawali się coraz agresywniejsi. Początkowo bili ją, by „dać jej nauczkę". Gdyby nie zostali wprowadzeni w błąd, mogło nie dojść do eskalacji agresji.

Prawdopodobnie nie było żadnych dokumentów zrabowanych przez Pokrzeptowicz. Był to jedynie „chwyt manipulacyjny" zleceniodawców. Teściowie, którzy już wcześniej próbowali zrobić fizyczną krzywdę Anicie (teść gonił ją z nożem, bił po twarzy lub z „główki"), chcieli, by zniknęła z ich życia. Z całą pewnością do ich nienawiści przyczyniały się opowieści Konrada, jak Anita utrudnia mu życie – zakłada sprawy sądowe, przyjeżdża do Niemiec, nachodzi go i grozi, co rzecz jasna także nie było prawdą.

Zamordowana kobieta była wyjątkowo uczciwą osobą. Nie potrafiła się kamuflować, udawać kogoś innego, spełniać oczekiwań teściów i grać zadaną jej rolę. Na dodatek uważała, że wszyscy są dobrzy i nawet, gdy pojawiały się jakieś fakty źle o kimś świadczące, zawsze potrafiła to jakoś wytłumaczyć, nierzadko nieracjonalnie.

Jednocześnie była wyjątkowo nieszczęśliwą kobietą. Taki typ ofiary wiktymolodzy określają jako cierpiącą na splin[1]*. Jej życie było pasmem udręk. Najtragiczniejsze jest to, że dzieci, które były największą wartością w jej życiu, tak naprawdę jej nie kochały i nie szanowały. Wychowane przez dziadków w nienawiści do niej, traktowały ją jak portfel, z którego łatwo wydobyć pieniądze. Gdyby*

[1] Mechanizm funkcjonowania osoby o bardzo dużej podatności wiktymologicznej o naturalnym przebiegu, wszystko interpretuje w pozytywny sposób, nie charakteryzuje negatywnych zachowań ujemnie, lecz usprawiedliwia sytuację, nawet jeśli ktoś działa przeciwko niej; dominujący nastrój przygnębienia i depresji.

jednak nie dzieci, kobieta prawdopodobnie wyjechałaby z Polski i zaczęła wszystko od nowa, co być może pozwoliłoby uratować jej życie.

Jak wpadli sprawcy? Zgubił ich pozornie nieistotny drobiazg. Śledczy sądzili, że mordercy wrzucili do studni zatyczkę od telefonu, by upozorować inny motyw działania, ale okazało się, że było odwrotnie. Ta zatyczka po prostu im wypadła. Nie byli w stanie wszystkiego kontrolować, ponieważ, by się znieczulić i zlikwidować blokady emocjonalne, zażyli amfetaminę. Policjanci długo szukali aparatu, z którego mogła być skradziona. Zbadano wszystkie okoliczne budki telefoniczne, w końcu natrafiono na wybrakowaną słuchawkę w barze „Pod lasem". Przeanalizowano bywalców tego baru i na podstawie profilu wyłoniono Wojciecha Rzeźnickiego.

Nadkomisarz Lach postanowił między innymi przeanalizować wszystkie rozmowy telefoniczne podejrzanego. Okazało się, że Rzeźnicki był posiadaczem telefonu na kartę – pozbył się go krótko po odnalezieniu zwłok Anity. Z bilingów analityk kryminalny wyłuskał kilka powtarzających się numerów. Jeden z nich należał do Piotra Kolanki. To był niepodważalny dowód, że ci dwaj mężczyźni mieli ze sobą kontakt. Od pierwszego przesłuchania wszystkiemu zaprzeczali i to właśnie ich zgubiło. Policjanci bardzo szybko ustalili, że Kolanko i Rzeźnicki znali Konrada jeszcze z czasów, kiedy ten mieszkał w Polsce. Ta znajomość nie urwała się wraz z wyjazdem męża zamordowanej do Niemiec. Nie dalej jak pół roku temu mąż Anity załatwił Kolance pracę sezonową w Kolonii. Z bilingów wynikało też, że ci dwaj kontaktowali się z Konradem telefonicznie. Niestety, ta poszlaka nie wystarczyła, by postawić przed sądem męża Anity. On sam nie przyznał się do zlecenia zabójstwa i nie znaleziono przeciwko niemu żadnych innnych dowodów. Przed sądem stanęli jedynie wykonawcy mordu. Policjanci mieli wiele poszlak świadczących o tym, że teściowie i mąż zlecili zbrodnię, ale nie wystarczyły do postawienia ich w stan oskarżenia. Okazało się na przykład, że wybicie szyby było upozorowane. Jak zatem sprawcy dostali się do mieszkania Anity? Musieli mieć komplet kluczy. A kto miał taki komplet? Poza tym szli do jej mieszkania w przekonaniu, że uwolnią swojego kolegę od problemów, jakich przysparza mu wredna, zła, puszczalska żona. Zostali zmanipulowani. Kto miał w tym największy interes? Komu najbardziej zależało, by kobieta zniknęła? Kto na jej śmierci najbardziej skorzystał?

Te pytania zgodnie z wyrokiem sądu wciąż pozostają bez odpowiedzi.

Mąż Anity przebywa w Niemczech. Jest z kobietą, z którą związał się jeszcze za życia Anity. Nie zajmuje się dziećmi – wychowują je dziadkowie.

Komentarz

Lęk i niepokój to trzeci po poczuciu krzywdy i urazy oraz zemście motyw z grupy emocjonalnych.

* * *

Ten typ zabójstwa jest klasyfikowany jako popełniony pod wpływem nieokreślonej jednoznacznie emocji. Jednak lęk i niepokój tylko dominują w głowie zabójcy, natomiast czynników emocjonalnych, prowadzących do zbrodni, jest znacznie więcej.

* * *

Zbrodnie popełnione z tego motywu mają bardzo chaotyczny charakter i dlatego są bardzo trudne do profilowania. Miejsce zbrodni jest zdezorganizowane, panuje tam nieopisany bałagan. Odzwierciedla ono stan emocjonalny sprawcy w momencie zabijania.

* * *

Obrażenia ofiar są niezwykle rozległe, ślady ciosów znajdują się praktycznie na wszystkich częściach ciała. Charakterystyczny dla tej grupy zbrodni jest jednak fakt, że najmniej obrażeń sprawca zadaje w okolicach głowy. Nie do końca bowiem godzi się on z odebraniem życia zaatakowanej osobie. Wkalkulowuje zbrodnię w swój plan, ale w momencie interakcji pojawia się u niego strach. Ten motyw charakteryzuje zwłaszcza sprawców zbrodni na zlecenie. Wiele ciosów jest zadawanych w szyję. Ponieważ niedoświadczeni zabójcy czerpią wiedzę z filmów, wykorzystują na przykład poderżnięcie gardła, myśląc, że jest ono bardzo skuteczne. Tego typu zabójca nie patrzy ofierze w twarz. Często atakuje od tyłu.

* * *

Ofiarą jest osoba o bardzo niskiej sprawności psychofizycznej. Zdarzają się również przypadki opóźnienia intelektualnego. Ofiara ma słabe umiejętności obrony, wynikające z wieku, trybu życia, wielu doznanych porażek lub trudnej sytuacji życiowej. Źle reaguje na stres, nie potrafi uciec, obronić się ani zaatakować. Reaguje stuporem, czyli znieruchomieniem, biernie przyjmuje ciosy. Angażuje się w interakcję werbalnie, co jeszcze bardziej rozdrażnia sprawcę i powiększa jego i tak już silny stan niepokoju i lęku. Zanim zabójca zaatakuje ofiarę, zwykle rozmawiają ze sobą. Nagle jednak sprawa wymyka się spod kontroli. Ofiara to najczęściej osoba samotna, mająca niewielu przyjaciół, nieutrzymująca bliskich więzi z rodziną. Brak kontaktów z innymi ludźmi sprawia, że nie umie poradzić sobie z negatywnie rozwijającą się dla niej sytuacją. Człowiek obracający się wśród ludzi ma wyćwiczoną strategię unikania konfliktów i umiejętnie radzi sobie w trudnych momentach. I ostatnia kwestia: gdy ktoś żyje samotnie, fakt, że nie ma z nim kontaktu nawet przez kilka dni, nie wzbudza większych podejrzeń. Często więc zbrodnie popełnione z tego motywu są odkrywane dopiero po dłuższym czasie.

* * *

W tego typu zbrodniach pomiędzy ofiarą a sprawcą istnieje bliska zależność. Są to na przykład ludzie związani ze sobą emocjonalnie lub znajomi.

5

MOTYW UROJENIOWY

CZASAMI SIĘ WYDAJE, ŻE TO, CO SIĘ WYDAJE, NAPRAWDĘ JEST

Lubiany pijak i gbur – Żona, sąsiad, koledzy od kieliszka – Rzeźnicki nóż pół metra od ciała – Otello z białostockiej wsi – Zwidy myszki polnej – Kill Devil – Diagnoza profilera

Maczeta Bożka

Wiesław Gryczka mieszka w Dojlidach (okolice Białegostoku). Ósmego kwietnia 2006 roku około dziesiątej rano wybrał się na codzienny spacer. Kiedy tylko wyszedł ze swojej posesji, zauważył leżącego wzdłuż siatki mężczyznę. Pomyślał, że to pewnie Paweł Bożek znów się upił i śpi. Kiedy podszedł bliżej, zauważył, że ubranie mężczyzny pokryte jest brunatnymi plamami, ale to także go nie zaniepokoiło. Bożek często chodził brudny, ponieważ wynajmowano go do uboju bydła i świń. Potem zamiast się przebrać, paradował z plamami zaschniętej krwi, do tego często pijany jak bela. Gryczka zdecydował się jednak tym razem zająć sąsiadem, zanim dzieciaki znów go obsikają i wysmarują krowim łajnem. Wrócił do siebie i poprosił żonę, by zadzwoniła do sąsiadki. Gryczka nigdy nie wchodził sam na posesję Bożków, bo mieli agresywnego psa, którego wszyscy się bali. Podobno kiedyś już zagryzł człowieka.

Kobiety ustaliły, że trzeba przenieść Bożka do drewutni. Miał tam łóżko, w którym sypiał, kiedy wracał do domu w stanie kompletnego upojenia. Żona Ewa nie wpuszczała go wtedy do domu, ponieważ bała się, że może zniszczyć sprzęty lub pobrudzić mieszkanie. Gryczka pamięta, że gdy przenosili Bożka, zastanawiał się głośno, jak można być tak brudnym i zaniedbanym, w dodatku doprowadzić się do takiego stanu. Jednak żona Bożka ucięła jego wątpliwości: „On tak wygląda po wczorajszym świniobiciu".

Po okolicy szybko się rozniosło, że Bożek znowu upił się do nieprzytomności. Wieści te dotarły też do jego stryjecznego brata, który niedługo potem przyszedł w odwiedziny. Żona Bożka opowiedziała mu poranną historię ze szczegółami, a brat postanowił wejść do drewutni i sprawdzić, jak czuje się Bożek. Kiedy go odwrócił na plecy, okazało się, że w klatce piersiowej Pawła zieje wielka rana, a brunatne plamy na ubraniu to jego własna zakrzepła krew. Mężczyzna nie żył.

Medyk sądowy stwierdził, że przyczyną śmierci pięćdziesięcioczteroletniego Bożka była głęboka rana kłuto-cięta klatki piersiowej. Uszkodzone zostało lewe płuco, doszło do krwawienia do jamy opłucnej lewej. Mężczyzna prawdopodobnie został zaskoczony przez sprawcę. W chwili śmierci był pod znacznym wpływem alkoholu – we krwi miał dwa i pół promila. Na kurtce zamordowanego zabezpieczono odciski palców zabójcy. Nie można było jednak pod tym kątem zbadać całej wsi. Śledztwo byłoby zbyt kosztowne, a poza tym trzeba mieć podstawy prawne, by od kogoś pobrać odcisk linii papilarnych.

Początkowo podejrzewano, że opis poranka to jedynie bajeczka. Razem z sąsiadami mogła ją na przykład wymyślić Ewa Bożek, która nie chcąc dłużej znosić tyranii męża, w furii zadźgała go nożem. Mógł to także zrobić Gryczka, którego Bożek nie znosił, albo stryjeczny brat, który miał u Pawła spory dług.

W trakcie oględzin miejsca, gdzie znaleziono ciało, policjanci nie natrafili na żadne narzędzie, którym mogły być zadane śmiertelne ciosy. Zatem z mieszkań wymienionych osób (włącznie z żoną Bożka) zarekwirowano do badań wszystkie możliwe noże. Przy okazji wyszło na jaw, że Bożek miał „maczetę", której używał do pracy masarskiej, a którą tragicznego dnia wziął ze sobą. Pytani o ten fakt żona, sąsiad i brat nie potrafili niczego sensownego powiedzieć, więc zostali zatrzymani pod zarzutem zabójstwa. Rozpoczęły się wnikliwe przesłuchania. Żona mówiła, że mąż nosił ten nóż zawsze przy sobie – jak twierdził „dla bezpieczeństwa". W momencie odnalezienia zwłok miał leżeć około pół metra dalej, pod siatką. Z kolei Gryczka twierdził, że widział nóż pod jego ciałem. Brat nie pamiętał żadnego noża. Mimo ewidentnych krętactw wszyscy opuścili areszt po czterdziestu ośmiu godzinach i nie było podstaw, by zwrócić się do sądu o przedłużenie zatrzymania.

Uznałem, że kluczem do tej sprawy będzie zbadanie życiorysu zamordowanego. Wysoki, dobrze zbudowany Bożek jawił się jako osoba kontrowersyjna. Miał bardzo złą opinię w domu rodzinnym, choć wielu go bardzo lubiło.

Urodził się i wychował w Białymstoku, tam spędził lata szkolne. Ojciec był kolejarzem, matka zajmowała się domem. Miał dwójkę starszego rodzeństwa. Nikt z jego rodziny nie był karany sądownie, nie miał nawet drobnych konfliktów z prawem. W jego rodzinie nie stwierdzono patologii. On był pierwszym, który miał problem z alkoholem. Zaczął go nadużywać już w czasach narzeczeństwa z Ewą. Bywało, że z tego powodu jego dziewczyna przez długi czas się z nim nie kontaktowała, a raz nawet zerwała zaręczyny. Ich związek przypominał huśtawkę – ciągłe powroty i rozstania. Często się kłócili. Mimo to pobrali się w 1975 roku. Ewa wierzyła, że małżeństwo zmieni Pawła. Ale potem było tylko gorzej.

Zamieszkali w okolicach, z których pochodziła Ewa, więc Bożek przestał odwiedzać swoją rodzinę. Nie pojechał nawet na pogrzeb matki, tłumacząc, że nie ma na to pieniędzy. Jego rodzeństwo próbowało podtrzymywać więź z bratem, przyjeżdżało do Bożków w odwiedziny, ale Paweł specjalnie nie wracał wtedy do domu na noc, unikał kontaktu, wymigując się pracą, której tak naprawdę nie miał zbyt wiele.

W swoim życiu pracował w kilku instytucjach – zawsze jednak wylatywał z hukiem za nadużycia lub alkoholizm. W latach osiemdziesiątych był kierownikiem sklepu meblowego. Wtedy to była świetna posada – ludzie nocami stali w kolejkach, żeby cokolwiek „zdobyć" do urządzenia mieszkania... Bożek wykorzystywał swoją pozycję, by „załatwić" towar znajomym i bez oporów czerpał z tego korzyści. Ale zajęcie to sprzyjało również upijaniu się. Bywało, że był tak napruty, że zapominał o wywiązywaniu się z zobowiązań. Z czasem ludzie zaczęli przychodzić z pretensjami do jego domu, ale zastawali tylko żonę, bo Bożka coraz częściej w nim nie było. W końcu wyrzucono go z zakładu za pijaństwo. Ktoś doradzał mu udział w terapii alkoholowej, ale to tylko rozśmieszyło Bożka.

Zaczął pracę w swoim zawodzie. Zatrudnił się jako kucharz w restauracji GS w Dojlidach, ale nie zagrzał tam długo miejsca. Z powodu pijaństwa coraz rzadziej przychodził do pracy, a jeśli w ogóle udało mu się dotrzeć, to na kacu lub świeżo po spożyciu alkoholu. Poza tym wynosił z miejsca pracy mięso, które sprzedawał innej restauracji. Wyleciał z GS-u z hukiem.

Kiedy był sprzedawcą w sklepie z artykułami rolniczymi, spowodował gigantyczne manko. Nie miał z czego oddać, więc uciekł do rodziny w Białymstoku. Tam zatrudnił się jako pracownik fizyczny w elektrociepłowni, obiecując, że będzie zarabiał na spłatę długu. O zwrot pieniędzy zwrócono się jednocześnie do żony Bożka. Kobieta była oczywiście bez grosza, więc sprawa trafiła do komornika. Ewa poprosiła o rozłożenie wierzytelności na raty, podjęła dodatkową pracę opiekunki PCK i z czasem spłaciła dług.

Po pół roku nieobecności Paweł zaczął pisać do żony listy, w których przepraszał i obiecywał poprawę. Wyznawał jej także miłość i deklarował chęć zajęcia się domem oraz dziećmi. Prosił, by pozwoliła mu wrócić i dała kolejną szansę. Kilka tygodni później Bożek był z powrotem w domu. Jak się później okazało, pomiędzy nim a jego rodziną doszło do tylu kłótni, że musiał się stamtąd wyprowadzić. Nie miałby gdzie mieszkać, gdyby Ewa nie pozwoliła mu wrócić.

Dalej pracował jako pilarz, masarz, malarz pokojowy, tynkarz i murarz. W żadnym miejscu nie utrzymał się długo i zwykle był zwalniany dyscyplinarnie. Poza tym wchodził w konflikty z szefostwem i personelem niższego szczebla, miał trudności z wykonywaniem poleceń, gdyż uważał, że zawsze ma rację.

Utrata pracy nie miała dla niego żadnego znaczenia. Stwierdzał: „Łatwo przyszło, łatwo poszło". Kiedy Ewa pytała go, co teraz będą jedli, z czego zapłacą rachunki, odpowiadał: „Jakoś to będzie". I było. On pił, a Ewa pracowała, by utrzymać dzieci.

Przed śmiercią był bezrobotny, czasem tylko okoliczni mieszkańcy zlecali mu ubój zwierząt oraz drobne prace malarskie czy porządkowe. Jego dochody nie przekraczały czterystu pięćdziesięciu złotych miesięcznie. Żona pracowała dorywczo jako pomoc dentystyczna i także nie miała stałych dochodów. Każde z nich funkcjonowało i utrzymywało się oddzielnie. Nie jedli wspólnych posiłków, nie rozmawiali ze sobą. Jakby byli w nieformalnej separacji.

Ewa starannie unikała kontaktu z mężem, by nie dawać mu powodu do kłótni i zaczepek. Myśl o rozwodzie powracała wielokrotnie. Nie podjęła takiej decyzji, bo bała się opinii ludzi.

Przez całe lata tłumiła w sobie negatywne emocje, skarżyła się jedynie sąsiadkom. Opowiadała, że Bożek po pijanemu ją gwałcił, sprzedawał ich wspólny majątek, choćby drewno na opał, które kupiła za ostatnie pieniądze.

Musiałem zbadać ten wątek, ponieważ istniała hipoteza, że mogła to być zbrodnia rodzinna. Jedna z tych, kiedy żona z ofiary przemienia się w kata. Bożek został zaatakowany nożem, a więc najczęstszym narzędziem zbrodni popełnionych przez maltretowane kobiety. Na podstawie zgromadzonych dowodów, a później także ekspertyzy śladów biologicznych, wykluczyliśmy tę ewentualność. Żona była niewinna.

Bożkowie mieli dwójkę dorosłych dzieci – dwudziestodziewięcioletniego syna, który wyjechał do Belgii, i dwudziestotrzyletnią córkę, która rozpoczęła studia i zamieszkała w Warszawie. Bożek nigdy nie interesował się dziećmi, praktycznie nie łączyła go z nimi żadna więź. Tylko pod wpływem alkoholu przypominał sobie o obowiązkach ojca. Odnosił się do nich wtedy wulgarnie, wymagał, by pokazywały mu zeszyty z odrobionymi lekcjami. To postępowanie sprawiło, że dzieci izolowały się od ojca, a z czasem nie chciały mieć z nim żadnego kontaktu. Syn na tyle wstydził się ojca-pijaka, że nie zaprosił go na swoją przysięgę wojskową, a potem ślub.

Choć rodzinę lekceważył, Bożek chętnie pomagał sąsiadom i znajomym. Dla obcych był miły, uchodził za obdarzonego wyjątkowym poczuciem humoru. Ludzie go lubili. Najmowali go do prostych robót za niewygórowane pieniądze, flaszkę wódki lub za darmo, bo bywało, że Bożek sam uznawał, że nowa znajomość przyda mu się do czegoś w przyszłości. Należał do osób na swój sposób „honorowych" – nie jadał posiłków u ludzi, u których pracował, a jeśli ktoś go do siebie nie zaprosił, to się nie wpraszał.

Był człowiekiem o dużych zdolnościach manualnych i sporej sile fizycznej. Słynął z umiejętności rzeźniczych. Kiedy jednak po udanym uboju otrzymywał w formie zapłaty wędliny czy mięso – żona i dzieci nie miały szansy tego spróbować. Rozdawał zdobycz kolegom lub organizował popijawę u któregoś z nich. Rodzinę, a w szczególności żonę, kompletnie ignorował.

Do 1982 roku należał do ORMO, gdzie aktywnie się udzielał. Organizował zabawy taneczne w remizie strażackiej i był bardzo towarzyski. Pokazywanie się i zabawa były dla niego ważniejsze niż budowanie dobrych relacji w domu. Po narodzinach pierwszego dziecka przywiózł żonę do domu, po czym zostawił ją samą i poszedł na zabawę. Pił przez cztery dni. Alkohol był najważniejszą wartością w życiu Bożka. Pił często, dużo, za wszystkie posiadane pieniądze, a nawet na kredyt. Wynosił z domu przedmioty, które wymieniał na wódkę. Znikał na całe noce, by hulać z kolegami. Bywało, że pił z ludźmi z tak zwanego marginesu społecznego. Nie należał do osób ostrożnych. Wałęsał się wieczorami po wsi. Prowadził bardzo niezdrowy tryb życia – nie jadał gorących posiłków, czasami całymi miesiącami jego dieta składała się z konserwy turystycznej, najtańszego chleba oraz taniego wina marki „Beczka wiśniowa" o dwunastoprocentowej zawartości alkoholu. Pił dużo kawy, palił papierosy. Mimo to poza problemami wynikającymi z nadużywania alkoholu nie cierpiał na poważniejsze dolegliwości. Jedyne, na co się skarżył, to bóle w kręgosłupie. Nie chodził jednak do lekarzy. Kiedy coś mu dolegało, kupował leki bez recepty i leczył się sam. Kilka razy próbował radzić sobie z chorobą alkoholową, raz nawet poddał się wszyciu Esperalu, jednak bez wysokoprocentowego trunku wytrzymał tylko trzy miesiące.

Wyglądał na zaniedbanego, brudnego. Odzież zmieniał raz na tydzień lub dwa, zwykle w niedzielę. Całymi tygodniami nosił rzeczy ubrudzone krwią zabijanych przez niego zwierząt.

Butny, nieodpowiedzialny, nie umiał stawiać czoła przeciwnościom losu. Jeśli czymś zawinił, nie potrafił się do tego przyznać, a odpowiedzialność przerzucał na inne osoby. Nie miał poczucia winy, nie okazywał skruchy, nie wiedział, co to wyrzuty sumienia.

Kiedy coś pożyczył, a nie był w stanie oddać, nie próbował wyjaśnić sytuacji, tylko unikał kontaktu z wierzycielem. Kiedyś podjął się wyczyszczenia pralki, ale po rozkręceniu nie potrafił jej złożyć. Nie przyznał się do porażki, tylko przez długi czas udawał, że nie ma go w domu, gdy właściciel próbował ją odzyskać. W końcu żona Bożka oddała ją w stanie rozsypki.

Z punktu widzenia psychologicznego ciekawy był fakt, że wśród osób z dalszego otoczenia Bożek praktycznie nie miał wrogów. Był lubiany, uważany za człowieka bezkonfliktowego. Wszyscy podkreślali, że prowadził „taki spokojny, ustabilizowany, oszczędny tryb życia". Po rozmowie z kilkudziesięcioma osobami z grona jego najbliższych znajomych ustaliłem, że to „dobre" wrażenie robił, dopóki ktoś go bliżej nie poznał. Zresztą był osobą dominującą, tolerował tylko ludzi, którzy mu przytakiwali i zgadzali się z jego spostrzeżeniami.

Miał bardzo wysokie mniemanie o sobie. Czuł się kimś lepszym ze względu na swoje pochodzenie. Na każdym kroku podkreślał, że przyjechał z miasta. Uważał, że środowisko, w którym przebywa, jest mniej inteligentne niż on i na tle ludzi ze wsi to plasuje go na szczycie drabiny społecznej. Bawiło go rozwiązywanie krzyżówek z kolegami od kieliszka, bo praktycznie sam odgadywał wszystkie hasła.

Nie był tolerancyjny, miał skłonność do poniżania najbliższych. Był gburowaty, nieuprzejmy, przeklinał i zbyt łatwo wpadał we wściekłość. Nie umiał kryć się z irytacją czy złością. Szybko przechodził do ataku. Nawet jego dzieci wzywały policję, ponieważ po alkoholu ojciec stawał się agresywny, zwłaszcza wobec żony. Trudno było przewidzieć, jak się w określonej sytuacji zachowa. Kiedy jednak uważał, że jest słabszy niż przeciwnik, nie zachowywał się hardo i kładł uszy po sobie.

Bożek był osobą skrytą i nieobliczalną, dlatego miałem trudności z ustaleniem ze stuprocentową pewnością, co działo się w ostatnich dniach jego życia. Rekonstrukcja tych wydarzeń była jednak bardzo istotna. Musiałem spróbować.

Pierwszego kwietnia 2006 roku (sobota) wpadł z wizytą do Józefa Błasikiewicza. Przyniósł kiełbasę i wino. Nie był umówiony. Kiedy nie chciał wracać do domu, często tu nocował. Tego dnia wyszedł prawdopodobnie około północy – Błasikiewicz dokładnie tego nie pamięta, ponieważ był pijany.

Czwartego kwietnia (wtorek) przed południem Paweł Bożek wpadł bez zapowiedzi do Mariana Waszko, innego znajomego, który mieszka z bratem. Bożek przyniósł wino, które zaraz we trójkę wypili. Bracia Waszko poczęstowali go obiadem, wspólnie zjedli ziemniaki z jajkiem sadzonym. W trakcie posiedzenia odwiedził ich Krzysztof, trzeci brat Waszków... Podczas wspólnego picia doszło do kłótni. Bożek przypomniał Krzysztofowi, jak ten kilka lat temu posądził go bezpodstawnie o kradzież wódki, a potem pobił z pięści, „aż się wyłożył".

Siódmego kwietnia (piątek) przed południem dostał zlecenie zabicia dwóch wieprzy u Gabriela i Jadwigi Purzyckich. Pracował do jedenastej. Po jego wyjściu Purzyccy zauważyli, że Bożek zapomniał zabrać ze sobą swój rzeźnicki nóż, zwany przez miejscowych „maczetą Bożka". Po dwunastej był widziany w okolicach przystanku autobusowego, a potem jak szedł w kierunku drogi z Zabrowa do Tykocina.

Ósmego kwietnia (sobota) o dziewiątej rano żona Bożka przyszła do sklepu zrobić podstawowe zakupy spożywcze. Mąż pił z kolegami przed sklepem. Nie pozdrowił jej, nie zamienili ani słowa. Pół godziny później pod sklep podjechał samochód dostawczy z firmy Markiz. Jej właściciel, Gustaw Boracz, wynajął wtedy Bożka do świniobicia. Jako wynagrodzenie Bożek miał otrzymać podstawowe zakupy spożywcze, flaszkę wina i kilka paczek papierosów. Po drodze do gospodarstwa odebrali pozostawiony u Purzyckich nóż masarski. W trakcie pracy rzeźnik wypił piwo, a potem kilka szklanek wina. Po wszystkim, około szesnastej postanowił naostrzyć swój nóż. Wysiadł w okolicach dawnej zlewni mleka i skierował się do domu innego znajomego, Wacława Krzeptowskiego. Naostrzył u niego nóż, który zawinął w papier i włożył do wewnętrznej kieszeni w kurtce. W tym czasie wypił półtora litra nalewki wiśniowej. Krzeptowski zeznał, że o dwudziestej drugiej wyszedł z jego mieszkania. Jednocześnie był ostatnią osobą, która widziała Bożka żywego.

Dziewiątego kwietnia (niedziela) odnaleziono zwłoki Bożka. Powiadomiono policję i prokuraturę.

Byłem pewien, że mamy do czynienia z jednym sprawcą – mężczyzną w wieku między czterdzieści pięć a pięćdziesiąt pięć lat, prawdopodobnie jednym z kompanów od kieliszka. Powodem zbrodni był motyw urojeniowy.

Sprawca mógł być przekonany, że Bożek nie zwrócił mu jakichś przedmiotów, pieniędzy czy choćby butelki alkoholu. Wskazywało na to środowisko, w którym ofiara funkcjonowała. Bożek był osobą wywołującą konflikty, zwłaszcza kiedy był pijany. A to zdarzało się bardzo często – jego ryzyko zostania ofiarą było bardzo wysokie.

Można domniemywać, że skoro zarówno sprawca, jak i ofiara byli pod wpływem alkoholu, żywili wobec siebie negatywne emocje.

Przed zbrodnią doszło prawdopodobnie do krótkiej wymiany zdań pomiędzy sprawcą a ofiarą. Wyzwalaczem agresji są zadawnione i wyolbrzymione konflikty z ofiarą. Kiedy już wiedziałem, na jakim tle doszło do zabójstwa, najistotniejsze było wejść w system urojeń zabójcy. Stwierdziłem, że w trakcie rozwoju interakcji sprawca wkalkulował możliwość zadania śmierci ofierze. Podpowiedziałem śledczym, aby próbowali to wykorzystać w przygotowywanej taktyce przesłuchania. Sprawca ma problemy alkoholowe, jest uzależniony od alkoholu i może mieć luki w pamięci. Będzie zaprzeczać popełnionej zbrodni w wyniku uszkodzeń w mózgu struktur CUN[1] *(spowodowane nadużywaniem alkoholu).*

Na podstawie obrażeń uznałem, że jest to człowiek bliski lub znany ofierze. Mieszka nieopodal i zna teren, w którym dokonał zabójstwa. Znał zwyczaje i skłonności ofiary. Wiedział, że Bożek zawsze nosi ze sobą swoją „maczetę" i wykorzystał ją do zadania śmierci. Był karany za

[1] CUN – centralny układ nerwowy – uszkodzenia w nim powstają między innymi w wyniku długotrwałej intoksykacji alkoholowej.

podobne czyny – przemoc w rodzinie, pobicia. Wskazywały na to powstałe obrażenia i potraktowanie zwłok po śmierci.

Jeśli posiada rodzinę, jest to związek zaburzony, obfitujący w konflikty, patologiczny. Nie cieszy się autorytetem społecznym – jest uważany za samotnika lub dziwaka. Raczej nie pracuje, często zwalniano go z pracy.

W momencie popełniania czynu był pod znacznym wpływem alkoholu, podobnie jak ofiara, która nie była w stanie podjąć skutecznej obrony. I choć w przypadku omawianego motywu ofiara raczej nie ma wpływu na dokonanie się zbrodni, to tym razem swoim zachowaniem Bożek przyczynił się do wywołania agresji u sprawcy. Mógł powiedzieć coś wulgarnego czy obraźliwego, a także sam zaatakować, choć niekoniecznie.

Sprawca prawdopodobnie nie interesuje się postępami śledztwa, nie przegląda w tym celu prasy, nie ogląda telewizji.

Po przekazaniu śledczym profilu rozpoczęły się działania operacyjne. Spośród kilkunastu osób, z którymi Bożek mógł mieć konflikty, wyłoniono kilku kandydatów. Niektórzy już wcześniej byli sprawdzani, lecz badano ich jedynie pod kątem dawnych konfliktów.

Profil rzucił nowe światło na prowadzone dochodzenie. Psycholog zasugerował, że konflikt mógł powstać nagle i w wyniku nie rzeczywistej, lecz urojonej z powodu wyimaginowanej krzywdy urazy sprawcy do ofiary.

W końcu wskutek eliminacji trafiono na ślad człowieka, który mieszkał zaledwie dwa kilometry od Bożków. Antoni Pawlik słynął ze swojej chorobliwej zazdrości o żonę (zespół Otella). Wciąż mu się wydawało, że kobieta go zdradza. Sprawdzał ją na każdym kroku, śledził, wszczynał awantury, kiedy – jego zdaniem – zbyt długo zabawiła w sklepie. Kobieta często chodziła posiniaczona. Miejscowi byli przyzwyczajeni, że mąż wciąż oskarżał ją o zdrady. Czasami groził, że „znajdzie ją i jej kochanka", choć powszechnie wiadomo było, że kobieta prowadziła się niczym święta. Praktycznie nigdzie nie wychodziła, nie spotykała się z mężczyznami. Starała się nie rozmawiać z nimi, ani nawet na nich nie patrzeć w obecności męża, wiedząc, że to go zdenerwuje. Była osobą całkowicie zniewoloną, zależną od jego woli. Ludzie we wsi traktowali te zachowania z przymrużeniem oka. Czasami, kiedy pokazywał bieliznę żony, jako dowód, że „się puszcza", kiwali głowami. Wiadomo było, że nie ma szans wytłumaczyć mu, że jest inaczej, z zwłaszcza kiedy mężczyzna znajdował się pod wpływem alkoholu.

Feralnego dnia Bożek zaproponował Pawlikowi, by pomógł mu w świniobiciu. Już wcześniej razem pracowali. Nigdy nie mieli konfliktów, często wspólnie pili, kiedy Bożek nie chciał wracać do domu. Po pracy mieli się rozliczyć. Na tę okoliczność oczywiście zakupili trunek. W trakcie jego spożywania Pawlik zarzucił Bożkowi, że umawiali się na kilkakrotnie wyższą kwotę. Wywiązała się kłótnia. Na to Bożek wyraził się wulgarnie na temat żony Pawlika. Mężczyzna wpadł w szał. Zaczął mu zarzucać, że „spał ze Sławką". Twierdził, że go widział, że zauważył, jak na siebie patrzą, że doskonale wie, co ich łączy. Im dłużej trwała kłótnia, tym bardziej Pawlik utwierdzał się w swoim urojonym przekonaniu. Wywiązała się walka, która ostatecznie skończyła się tragicznie.

Po zabójstwie Pawlik przeniósł kompana, który jeszcze żył, pod jego dom i tam go pozostawił. Sądził, że w ten sposób zagwarantuje mu jakąś pomoc. W momencie popełniania zbrodni miał czterdzieści dziewięć lat. Na początku dochodzenia nie brano go nawet pod uwagę. Gdyby nie profil, który zawęził grono podejrzanych, śledztwo ciągnęłoby się w nieskończoność albo sprawa nie zostałaby wykryta. Nadkomisarz Lach przygotowywał także taktykę przesłuchania, dzięki której Pawlik przyznał się do winy. Potem przed sądem adwokaci próbowali wykorzystać posiadany przez niego zespół Otella, by zamiast do więzienia trafił do szpitala psychiatrycznego na leczenie. Sąd nie przychylił się do wniosku. Pawlik został skazany na dwadzieścia lat więzienia.

Zwidy myszki polnej

Mieszkanie, w którym odnaleziono zwłoki Aleksandra Szubskiego, wyglądało, jakby przed chwilą przeszła przez nie trąba powietrzna. Brud, porozrzucane przedmioty, zdezelowane sprzęty, przewrócony piec, rozłączone rury wentylacyjne, zniszczone wykładziny. Kiedy dwudziestego szóstego stycznia 2002 roku przez uchylone drzwi zajrzał do środka sąsiad, dopiero na samym końcu dostrzegł leżące w kącie zwłoki. W mieszkaniu paliła się lampka i grało radio. Początkowo nie rozpoznał zamordowanego. Jego twarz była całkowicie zmasakrowana.

Technicy policyjni mieli poważny problem – co należy do śladów kryminalistycznych, a co nie. Szubski nie przywiązywał wagi do utrzymania porządku. Policjanci zabezpieczyli szesnaście śladów: stłuczoną szyjkę od butelki (tzw. tulipan), nóż kuchenny ze śladami brunatnej substancji, łupiny słonecznika, pasma włosów, kuchenkę elektryczną ze śladami brunatnej substancji, notatnik z zapiskami.

Lista osób, które mogły dokonać tej zbrodni, była długa. Szubski prowadził ożywione życie towarzyskie. Jego „gośćmi" byli ludzie z marginesu, którzy przychodzili do niego pić tanie wina. Obcych nie wpuszczał. Tyle że policjantom trudno było ustalić, kto na tej melinie bywał, a kto był traktowany jako „obcy". Ostatecznie rozpoczęto obserwację aż trzydziestu sześciu osób, w slangu policyjnym zwanych „myszkami polnymi" – bo nie zbierają, nie przędą, ale mają.

Medycy sądowi określili, że zgon nastąpił dzień wcześniej, prawdopodobnie w porze nocnej. Zwłoki były w ubraniu, obficie zanieczyszczone kałem i zaschniętą krwią. Szubski miał na nogach kozaki, a w kieszeniach dowód i garść drobnych monet o nominałach jeden i dwa złote oraz dwadzieścia, dwa i jeden grosz. Stwierdzono, że w momencie śmierci mężczyzna był świeżo ogolony. Zginął od licznych ran ciętych i tłuczonych twarzy. Zabójca złamał mu kości skroniową i ciemieniową, stwierdzono stłuczenia mózgu. Na ciele ofiary były również rany oparzeniowe.

Śledztwo w tej sprawie trwało rok. Dopiero dzięki powołaniu do sprawy profilera na kilka istotnych wątków padło nowe światło. Najważniejsza okazała się opinia wiktymologiczna, z której wynikało, że choć ofiara funkcjonowała w patologii, miała jednocześnie ścisły związek z kościołem.

Aleksander Szubski urodził się trzeciego stycznia 1952 roku. Pochodził ze wsi Dobczyce (zamojskie). Był kawalerem, mieszkał samotnie. Jego mieszkanie składało się zaledwie z jednego pokoju, w którym znajdowała się także muszla klozetowa (oddzielona zasłonką) oraz miejsce na kuchenkę. Lokal był ogrzewany piecem węglowym. Szubski kupił je po tym, jak zmarli jego rodzice. Sprzedał odziedziczone ogromne gospodarstwo i dom, po czym zakupił dwudziestometrową kawalerkę. Nie utrzymywał więzi z rodziną. Jego przyrodni bracia przestali się do niego odzywać, odkąd zaczął prowadzić życie pijaka i niechluja. Dwaj rodzeni bracia zginęli w niewyjaśnionych okolicznościach. Józefa znaleziono na ulicy z roztrzaskaną głową. Ostatecznie policji nie udało się ustalić, czy zdarzyło się to w wyniku działania osób trzecich. Szubski przez miesiąc nie był w stanie odebrać ciała brata z prosektorium, ponieważ wciąż znajdował się w stanie ciągłego upojenia alkoholowego. Kiedy w końcu to zrobił, nie umiał zorganizować pogrzebu. W końcu zajęli się tym ludzie z parafii katolickiej, do której należał Szubski. Drugiego brata znaleziono w kanale w okolicach Zamościa. Jako przyczynę zgonu stwierdzono utonięcie. Szubski nie był zainteresowany śledztwem, nie dowiadywał się, w jakich okolicznościach doszło do śmierci brata. Sprawą zajęła się natomiast prokuratura. Ostatecznie została umorzona z uwagi na brak cech przestępstwa.

Choć uzależniony od alkoholu, funkcjonujący w patologii i zaprzyjaźniony z ludźmi z marginesu społecznego, Szubski uchodził za człowieka głęboko wierzącego. Chodził na msze i do spowiedzi tylko, gdy był trzeźwy.

Brudas, flejtuch. Tygodniami nie zmieniał ubrania, kładł się spać w butach. Odzieży nie prał, nie kąpał się. Śmierdziało od niego na kilometr. Kiedy był po alkoholu, dużo mówił, często ujawniał powierzone mu tajemnice, łatwo wchodził w konflikty i stawał się mało ostrożny.

Z zawodu był elektromonterem. Przez wiele lat pracował jako kierowca wozów straży pożarnej. Otrzymał stopień starszego kaprala pożarnictwa, potem jako elektromonter w PKS w Zamościu. Dorabiał sobie jako malarz pokojowy i murarz. Pracował bez przerw do 1996 roku. Z pracy został zwolniony ze względu na nadużywanie alkoholu. Z tego powodu był dwukrotnie hospitalizowany. Cierpiał na wiele dolegliwości. Miał kłopoty z poruszaniem się, trzustką, nadciśnieniem oraz cierpiał na marskość wątroby.

Po 1996 roku pracował dorywczo, ale głównie dla księdza oraz organisty w parafii: rąbał drewno, odgarniał śnieg. Nie miał emerytury ani renty, utrzymywał się z zapomóg społecznych i dzięki wsparciu kościoła. Ponieważ był uważany za wzorowego i żarliwego katolika, bez problemu otrzymywał pieniężne i rzeczowe zapomogi. Codziennie chodził na darmową zupę do kościelnej jadłodajni. Ksiądz wstawiał się za nim w miejskim ośrodku pomocy społecznej, dzięki czemu Szubski regularnie otrzymywał opał na zimę, odzież, racje żywności, a także leki. Większość z tych rzeczy sprzedawał za bezcen sąsiadom, którzy takiej pomocy nie otrzymywali, choć byli również w trudnym położeniu. Szczodrość, jaka spotykała Szubskiego, budziła w ludziach wiele wątpliwości i obaw. Przez to nie był lubiany.

W jego przypadku było niezwykle trudno ustalić, co robił w ostatnich dniach życia. Mieszkał sam, praktycznie z nikim się nie kontaktował. Sąsiedzi nie znali odwiedzających go ludzi – mogły to być przypadkowe osoby, także bezdomne, które łatwo się przemieszczają. Zastanawiałem się, czy zabójca nie kryje się właśnie w tym środowisku. Zajrzałem też do zabezpieczonego na miejscu zbrodni notatnika. Okazało się, że Szubski prowadził rodzaj dziennika. Oto kilka zapisków:

- *28.12.2001 Do kościoła z Józkiem z butelkami, 2 wina, zrzucam śnieg z balkonu. Ignac przyprowadza ćpunkę. 2 wina, chce spać 24 wyganiam ją*
- *29.12.2001 Gośka mnie szczyrze, urwanie filmu*
- *31.12.2001 Przychodzi Gośka z nią 4 wina – śpi u mnie razem Olek wygonił*

- *1.01.2002 Rano wstaję sprzątanie zupa jak Gośka konserwa rybna, cały dzień rozmowa. O 17:30 z nią obchód. 19:30 przychodzi Olek zabiera ją, przynosi 1 reklamówkę ciuchów zostawia torbę*
- *2.01.2002 Gośce biorę zupę 0,5 chleba rybę drzewo na palenie itp.*
- *3.01.2002 Przynoszę Gośce zupę z kościoła, zabiera ciuchy Olek po piciu w jego mieszkaniu*
- *14.01.2002 Złość z Gośką o papierosy*
- *20.01.2002 spowiedź*

Dwudziestego piątego stycznia 2002 roku policjant z komisariatu miejskiego w Zamościu próbował doręczyć Szubskiemu wezwanie na rozprawę w związku ze spożywaniem przez niego alkoholu w miejscu publicznym. Było kilka minut po dziewiętnastej. Policjant wszedł do mieszkania, powiedział „dobry wieczór", lecz nikt mu nie odpowiedział. Wszedł głębiej do mieszkania i wtedy zauważył nogi. Policjant pomyślał, że Szubski znów jest pijany, przyjdzie więc z wezwaniem innego dnia. Jak się później okazało, Szubski już nie żył.

Zastanawiałem się, czy ze zbrodnią nie ma związku „Gośka", której Aleksander regularnie przynosił zupę i z nią współżył, oraz „Olek", opiekun „Gośki". Pojawił się też wątek wskazany przez sąsiada zza ściany, który mówił, jakoby słyszał odgłos parkowanego samochodu, dobijanie się do drzwi oraz okrzyki: „Otwórz, otwórz".

Z całą pewnością sprawca musiał działać z zaskoczenia. Nie stwierdzono praktycznie żadnych ran powstałych podczas obrony. Przeanalizowałem wszystkie obrażenia i stwierdziłem, że choć mają charakter chaotyczny, zostały zadane z ogromną siłą. To oznaczało wyzwolenie agresywnych emocji związanych z osobą denata. Zastanowiły mnie poparzenia. Przeanalizowałem dokładnie miejsce zbrodni i uznałem, że ofiara sama musiała je sobie zafundować. Szubski był pod wpływem alkoholu i próbował uciekać przed atakiem. Wtedy upadł na rozgrzaną kuchenkę (dlatego była przewrócona). Pozostałe ciosy zostały zadane w wyniku szału napastnika. Ich lokalizacja świadczyła o tym, że były całkowicie niekontrolowane.

Nie było wątpliwości, że zabójcą jest osoba z alkoholowego kręgu Aleksandra. Przedział wieku sprawcy czterdzieści do pięćdziesięciu lat. Może być bezrobotny; ponieważ wpisywał się w tło odwiedzających Szubskiego ludzi, nikt nie zwrócił na niego uwagi.

Stwierdziłem, że mamy tu do czynienia z motywem urojeniowym. Sprawcy wydawało się, że Szubski nie oddał mu pieniędzy (w grę mogły wchodzić relatywnie niskie kwoty, na przykład dziesięć złotych) albo że romansuje z jego kobietą (Gośka). Przyczyną krótkiej wymiany zdań, która miała miejsce przed zabójstwem, było poczucie urazy. Sprawca znał ofiarę i odwrotnie. Może razem pracowali, może znali się z dawnych czasów, z pewnością razem pili – to bliska relacja towarzyska. Zabójca był już karany za kradzieże, pobicia, przemoc domową. Po dokonaniu zbrodni spożywał alkohol. Analizował pozostawione ślady, lecz brakowało mu sprytu, by je zatrzeć. Obecnie nie interesuje się postępami śledztwa. Fakt nadzabijania wiąże się z tym, że personalizował ofiarę – była mu dobrze znana.

Śledczy mieli poważny problem. Niemal wszystkie badane osoby pochodziły z meliniarskiego towarzystwa Szubskiego, miały podobne nie tylko cechy, ale też system urojeń alkoholowych. Na dodatek ludzie z tego typu środowiska zawsze milczą. Nikt nie chce współpracować z policją, by nie zyskać miana „kapusia". Mimo intensywnych działań operacyjnych postępowanie trwało ponad rok! Rozwiązanie przyszło niespodziewanie. Dawny znajomy Szubskiego, który już od jakiegoś czasu mieszkał w innym mieście, przy alkoholu zwierzył się pewnej kobiecie i ta doniosła na policję. Szybko zatrzymano mężczyznę i jeszcze tego samego dnia przeprowadzono analizę porównawczą śladów biologicznych i odcisków palców. Wynik potwierdził, że to on dokonał zbrodni.

Eugeniusz Czaja był znany w środowisku „myszek polnych". Jednak wszystkie rozpytywane osoby kryły go, opowiadając bajki o dwóch mężczyznach, którzy przyjechali autem i dobijali się do drzwi Szubskiego. Krążyła też historia o trzydziestolatku, który miał niby odwiedzić Szubskiego i zniknąć.

Czaja był w takim stanie upojenia, że praktycznie nie pamiętał zdarzenia. Zresztą Szubski również nie był w stanie się bronić. Jak się jednak okazało, Czaja wymyślił, że Aleksander kilka lat wcześniej – kiedy pracowali razem przy zbiorze jabłek oraz tytoniu – oszukał go na dwadzieścia złotych. Ale nie tylko to oskarżenie wyzwoliło tragiczną w skutkach interakcję. Czaja miał pretensje do Aleksandra, że ten przynosi zupę „Gośce". Bo zdaniem Czai, tak naprawdę kobieta miała na imię Kryśka i kilka lat temu była jego konkubiną. Czaja chciał, by do niego wróciła, lecz ona go unikała. Kiedy dowiedział się, że jego „Kryśka" czasami nocuje u Szubskiego, wpadł w amok. Nie miało dla niego znaczenia, że to dwie różne osoby. W swoim urojeniu połączył Kryśkę z Gośką i doszło do zbrodni.

Eugeniusz Czaja przyznał się do winy i przeciwko niemu został skierowany akt oskarżenia. W sądzie próbował udawać niepoczytalnego, lecz niewiele to dało. Skazano go na dwadzieścia pięć lat więzienia.

Komentarz

Urojenia to bardzo rzadko spotykany motyw przestępstw – około pięciu procent spraw.

* * *

Sprawcą jest zwykle mężczyzna w wieku dojrzałym. Potrzebuje czasu, by urojenie mogło się rozwinąć. Przed zbrodnią osoba taka zwykle określana jest mianem dziwaka lub odludka.

* * *

Ofiarą zwykle jest osoba dojrzała, w wieku pomiędzy czterdzieści a pięćdziesiąt lat. W sześćdziesięciu procentach to kobiety, ponieważ urojenia bardzo często dotyczą relacji damsko-męskich. Najczęściej zna swoich zabójców – około połowy z nich to osoby blisko spokrewnione, związane emocjonalnie, sąsiedzi lub koledzy. Sprawność fizyczna ofiary jest bardzo niska, co wynika także z jej wieku. Zwykle ma tylko zawodowe wykształcenie, ale dobrą sytuację materialną. Ofiara zazwyczaj nie ma problemów z funkcjonowaniem w społeczeństwie. Nie jest osobą konfliktową. Radzi sobie, dba o bezpieczeństwo – czasem do przesady. Niestety, człowiek nie może być cały czas przygotowany na cios. Musi kiedyś odpoczywać, czasem coś odwróci jego uwagę i traci czujność. Kiedy więc ofiara – cały czas przygotowana na jakiś atak – znajdzie się w sytuacji zagrożenia, wpada w stupor, nieruchomieje, łatwo się podporządkowuje. Tego typu ofiarę nie cechują zachowania agresywne.

* * *

Zabójstwo na tle urojeniowym jest nieplanowane. Zależy od struktury osobowości i rozwoju procesu chorobowego sprawcy. Jego agresję wywołują urojenia, tak że ofiara nie ma żadnego wpływu na przebieg zdarzeń. Cokolwiek by zrobiła, będzie to odebrane przez sprawcę jako złe zachowanie i odwróci się przeciwko niej.

* * *

Najczęstszym narzędziem zabójstwa jest nóż. Większość zbrodni jest popełniana w mieszkaniu, gdzie jest on najbardziej dostępny. Sprawca rzadko zadaje śmierć przez uduszenie. Czasami zdarza się jakieś tępe narzędzie lub w przypadku Polski – siekiera.

* * *

Obrażenia są umiejscowione na głowie lub w jej okolicy. Są pokaźne i rozległe. Czasami zdarzają się na klatce piersiowej.

* * *

Sprawca urojeniowy prawie nigdy nie rozbiera swojej ofiary. Pozostawia ją w ubraniu, nie obnaża genitaliów. Nie przemieszcza zwłok – zwykle odnajduje się je na miejscu zbrodni, czyli najczęściej w mieszkaniu ofiary.

* * *

Miejsce zbrodni jest bardzo zdemolowane, co odzwierciedla stan umysłu zabójcy, to, co dzieje się w jego głowie, oraz posiadane zaburzenia. Jeśli miejsce zbrodni pozostawione jest w dużym nieładzie, trzeba się zastanowić, czy nie wynika on z pewnego systemu urojeń. Należy odnaleźć w tym bałaganie elementy, które są kluczem do poznania sposobu myślenia sprawcy. Żeby to się udało, trzeba zacząć „rozumować" jak on. Na przykład jeśli sprawca zamordował dziewczynkę, bo wydawało mu się, że zabija diabła – to nie można tej sprawy rozpatrywać w sposób racjonalny.

* * *

Najistotniejsze jest, by wejść w system urojeń sprawcy, poznać jego widzenie świata. Zdarza się, że jego działania mają charakter urojeniowy, wzmacniane są innymi motywami, na przykład seksualnymi. W praktyce wygląda to tak, że sprawca wycina kawałki ciała, odrąbuje palce czy wytrzewia zwłoki z macicy albo genitaliów. Jego działanie ma jednak charakter urojeniowy – sprawca w swoim systemie wartości zaspokaja nie potrzeby władzy i kontroli, ale właśnie w taki sposób doznaje oczyszczenia wewnętrznego. Profiler musi umieć te wszystkie elementy oddzielić, dlatego tak ważne jest właściwe określenie motywu popełnionego czynu. To jak postawienie diagnozy przez lekarza.

6

MOTYW RABUNKOWY

PO OWOCACH ICH POZNACIE

Myszka Miki i stary pistolet – Młode kasjerki łatwiej zastraszyć – Co myślałaby ofiara, gdyby była sprawcą? – Współcześni Dyzmowie – Bank w komodzie starszej pani – Śmieciowy Król – Chciwość nie popłaca – Zabójca ukrywa się w tle

Rabuś z westernu

W dzisiejszych czasach napad na bank jest równoznaczny z popełnieniem samobójstwa. Przeciwko napastnikowi stoją nie tylko zastępy ochroniarzy, ale cała nowoczesna technika: elektronika, fotokomórki, monitoring. Jest to praktycznie niemożliwe. Istnieją jeszcze jednak agencje bankowe. To takie osiedlowe minibanki w starym stylu. Zwykle mieszczą się w osiedlowym pasażu spożywczo-usługowym, gdzieś pomiędzy piekarnią, warzywniakiem a sklepem z zabawkami. Pracuje w nich jedna lub dwie kasjerki, ochrony nie ma wcale, a jeśli już – jest nim dobroduszny emeryt.

Czwartego lipca 2005 roku do jednej z takich agencji w Białymstoku[1] wszedł mężczyzna z apaszką we wzory Myszki Miki, zasłaniającą twarz oraz w kapturze nasuniętym na oczy. Wycelował w kierunku kasjerki przerdzewiały „kapslowiec" i zażądał gotówki. Plan napadu był prosty, jakby zaczerpnięty z filmu sensacyjnego klasy B. Przerażona kobieta wrzuciła do otwartej reklamówki zawartość kasy, czyli niecałe cztery tysiące złotych, po czym złodziej, nie robiąc nikomu krzywdy, wybiegł z budynku. Pościg niewiele dał. Napastnik z chustką ulotnił się jak kamfora. Potem kasjerka powie, że całe zajście było tak absurdalne, a ona sama tak zaskoczona, że gdyby jej ktoś o tym opowiedział, prawdopodobnie by nie uwierzyła.

---

[1] Nazwa miejscowości i nazwiska występujących osób zostały zmienione.

Dwudziestego siódmego lipca sprawca zaatakował ponownie. Agencja inna, bank ten sam. Przerdzewiały pistolet, apaszka z Myszką Miki. Tym razem miejsce ataku padło na placówkę przy ulicy Lipowej. Napastnik opuścił ją bogatszy o pięć tysięcy złotych. Potem zaatakował jeszcze pięć razy. Był skuteczny, zorganizowany, sprawnie opuszczał miejsce napadu, pościg za nim praktycznie nie miał sensu. Scenariusz jego działania za każdym razem był identyczny. Dziecięca chustka, kaptur nasunięty na oczy, ciemna kurtka maskująca sylwetkę, a w rękach zabytkowy rewolwer i reklamówka, do której kazał wkładać banknoty. Nie krzyczał, nie używał wulgaryzmów ani gwary. Nie zostawiał praktycznie żadnych śladów. Kasjerki nie potrafiły podać szczegółów jego wyglądu – były zbyt przerażone i zaskoczone. Widziały tego człowieka przez kilkadziesiąt sekund, do dwóch minut maksymalnie. Wiadomo było jedynie, że to mężczyzna w wieku dwudziestu pięciu do trzydziestu lat, wysoki i wysportowany.

Wydawał się nieuchwytny. Dopiero kiedy strzelił w twarz jednej z kasjerek, wzmożono działania poszukiwawcze. Poza tym zaczął popełniać błędy, które pozwoliły na powiązanie go ze zdarzeniem i ujęcie.

Kiedy poproszono mnie o pomoc w tej sprawie, pracowałem w sekcji psychologów[1]*. Kilka dni wcześniej zawaliła się hala targowa MTK w Chorzowie i oprócz normalnych obowiązków zajmowałem się osobami, które ucierpiały w katastrofie i rodzinami ofiar. Organizowa-*

[1] W każdej wojewódzkiej komendzie policji jest sekcja psychologów policyjnych, którzy zajmują się pomocą policjantom, ich rodzinom, a także badają kandydatów na policjantów. Nadkomisarz Lach był szefem tej sekcji, potem został przeniesiony do pionu kryminalnego.

liśmy im pomoc materialną i psychologiczną. Dotyczyło to kilkudziesięciu osób.

Ostatnią rzeczą, o jakiej marzyłem w tym momencie, była kolejna niecierpiąca zwłoki sprawa, w której miałbym uczestniczyć. Ale osobiście pofatygował się do mnie policjant, którego bardzo cenię, bo jest jednym z lepszych dochodzeniowców[1] *w podlaskiej policji. Powiedział, że zdaje sobie sprawę, jak bardzo jestem teraz zajęty, mimo to prosi mnie o pomoc w przesłuchaniu kobiety, którą podczas ostatniego napadu postrzelił sprawca. Zaczęliśmy rozmawiać. Policjant mówił, że postrzelona kasjerka w zeznaniach skupia się głównie na swoich obrażeniach, na tym, jak zatrudniła się w tym banku i że jej praca jest niewspółmierna do korzyści, jakie uzyskuje. Na większość konkretnych pytań odpowiada: „Nie pamiętam, nie jestem w stanie sobie przypomnieć".*

Obiecałem, że z nią porozmawiam i spróbuję wydobyć z niej więcej informacji. Poprosiłem o zebrany materiał oraz zapisy z kamer usytuowanych na terenie wspomnianych oddziałów. Spytałem, czy wiadomo, jak agencje są usytuowane względem innych budynków, czy trzeba tam wchodzić po schodach, czy też nie. Chciałem mieć jak najwięcej danych dotyczących położenia tych miejsc. Tak się złożyło, że policjant pochodził z miasta, w którym rabuś dokonywał napadów. Doskonale znał aglomerację, jej klimat i specyfikę. Wiele wiedział o funkcjonowaniu agencji bankowych, które sprawca sobie upodobał. Zająłem się

[1] Policjant pracujący w sekcji dochodzeniowo-śledczej, prowadzący najpoważniejsze sprawy na terenie województwa podlaskiego.

przygotowaniem do przesłuchania kasjerki, dwudziestopięcioletniej Elwiry Kazarko. Kobieta ucierpiała, ponieważ w trakcie napadu, kiedy wydawała pieniądze, zadała sprawcy pytanie: „Czy ja cię skądś nie znam?". To wyprowadziło go z równowagi i strzelił. Całe szczęście, że była akurat pochylona. Wyjmowała z kasetki pieniądze, więc uratowała własne życie, choć doznała dotkliwych obrażeń. Pocisk trafił ją w szczękę. Podejrzewałem, że sprawca wcale tego nie chciał. Ręka mu zadrżała ze zdenerwowania, a wtedy pistolet wypalił. Pojechałem do szpitala, gdzie przebywała Elwira. Kobieta znalazła się na chirurgii. Była roztrzęsiona, przerażona i nie chciała współpracować z policją. Trudno się dziwić. Miała pogruchotane kości, z jej ciała wydobyto fragmenty pocisku ołowianego, czekała ją jeszcze jedna operacja (na szczęście bank zobowiązał się do pokrycia wszelkich kosztów jej leczenia), więc nie miała motywacji do prowadzenia rozmowy na temat napadu. Ale ja nie pierwszy raz przesłuchiwałem świadka znajdującego się w szpitalu. Wiem, jak rozmawiać z osobą, która przeżyła traumę. Która dopiero co cudem uszła z życiem.

Pytałem ją nie tylko o fakty, które zwykle interesują policjantów, ale także o jej wrażenia, co odczuwała w czasie napadu, czy napastnik był agresywny, czy zachowywał się spokojnie, czy byłaby w stanie temu człowiekowi zaufać. Początkowo odpowiadała lakonicznie, jednak z czasem nabrała do mnie zaufania i zaczęła mówić więcej. Podkreślała kilkakrotnie, że jej nie zastraszał, nie krzyczał, po prostu wyciągnął broń i powiedział dobitnie: „To jest napad, dawaj pieniądze". Była to dla mnie niezwykle cenna informacja. Sprawcę charakteryzuje duża inteligencja emocjonalna, czyli umiejętność odnalezienia się w każdej sytuacji i dostosowanie do niej swoich zachowań. Już podczas pierwszego napadu mógł narobić poważnych zniszczeń i kłopotów. Ale temu człowiekowi nie chodziło o zaspokojenie potrzeby władzy i kontroli. On nie chciał nad nikim dominować ani nikogo krzywdzić. Jemu zależało tylko na pieniądzach. Przychodził po gotówkę i znikał.

Zanim nadkomisarz Lach został powołany do tej sprawy, śledczy mieli kilka hipotez, kim może być osoba dokonująca napadów. Oto one:

- Sprawca był klientem tego banku, ale najprawdopodobniej już nim nie jest. Czuje się skrzywdzony, oszukany przez ten konkretny bank.
- Jest to osoba przyjezdna. Nie mieszka w Białymstoku. Przyjeżdża do miasta tylko po to, by obrabować bank.
- Mieszka i pracuje w Białymstoku, a napady robi w przerwie na lunch.
- To człowiek, który jedynie wykonuje zlecenie – czarną robotę. Działa w grupie. Inne osoby zbierają informacje i opracowują szczegółowy plan działania.
- Mieszka w Białymstoku, pracuje, ale ponieważ wykonuje wolny zawód, może w każdej chwili opuścić miejsce pracy i zrobić napad.
- Jest zatrudniony w podobnej agencji bankowej w innym rejonie i stąd ma wiedzę na temat jej funkcjonowania.

Prawdę mówiąc, żadna z hipotez nie pasowała mi do sprawcy, a niektóre wydały mi się wręcz całkowicie nieprawdopodobne. Uznałem, że kluczem do rozwiązania zagadki jest szczegółowa analiza napadów pod kątem psychologicznym.

Ten człowiek działał w niewielkich odstępach czasu. Z jednej strony to błogosławieństwo dla profilera – bo im więcej przestępstw do analizy, tym łatwiej określać indywidualne cechy sprawcy[1]*. Zwłaszcza że napastnik zwykle szybko nie zmienia sposobu działania. Z drugiej jednak strony to przekleństwo – profiler działa, jakby siedział na bombie zegarowej, która w każdej chwili może wybuchnąć. A taka presja wymaga silnej psychiki, inaczej można ulec sugestii czy panice i pomylić się podczas wyciągania wniosków. I rzeczywiście – już dopinałem profil, kiedy sprawca obrabował kolejny bank. A wtedy trzeba wszystko przeanalizować i zweryfikować na nowo, ponieważ kolejny atak może zmienić całkowicie postawione wcześniej hipotezy.*

Potem przyglądałem się jego modus operandi[2]*. Był zuchwały. Napadał w środku dnia, przy stosunkowo dużym ruchu w pobliżu agencji. Skutecznie się kamuflował. W banku był zamaskowany, lecz kiedy go opuszczał, jego strój pozwalał mu na wtopienie się w tłum. Używał rzadko dziś spotykanej broni historycznej, której mechanizm związany jest z prochem. Doszedłem do wniosku, że musi pochodzić z kolekcji militariów – jego lub kogoś bliskiego, a on musi się tym interesować. Rewolwer wyglądem przypominał pistolety używane przez kowbojów*

---

[1] Mało powtarzalne cechy zachowań, sposobu bycia w populacji, które wyróżniają sprawcę z kręgu osób będących w zainteresowaniu policji.

[2] Sposób działania sprawcy

w westernach, co potwierdzały inne zaatakowane kasjerki. Podobnie jak kowboje wiązał również apaszkę. Reszta jego ubioru była raczej zwyczajna, a to dlatego, że gdyby założył na przykład kowbojki i skórzane spodnie, za bardzo wyróżniałby się z tłumu. Jego obraz byłby zbyt charakterystyczny, a przez to łatwy do zapamiętania.

W sumie zaatakował siedem agencji bankowych.

I 4 lipca, godz. 12:50, łup – 3600 zł

Ze względu na upał drzwi do agencji były otwarte. Wszedł, wycelował broń, powiedział: „Dawaj pieniądze" i podsunął kasjerce reklamówkę. Kiedy zapakowała zawartość kasy, wybiegł z agencji. Wszystko trwało około trzydziestu sekund. Nikt go nie gonił. Kasjerki zamknęły agencję i zawiadomiły jej właściciela oraz policję.

II 27 lipca, godz. 14:45, łup – 5000 zł

Ze względu na upał drzwi do agencji były otwarte. Wszedł, wycelował broń, powiedział: „Dawaj pieniądze" i podsunął kasjerce reklamówkę. Kiedy kasjerka próbowała wyjmować tylko drobne, powiedział spokojnie: „Dawaj wszystko". Niczego nie dotykał, wybiegł spłoszony przez właściciela agencji, który nagle wszedł do budynku. Wszystko trwało około minuty. Właściciel agencji gonił go najpierw pieszo, potem jeździł po okolicy autem. Bez skutku.

III 19 sierpnia, godz.16:05, łup – 2500 zł

Upał, drzwi są otwarte. Wszedł, wycelował broń, powiedział: „Dawaj pieniądze" i podsunął kasjerce reklamówkę. Kasjerka najpierw wyjęła bilon, więc powiedział: „Nie wygłupiaj się, to jest napad. Dawaj grube". Przez szparę pod szybą podawała mu banknoty. Najpierw dwusetki, potem setki, przy dziesięciozłotowych nominałach powiedziała: „Czy ja cię skądś nie znam?". Wtedy strzelił, trafiając ją w twarz. Kasjerka upadła na kolana, poczuła ból. Kiedy podniosła głowę, jego już nie było. Cały napad trwał około dwóch minut.

IV 29 września, godz. 13:00, łup – 3700 zł

Drzwi do agencji były cały czas zamknięte – padał ulewny deszcz. Wszedł, zostawił uchylone drzwi, wycelował broń w kasjerkę i powiedział: „Dawaj kasę". Drugiej pracownicy kazał podnieść ręce do góry. Kasjerka, której kazał wydawać pieniądze, nogą włączyła alarm. Najpierw wykładała na ladę małe nominały, więc się zdenerwował i kazał jej wydawać tylko „dwusetki". Całe zdarzenie trwało około czterdziestu sekund. Po wszystkim wybiegł z agencji. Nikt go nie gonił. Powiadomiona firma ochroniarska zareagowała natychmiast, ale rabusia już nie było.

V 28 października, godz. 11:25, łup – 8000 zł

Drzwi do agencji były zamknięte. Kiedy sprawca wszedł do środka, kasjerka akurat odeszła od swojego stanowiska. Kazał jej wydać pieniądze, podeszła do kasetki, otworzyła ją i podała mu zawartość, mówiąc, że więcej nie ma. Włożył banknoty do reklamówki i wyszedł. Zdarzenie trwało około trzydziestu sekund. Dziewczyna była tak zaskoczona, że nie przyszło jej do głowy, żeby nacisnąć alarm antynapadowy. Zauważyła, że sprawca nie miał rękawiczek i wskazała miejsca, których dotykał. Policjanci pobrali odciski palców.

VI 25 listopada, godz. 12:05, łup – 3380 zł

Drzwi do agencji były zamknięte. Kiedy sprawca wszedł do środka, kasjerka była odwrócona tyłem do drzwi – szukała czegoś w dokumentach, które leżały na parapecie. Usłyszała: „Dawaj pieniądze", odwróciła się i podeszła do okienka, gdzie były półeczki na banknoty. Wyjmowała pieniądze z przegródek i kładła je na ladzie. Mężczyzna brał je i wkładał do kieszeni. Kasjerka nie widziała, żeby miał przy sobie reklamówkę czy plecak. Kiedy zaczęła wyjmować bilon, zażądał „setek". Powiedziała, że nie ma. Wyszedł bez słowa. Cały napad trwał około minuty. Po kolejnych dwóch przyjechała policja – kasjerka, podchodząc do okienka, nogą nacisnęła alarm.

VII 27 grudnia, godz. 12:10, łup – 1000 zł

Drzwi do agencji mieszczącej się w budynku spółdzielni mieszkaniowej były zamknięte. Wszedł do środka niepostrzeżenie, wykorzystując poświąteczne rozluźnienie. Kasjerka była odwrócona do okienka tyłem. Kiedy usłyszała: „Dawaj kasę", aż podskoczyła. Przed nią stał mężczyzna z pistoletem w jednej ręce i reklamówką w drugiej. W kasetce miała dziesięć setek i te banknoty mu podała, ponieważ podejrzewała, że mógł je widzieć. Innych pieniędzy nie dała – skłamała, że więcej nie ma. Napastnik nie dyskutował, nie groził, gwałtownie oddalił się z agencji. Cały napad trwał trzydzieści sekund. Kasjerka nie wie, w którym kierunku uciekł, ponieważ okna agencji zasłonięte są żaluzjami. Nie pobiegła za nim, nie próbowała organizować pościgu. Zawiadomiła właściciela agencji i policję. W budynku znajduje się należący do spółdzielni monitoring, ale tego akurat dnia był wyłączony – kasa spółdzielni była zamknięta.

Zastanowiło mnie, dlaczego sprawca atakuje regularnie, co miesiąc. Poza tym przygotowanie napadu wymaga precyzyjnego zebrania danych i podjęcia ryzyka – a on bierze stosunkowo niewielkie pieniądze. Prześledziłem godziny napadów, zrobiłem analizę czasową. Wszystkie agencje tego banku są otwarte do osiemnastej, a on zawsze wchodził w podobnym czasie o dwunastej dwadzieścia pięć, jedenastej pięćdziesiąt pięć czy dwunastej dziesięć. Jaki wniosek można z tego wyciągnąć? Jeśli ktoś pracuje, nie może wyjść w tym czasie z pracy i dokonać napadu. Oczywiście mógłby to robić w przerwie na lunch, ale według mnie byłoby to zbyt ryzykowne. Pomyślałem, że ten człowiek nie pracuje. Wyrzucili go, ale obawiał się powiedzieć o tym rodzinie. Udawał więc, że nadal jest zatrudniony, a ponieważ pod koniec miesiąca musiał przynieść pieniądze – zaczął napadać. On do tych banków chodził po wypłatę. Założyłem, że wychodzi rano z domu, jakby szedł do pracy, i przez cały miesiąc zbiera informacje, bada teren, obmyśla plan. Pod koniec miesiąca atakuje, by przynieść do domu pensję.

Musiałem odpowiedzieć sobie na pytanie, dlaczego atakuje akurat ten konkretny bank. Przestępcy zwykle są jakoś emocjonalnie związani z ofiarą. Zastanawiałem się, czy sprawca jest lub był klientem tego banku. Czy czymś mu podpadł, na przykład wypłacił mniejsze odsetki, niż klient się spodziewał, a może kiedyś źle go tu obsłużono lub zmniejszono możliwości debetowe? Po dłuższej analizie odrzuciłem te hipotezy i stwierdziłem, że bank został wybrany ze względu na łatwość dokonania w nim przestępstwa. Sprawca wiedział, że w tych agencjach nie ma wystarczających środków technicznych, umożliwiających identyfikację, na przykład kamer (dopiero po kilku napadach zaczęto myśleć o tym, by je wprowadzić). Wiedział, że zatrudniane są tam młode i niedoświadczone kasjerki, które niewiele zarabiają, nie będą więc specjalnie bronić powierzonych im pieniędzy i łatwiej będzie je zastraszyć. Miał także świadomość, że w określonych godzinach w tym banku obraca się niere-

jestrowanymi banknotami, co uniemożliwia ich identyfikację – jeśli wpuści w obieg zrabowane pieniądze, nikt się nie zorientuje. Sprawca kierujący się motywem ekonomicznym zawsze szuka miejsc, które ograniczają poziom podejmowanego ryzyka. Jednocześnie szacuje, jakie ryzyko istnieje po stronie ofiary. Zapewne brał to pod uwagę, kiedy planował napady.

Sprawca musiał znać kogoś lub współpracować z kimś z tego banku, ponieważ nie były mu obce wewnętrzne przepisy, rytuały i kwestie formalne. Wiedział o braku odpowiednich zabezpieczeń technicznych, o młodym wieku kasjerek i o nierejestrowanych banknotach.

Nigdy nie brał bilonu. Podczas kilku zdarzeń wręcz powiedział kasjerce, żeby drobnych nie pakowała. Dlaczego? Zawsze uciekał pieszo, a podczas ucieczki bilon może wypaść. Poza tym worek monet głośno dzwoni i raczej nie można nad tym zapanować. Sprawca wiedział, że to mogłoby go zdemaskować. Poza tym, co z tego, że wziąłby siedem tysięcy czterysta sześć złotych, jeśli przez te sześć złotych mógłby wpaść. Takie myślenie świadczy o co najmniej średnim wykształceniu. Rabuś wiedział, że banknoty wrzuci do reklamówki, schowa za pazuchę i szybko ucieknie.

Wszystkie kasjerki mówiły, że uciekał pieszo. Analizując jego zachowanie, stwierdziłem, że w niewielkiej odległości musiał parkować auto, którym kontynuował ucieczkę. Dlaczego nie podjeżdżał samochodem pod samą agencję? Po pierwsze, ktoś mógłby zapamiętać numer rejestracyjny, po drugie, uznałem, że prawdopodobnie jest posiadaczem auta, które nie jest nowe i może go zawieść.

Sprawca atakował seryjnie, dlatego wykonałem mapę jego ataków. Mapa pozwala określić miejsca napadów, które dopiero się zdarzą, a także pomaga ustalić miejsce zamieszkania sprawcy. To umożliwia ujęcie go na gorącym uczynku. Przeanalizowałem geograficznie jego sposób działania i wyszło mi, że sprawca już nie zaatakuje w tym mieście, a przeniesie się do sąsiedniego.

Był inteligentny i musiał mieć kontakt z kimś w policji albo był blisko tej sprawy, ponieważ znał na bieżąco postępy w śledztwie. Ktoś informował go, choćby nieświadomie. Wiedział, że depczemy mu po piętach, choć bardzo dbaliśmy o to, by w mieście nie wybuchła panika, więc nie informowaliśmy dziennikarzy o szczegółach napadów. Sprawca z pewnością śledził wszelkie wiadomości ukazujące się na ten temat, zwłaszcza po tym, jak wypaliła mu broń.

Dane uzyskane od świadków zdarzeń, dotyczące jego wyglądu, były rozbieżne. Jedni mówili o czarnej, inni o granatowej kurtce. Ktoś podawał, że miał plecak, ktoś inny, że schował gotówkę do kieszeni. Jedna z kasjerek wskazywała na blond wąsy wystające spod apaszki, inna na kruczoczarne brwi. Generalnie tych informacji było naprawdę niewiele. Możliwości identyfikacji sprawcy były bardzo ograniczone.

Ale profiler zbiera nie tylko suche fakty, interesują go również odczucia, spostrzeżenia, tak zwane sygnały okołozdarzeniowe, ponieważ one pozwalają na odtworzenie atmosfery zdarzenia i mogą służyć jako baza do określenia cech zachowania sprawcy. Dlatego chciałem uczestniczyć w przesłuchaniach wszystkich istotnych świad-

ków. Zwykle przesłuchiwane osoby nie rozwijają swoich wypowiedzi ponad to, o co pyta przesłuchujący. Kiedy więc pojawiają się nowe okoliczności w sprawie i ktoś jest wzywany do ponownego przesłuchania, okazuje się, że on o tym wszystkim wiedział. Wtedy policjanci się pieklą: „A dlaczego pan o tym wcześniej nie powiedział!". I słyszą: „Bo pan nie pytał".

Szukałem więc w tym gronie świadków kooperujących. Takich, którzy udzielą informacji nie tylko na temat samego zdarzenia, ale też powiedzą, co im się wydawało, co sądzili, co czuli w tamtym momencie. Jedną z kasjerek poprosiłem, by opowiedziała ze szczegółami, co działo się od momentu, kiedy sprawca wyszedł i przyjechała policja, do innej zwróciłem się z prośbą, żeby postawiła się w sytuacji sprawcy i opowiedziała zdarzenie z jego punktu widzenia. Dzięki temu zdobyłem bardzo cenne informacje na temat jego zachowania. Na przykład, że nie jest człowiekiem z nizin społecznych, ma co najmniej średnie wykształcenie, jest średnio zamożny – nie posiada wielkich długów, ani nie jest bogaty. Uznałem także, że nie jest to pracownik banku. W przeciwnym wypadku wiedziałby lub byłby w stanie przewidzieć, jaka kwota znajduje się w kasie. A podczas ostatniego napadu udało mu się zrabować tylko tysiąc złotych. Gdyby pracował w banku, wiedziałby o tym i uznał, że nie opłaca się ryzykować.

Kiedy oddałem profil w ręce prowadzącego dochodzenie, usłyszałem: „Dokładnie czegoś takiego oczekiwałem". Policjanci mówili mi potem, że dzięki profilowi w wyobraźni zobaczyli tego człowieka. Psycholog jest w stanie wyciągnąć z akt cenne wnioski, które nie są przypuszczeniami, ale faktami. I właśnie o to chodzi. Czasem analiza psychologiczna ma na celu nie tylko zawężenie kręgu podejrzanych (tutaj do dziewięciu osób), ale też systematyzuje materiał, który jest niejednorodny.

Anonimowy informator powiadomił policję o mężczyźnie, który interesuje się bronią historyczną. Zaczęliśmy go obserwować. Bardzo pasował do profilu. W lutym 2007 roku byliśmy już pewni, że to poszukiwany rabuś z westernu. Zatrzymaliśmy go i zaczęły się przesłuchania. Ze sprawą powiązał go znaleziony w jednej z agencji bankowych odcisk palca. Po zatrzymaniu pozostała kwestia jego przyznania się do winy, ale z tym nie było problemu, ponieważ w takich sytuacjach wykorzystuje się wiedzę z zakresu psychologii zeznań świadków. Przygotowałem razem z prowadzącym odpowiednią taktykę przesłuchania.

Paweł Lechoń miał trzydzieści dwa lata, rodzinę, małe dziecko. Pracował jako nauczyciel wuefu w szkole. Przykładał się do swojej pracy, miał bardzo dobrą opinię. Dzieci go lubiły, bo angażował się w swoje lekcje. Zarabiał niewiele, około tysiąca złotych, ale nie okazywał niezadowolenia. Niestety, na początku lipca 2005 roku zwolniono go z pracy – nie uzupełnił wykształcenia, a nowe przepisy wyraźnie mówiły, że osoba zatrudniona w szkole musi mieć wyższe wykształcenie. Tymczasem on ukończył jedynie policealne studium dla wuefistów i nie zamierzał się dalej uczyć. Został zwolniony. Nie przyznał się nikomu, co się zdarzyło. Udawał, że wciąż chodzi do pracy. I był tak skrupulatny w odgrywaniu tej roli, że rzeczywiście nikt – włącznie z żoną – nie zauważył zmiany w jego zachowaniu. Gdy go złapano, nie wiadomo, czym ta kobieta była bardziej zaskoczona: tym, że jej mąż napadał na banki, czy tym, że już od przeszło pół roku był bezrobotny. Mówiła, że wychodził rano do szkoły, a przychodził po południu; opowiadał nawet anegdoty dotyczące pracy.

Napady na banki wymyślił dopiero po miesiącu – miał to być sposób na zdobycie pieniędzy. W dzisiejszych czasach dokonanie skutecznego napadu na bank jest praktycznie niemożliwe. Nie wystarczy założyć na głowę kaptur, zasłonić twarz apaszką i zastraszyć pracownika starym rewolwerem. Napastnik, który chce zrobić „skok", musi pokonać nowoczesny monitoring, profesjonalną ochronę i skomplikowaną elektronikę, której czujności nie da się uśpić. A jednak ten człowiek wymyślił sobie taki sposób na życie i właściwie go zrealizował.

Aby zrozumieć tok myślenia rabusia, trzeba poznać jego osobowość. To nie był agresywny człowiek ani mocno zaburzony. Po prostu był takim dużym chłopcem, który żyje trochę w świecie wyobraźni, dla którego granica pomiędzy rzeczywistością a fikcją jest płynna. Okazało się, że za część pieniędzy z pierwszego napadu kupił drogą kolejkę, przy której spędzał więcej czasu niż jego córka. Chustka z Myszką Miki, którą zasłaniał twarz, też należała do dziewczynki. Była to zwykła dziecięca apaszka, którą zakłada się na szyję. Pożyczał tę chustkę od małej i szedł na napad, ponieważ fascynowały go westerny i nawet w dorosłym życiu bawił się z kolegami w Indian i kowbojów. Kiedy go spytałem, dlaczego nie zakładał kominiarki, odpowiedział: „Wtedy człowiek jest bardziej podejrzany".

Jako mały chłopiec nie był chwalony, nagradzany, nie kupowano mu prezentów. Można powiedzieć, że nie chciał dorosnąć. Tymczasem los go do tego zmusił, bo wcześnie został ojcem i musiał wziąć odpowiedzialność za dziecko i rodzinę. Jeśli chodzi o charakter, był osobą podporządkowującą się, submisyjną. Z drugiej strony wychowywany w rodzinie o patriarchalnym modelu funkcjonowania. Nauczono go, że to mężczyzna jest odpowiedzialny za utrzymanie domu. Tymczasem w ich rodzinie spodnie nosiła kobieta. To żona podejmowała wszystkie decyzje. Pracowała w firmie consultingowej jako ekonomistka i zarabiała kilkakrotnie więcej niż on, co dla Lechonia było źródłem ogromnej frustracji. Kiedy stracił pracę, to poczucie się wzmogło. Wstydził się przyznać do porażki. Tym bardziej że został zwolniony na własne życzenie. Nie chciał się uczyć, więc nie pozostawił swoim zwierzchnikom innego wyjścia.

Zawsze niełatwo znosił odmowę, a jednocześnie miał trudności w forsowaniu własnego zdania. Dlatego sądzę, że gdyby w agencji zatrudniona była doświadczona kasjerka, która za pierwszym razem zamiast wydania mu pieniędzy, zbiła go z tropu, na przykład powiedziała: „Chyba żartujesz", nie zaatakowałby ponownie. A ponieważ za pierwszym i drugim razem się udało, stwierdził, że to łatwy sposób na zarobek.

Jego bronią było działanie z zaskoczenia oraz umiejętność perfekcyjnego wykorzystania elementów otoczenia, co świadczy o dużej inteligencji emocjonalnej. Za pierwszym razem to była próba: raz kozie śmierć. Potem wszedł w rytm i wciągnął się w grę. Po dwóch pierwszych napadach poczuł się naprawdę pewny siebie. Sądził, że pozostanie bezkarny. Ale stał się zbyt pewny siebie, a wtedy zaczyna się popełniać błędy. Podczas piątego napadu zapomniał rękawiczek i zostawił odcisk palca, podczas szóstego zgubił bilet autobusowy, również z liniami papilarnymi. Aż wreszcie podczas siódmego napadu nawet nie zasłonił twarzy, tylko naciągnął głębiej kaptur. Te elementy pozwoliły na powiązanie go z napadami.

Broń, której używał, faktycznie pochodziła z kolekcji militariów. Jego dziadek był partyzantem. Paweł spędzał z nim dużo czasu, był nim zafascynowany. Dziadek opowiadał o dawnych czasach. Wspólnie rozkładali jego broń, czyścili, strzelali z niej do butelek w lesie. Dlatego tak dobrze się na tej broni znał. Wiedział, że ma nie tylko wartość historyczną, ale jest sprawna i może uczynić krzywdę, choć nie zakładał, że tak się stanie. Kiedy wpadł na pomysł okradania agencji bankowych, pożyczył sobie pistolet z kolekcji dziadka.

Sam pomysł nie wystarczyłby, by dokonać skutecznego rabunku. Oprócz motywacji trzeba mieć zebraną wiedzę. Jak się okazało, żona kolegi Lechonia była zatrudniona w agencji bankowej. Nie dotarliśmy do niej w trakcie postępowania, ponieważ kobieta mieszka i pracuje w innym mieście. Ale to właśnie ona była nieświadomym informatorem sprawcy. Wypytywał ją o szczegóły funkcjonowania agencji bankowych pod pozorem, że sam chciałby otworzyć podobną w Białymstoku. I kobieta opowiadała mu o wszystkim. Wiedział od niej, kiedy przywożą gotówkę, kiedy ją zabierają, kiedy kasjerzy muszą się rozliczać. Potem rozpoczął wnikliwą obserwację placówek. Co dwa, trzy dni sprawdzał, jaki jest ruch w agencjach. Pieczołowicie śledził ich rytm dnia. Dzięki temu wiedział, o której przyjeżdża szef i kiedy przychodzi najwięcej klientów. Były takie miejsca, do obrabowania których się przygotowywał, ale odpuścił je, bo uznał, że ryzyko będzie zbyt duże. Nikt niczego nie zauważył, ponieważ sprawca obserwował placówki nie z ulicy, lecz z bloku naprzeciwko. Trzeba przyznać, że plan napadu zawsze miał opracowany perfekcyjnie. W końcu udało mu się siedem razy ujść cało z akcji.

Atakował zawsze pieszo, ponieważ wiedział, że jest w stanie szybko oddalić się z miejsca zdarzenia. Był wysportowany, chodził na siłownię. Nikt po żadnym z napadów nie był w stanie go dogonić. Kiedy już oddalił się z miejsca zdarzenia, wsiadał do auta zaparkowanego nieopodal i odjeżdżał. Okazało się, że był właścicielem jedenastoletniego fiata, z którym miewał kłopoty.

Wiedział nie tylko o braku kamer w agencjach bankowych, młodych kasjerkach, które łatwo zastraszyć i wiele więcej, ale nigdy nie zdradził, skąd miał te poufne informacje. Faktem pozostaje, że umiejętnie je wykorzystał. Nie bez powodu atakował w porze lunchu. W tym czasie obraca się nierejestrowanymi banknotami. Rano szef agencji przywoził pieniądze z centrali banku, w ciągu dnia były one wydawane w kasie oraz bankomacie. Po siedemnastej kasjerki miały obowiązek rejestrować pieniądze, które w ciągu dnia zostawiali klienci, po czym były one odwożone do macierzystej siedziby. Ale tak się działo tylko w obrabowanych agencjach. W każdym innym banku kasjerzy obracają rejestrowanymi banknotami.

Policjanci wykryli inne przestępstwa Lechonia popełnione poza granicami Polski. Sprawy będą połączone i wtedy przeciwko niemu zostanie skierowany akt oskarżenia.

Śmieciowy król

Dwudziestego trzeciego stycznia 2000 roku, o dziewiątej rano Ludmiła, służąca osiemdziesięcioletniej Leokadii Głowackiej, wdowy po jednym z najbardziej wziętych lekarzy w mieście, zawiadomiła policję, że znalazła zwłoki swojej chlebodawczyni. Sprawcy związali i zakneblowali starszą panią, po czym wsadzili do szafy, by nie przeszkadzała w penetracji mieszkania. Musieli zdawać sobie sprawę, że kobieta tego nie przeżyje. Była chora na astmę. Medycy sądowi nie znaleźli na jej ciele żadnych obrażeń oprócz śladów skrępowania sznurkiem rąk i kablem nóg.

Staruszka mieszkała w eleganckiej dzielnicy, z ochroną. Jej rodzina i znajomi twierdzili, że przesadnie dbała o bezpieczeństwo. Zawsze sprawdzała wideofonem, kto i po co wchodzi do klatki schodowej.

Z mieszkania skradziono kosztowności, antyki, gotówkę i cenne precjoza. Łupem sprawców padły brylanty, złoto, biżuteria, pieniądze. Starsza pani miała w mieszkaniu istny bank. Śledczy oszacowali, że całkowita wartość kradzieży kształtowała się w granicach pięciu milionów złotych. Taki rabunek, zwany w slangu przestępczym „złotym strzałem", zdarza się naprawdę rzadko.

Sprawdzono sąsiadów, osoby kontaktujące się ze starszą panią, sprzątaczkę, służącą, włamywaczy i złodziei z okolicy, ale wszyscy na tę noc mieli twarde alibi. Żaden z sąsiadów nie widział rabusiów. Kilka osób słyszało szamotanie i stuki w noc śmierci pani Leokadii. Przypuszczali, że to odgłosy przesuwania mebli, co podobno staruszka często robiła, także w późnych godzinach nocnych. Śledczy nie mieli zbyt wielu punktów zaczepienia. Sprawa wyglądała, delikatnie mówiąc, beznadziejnie.

Akta dostałem pół roku po zdarzeniu. Miałem dane: strzeżone mieszkanie, położone w centrum miasta, samotna kobieta nieutrzymująca z nikim bliższych kontaktów. Chyba jednak wszyscy mieszkańcy miasta wiedzieli, że wdowa „śpi na forsie". Wprawdzie poruszała się środkami komunikacji miejskiej, ale zatrudniała służbę, która jej sprzątała, prała i gotowała, ponieważ staruszka była przyzwyczajona do wysokiego standardu życia. Nie ukrywała swojej zamożności. Przeciwnie, na co dzień nosiła złotą biżuterię ze szlachetnymi kamieniami, używała srebrnej zastawy. Wręcz chwaliła się swoim statusem społecznym. Praktycznie każdy mógł domniemywać, że jest zamożna i zaplanować na nią napad.

Określiłem, że sprawców było przynajmniej dwóch. Na podstawie zeznań sąsiadów ustaliliśmy, że całe zdarzenie trwało niespełna dwadzieścia minut. Jedna osoba nie byłaby w stanie tego wszystkiego dokonać w tak krótkim czasie. Dlatego wskazałem, że sprawcy musieli mieć wprawę w kwestii oszustw, kradzieży i rozbojów. Świadczą o tym ślady behawioralne pozostawione na miejscu zdarzenia. Mieszkanie było porządnie i fachowo splądrowane – wiedzieli, jak wejść niepostrzeżenie, co brać i jak się z bloku oddalić. Z całą pewnością byli notowani przez policję lub wręcz karani. Wybrali odpowiednią porę na dokonanie przestępstwa oraz skuteczną **legendę**[1]*. Kiedy pisałem profil, nie wiedziałem jeszcze jaką, ale po rozmowach*

[1] Szereg działań ułatwiających wejście na teren posesji, umiejętne poruszanie się po terenie dzięki pozorowanym czynnościom.

z sąsiadami Leokadii Głowackiej wszystkie klocki same zaczęły się układać.

Sąsiedzi powiedzieli, że tragicznej nocy słyszeli rumor w jej mieszkaniu. To ich jednak nie zaniepokoiło, bo kobieta miała swoje kaprysy i czasami w nocy dokonywała przemeblowania wnętrza. Wydało mi się to trochę dziwne, ponieważ kiedy zebrałem materiał wiktymologiczny i określiłem cechy charakteru pani Leokadii, takie zachowanie zupełnie do niej nie pasowało. Nikomu nie przyszło też do głowy, by zadzwonić na policję. Czy to możliwe, by sąsiedzi mieli związek ze zbrodnią? A może osoby mieszkające obok po prostu obawiały się o swoje zdrowie lub życie i dlatego nie stanęły w obronie staruszki? Rozmawiałem z każdym mieszkańcem bloku. Niemal wszyscy byli powyżej pięćdziesięciu lat. Tylko na trzecim piętrze mieszkała para trzydziestolatków. Zabójcy prawdopodobnie założyli, że starsi ludzie mieszkający w innych lokalach nie przyjdą z pomocą, nawet gdyby Głowacka zaczęła wzywać pomocy. To był dla mnie cenny element układanki. Sprawcy musieli monitorować dom pani Leokadii i jego okolicę. Wiedzieli doskonale, jaki tryb życia prowadzą jej sąsiedzi.

Zastanawiało mnie, dlaczego nie było słychać krzyków starszej pani. Czy znała swoich zabójców? Czy mogła ich wpuścić do mieszkania pod pozorem pożyczenia szklanki mąki? Czy to jest jeden z jej sąsiadów? Była osobą niezwykle ostrożną. Wiedziała, jakie zagrożenie niesie za sobą trzymanie gotówki i cennych przedmiotów w mieszkaniu. Uznałem jednak, że gdyby to był ktoś jej dobrze znany, bliski lub choćby sąsiad, wybrałby porę o wiele dogodniejszą niż północ. Możliwe, że przyszedłby dokonać kradzieży, kiedy w mieszkaniu nikogo nie było – bo wiedziałby o tym. Stąd wniosek, że zabójcy nie znali rozkładu dnia Głowackiej. Wiedzieli natomiast, że jest zamożna i będzie co rabować. Stwierdziłem, że mam do czynienia z „zawodowcami". A oni wchodzą na skuteczną legendę, czyli udają fachowców – z gazowni, elektrowni, mistrza kominiarskiego lub hydraulika. Do tego odpowiedni kombinezon, uwiarygodniający tę tezę, oraz skórzane torby, w których zamiast kluczy są narzędzia zbrodni, a potem zrabowany łup.

Tę wersję potwierdzili świadkowie. Kilku sąsiadów widziało robotników opuszczających blok. Kobieta mieszkająca obok pani Leokadii przyznała, że zdziwiła się, dlaczego robotnicy przychodzą o takiej porze, jednak zaraz to sobie wytłumaczyła: „Przecież awarie nie znają dnia ani godziny". To częsty mechanizm myślenia. Intuicja podpowiada nam: „Tu dzieje się coś dziwnego", ale zaraz to usprawiedliwiamy – zagłuszamy argumentami logicznymi, rozumowymi. I dokładnie tak postąpiła ta kobieta. Założyłem, że przyszli w odpowiednim przebraniu. Zadzwonili wideofonem do mieszkania Głowackiej i zadali słynne pytanie: „Czy nie czuła pani dzisiaj ulatniającego się gazu?". Ten przekaz tak silnie trafia w ludzkie poczucie bezpieczeństwa, że osłabia czujność i otwiera prawie wszystkie drzwi. Dlatego, jak mniemam, pani Leokadia również je otworzyła.

To był najtrudniejszy element – wejście do mieszkania. Dalej akcja była standardowa, przynajmniej jeśli chodzi o tych konkretnych przestępców. Na podstawie akt można szczegółowo odtworzyć przebieg dramatycznego zdarzenia. Jeden ze sprawców złapał kobietę od tyłu, a drugi zakneblował jej usta, żeby nie mogła krzyczeć. Ręce związali jej sznurkiem, który przynieśli ze sobą, ale ponieważ nie wystarczyło go do skrępowania nóg, wyrwali kabel telefoniczny. To miało także inny cel – gdyby nagle zadzwonił telefon, ktoś zaniepokoiłby się, dlaczego starsza pani nie odbiera. Po wyrwaniu kabla osoba dzwoniąca słyszy w słuchawce krótki powtarzający się sygnał, co nasuwa przypuszczenie, że kobieta rozmawia z kimś przez telefon, więc wszystko jest w porządku. Jeden ze świadków mówił zresztą, że próbował się do niej dodzwonić, ale było zajęte.

Podczas wyrywania kabla z gniazdka jeden ze sprawców przypadkowo przeciął rękawiczkę. Nie zauważył tego i kiedy dotknął najbliżej stojącej szafki, zostawił na niej odcisk palca. Miał pecha, bo poza tym przestępcy byli perfekcyjnie przygotowani do napadu.

Prawdopodobnie „pracowali" razem już wcześniej. Starszy około czterdziestki, młodszy w wieku trzydzieści do trzydziestu pięciu lat. Starszy był „mózgiem" – obmyślił cały napad, podejmował decyzje, wymyślił legendę i kontrolował przebieg akcji. Jeśli chodzi o przestępstwa grupowe, zwykle liderem jest ten bardziej doświadczony, starszy, potrafiący zachować zimną krew, zdroworozsądkowe podejście. Ma bogatsze doświadczenie życiowe, a często i kryminalne. Zdarzają się sytuacje, w których to młodszy sprawca przewodzi starszemu, ale tylko jeśli ma lepsze pięści, większą siłę. Tutaj ten starszy był silniejszy od młodszego, ale o roli wiodącej zadecydowały cechy charakteru: umiejętność chłodnej kalkulacji i intelektu.

Byłem pewny, że napastnicy nie mieszkają w pobliżu ofiary, może nawet pochodzą z innego miasta. Sprawca, który pochodziłby z bliskiej okolicy lub znał Leokadię, wybrałby na dokonanie przestępstwa moment, kiedy była poza domem. By zrabować jej cenne precjoza, nie musiałby jej zabijać. Mieszkając gdzie indziej, trzeba zadać sobie naprawdę wiele trudu, żeby zbadać teren, poznać rytuały ofiary, jej sposób życia, dowiedzieć się, jak w danym miejscu wygląda jawność życia sąsiadów. Zabójcy staruszki przygotowali się do napadu bardzo dobrze, ale nie perfekcyjnie – popełnili kilka błędów, jak choćby wybór czasu napadu. Prawdopodobnie przypadkowo zdobyli wiedzę na temat zamożności Leokadii Głowackiej, ponieważ trudnią się tym procederem i szukali kogoś do obrabowania. Początkowo szli na klasyczny napad. Wiedzieli jednak, że łup będzie wielki, więc postanowili, że jeśli będzie trzeba – zabiją staruszkę. I faktycznie, sytuacja wymknęła im się spod kontroli.

Uznałem, że obaj mają wykształcenie zawodowe. Ich plan nie był wyrafinowany. Toporne wejście „na gazownika", splądrowanie lokalu, zakneblowanie ofiary i ucieczka. Choć się starali, nie wniknęli w szczegóły związane z życiem tej kobiety. Gdyby sprawca wiodący miał choćby średnie wykształcenie, opracowałby taki plan, żeby wdowy nie zabijać. Tak przeprowadziłby akcję, żeby nie było ani ofiar, ani świadków. Po co brać na siebie odpowiedzialność za zbrodnię, gdy można poprzestać na kradzieży? Poza tym osoby z wyższym niż zawodowe wykształceniem posługiwałyby się innymi narzędziami, a sprawcy nie mieli praktycznie żadnych. Miałyby też lepszy pomysł na unieruchomienie ofiary, niekoniecznie tak barbarzyński jak wkładanie jej do szafy. Mogli zasłonić staruszce oczy, skrępować ją i zostawić tak, by ktoś mógł ją znaleźć i jej pomóc.

Mimo to zaznaczyłem, że sprawca wiodący charakteryzuje się dużą inteligencją praktyczną. Co to oznacza? Tego typu ludzie nie muszą być wykształceni, obyci czy oczytani. Są za to nieprawdopodobnie uzdolnieni, jeśli chodzi o umiejętności manipulacyjne, świetnie kojarzą fakty, bez trudu nawiązują relacje. W tym gronie jest mnóstwo osób, które zdobyły wielkie pieniądze, choć ich wykształcenie na to by nie wskazywało.

Napisałem też, że podczas działań operacyjnych śledczy mają się trzymać zasady: „Po owocach go poznacie". Zrabowane pieniądze i cenne precjoza miały taką wartość, że to musiało być widoczne.

Sprawcy nieprędko wpadli w ręce organów ścigania. Poprzedziły to żmudne działania operacyjne. Policjanci przeanalizowali wszystkie podobne napady w okręgu. Szukali sprawców o cechach wskazanych przez nadkomisarza Lacha. Profiler podpowiedział, by szczególną uwagę zwrócili na napady „na gazownika" i w duetach. Udało się wytypować dwóch mężczyzn idealnie pasujących wiekiem, ale zamieszkałych prawie sto kilometrów od miejsca zbrodni. Okazało się też, że jeden z nich siedzi w więzieniu. Znów poproszono o pomoc psychologa, tym razem, by doradził, którego podejrzanego przesłuchiwać najpierw.

Wiadomo było, że nie możemy sobie pozwolić na błąd i musimy trafić w dziesiątkę, to znaczy mieć zeznania tego, który zostawił odcisk palca w domu pani Leokadii. Taka analiza porównawcza potwierdzi sprawcę na sto procent i powiąże go ze sprawą, a wtedy będzie miał motywację, by wydać kompana. Poradziłem, by jako pierwszego przesłuchać młodszego, Seweryna Kwiatkowskiego – jednak nie ze względu na wiek, ale delikatniejszą osobowość. Miał dużo mniejsze doświadczenie w kontaktach z organami ścigania, gdyż jest to osoba skłonna do uległości, podporządkowująca się i we współpracy z policją może dostrzec własny interes. Zechce walczyć o niższy wyrok. Kwiatkowski początkowo uparcie wszystkiemu zaprzeczał. Wiedziałem jednak, że jeśli zastosuję odpowiednią taktykę przesłuchania, złoży zeznania obciążające kolegę, czyli doświadczonego złodzieja, Wojciecha Igłę, który odgrywał w tej konfiguracji rolę wiodącą.

– To już się stało – próbowałem przekonywać Kwiatkowskiego. – Wiem, że tego nie chcieliście. Nie planowaliście tego. Byłeś tam z kumplem.

– Ja nigdzie nie byłem.

– Byliście wtedy gazownikami czy elektrykami?

– A skąd pan to wie?

W tym momencie połączył się ze sprawą. Powiedziałem mu wtedy, co według mnie tam się stało. Potem rozmawialiśmy o jego rodzinie, o tym, ile może stracić, jeśli pójdzie siedzieć za zabójstwo staruszki. Przyznał, że jest bardzo związany ze swoją żoną i córką.

Zaproponowałem mu współpracę – w zamian za pomoc w ujawnieniu sprawcy wiodącego prokurator wniesie o nadzwyczajne złagodzenie jego kary. Bo tej na pewno nie uniknie. Odcisk jego palca funkcjonariusze zabezpieczyli na miejscu zdarzenia. Podczas przeszukania znaleziono uszkodzoną rękawiczkę. Ktoś z sąsiadów rozpoznał mężczyznę jako jednego z widzianych w nocy gazowni-

ków. Streściłem mu to w skrócie, by wiedział, jaka jest jego sytuacja prawna. Mimo to Seweryn nie od razu zdradził wspólnika. Najpierw opowiadał o różnych innych przestępstwach – tych popełnionych przez jego znajomych, ale i tych, w których sam brał udział. Łatwiej było mu się przyznać do dziesiątek włamań i kradzieży niż do zbrodni. W końcu jednak zdecydował: „Powiem wszystko, bo ten skurwysyn obiecywał mi jedną trzecią łupu, a do tej pory nie zobaczyłem nic. Jeszcze mnie pobił, kiedy upomniałem się o swoje".

Sprawcą wiodącym okazał się nie Wojciech Igła, ale inny złodziej, którego policjanci nawet nie brali pod uwagę, ponieważ w momencie zatrzymania był jednym z najbogatszych ludzi w okolicach Kielc. Kiedy zaczęli badać jego przeszłość, okazało się, że Ryszard Pura w ciągu zaledwie trzech lat zbudował przedsiębiorstwo przynoszące krociowe zyski.

Zanim jednak Pura stał się biznesmenem, był drobnym włamywaczem i złodziejem zamieszkałym w Malinówce, gminie oddalonej od Kielc prawie sto kilometrów. Trudnił się drobnymi napadami, specjalizował w wejściach „na gazownika", które dawały mu środki na codzienną, przeciętną egzystencję. Marzył jednak o trafieniu „złotego strzału", czyli o skoku, który ustawi go na całe życie. Kiedy więc przypadkowo dowiedział się o nieprawdopodobnej fortunie, jaką miała w domu staruszka w Kielcach, nie wahał się ani chwili. Był przekonany, że tak ogromny łup odmieni jego życie. Aby przygotować się do skoku, wynajął mieszkanie w pobliżu lokalu staruszki i jakiś czas ją obserwował. Szczegółowo opracował akcję, a potem ją kontrolował. Ponieważ zależało mu na pieniądzach Głowackiej, zdecydował o jej śmierci bez mrugnięcia okiem.

Pura zdawał sobie sprawę, że będzie miał zbyt mało czasu na pozbycie się świadka, splądrowanie mieszkania oraz skuteczną ucieczkę, jeśli będzie działał w pojedynkę. Wziął sobie do pomocy młodego i mało doświadczonego złodzieja, nad którym mógł całkowicie panować. Obiecał mu grube miliony, a młody natychmiast zapalił się do pomysłu. Wydawało mu się, że nawet jeśli dojdzie do zbrodni, łup będzie tak wielki, że przynajmniej przez chwilę będzie bogaty.

Pura przewidział, że po zabójstwie policja będzie monitorować środowiska przestępcze, w których funkcjonował, więc przez następne pół roku nie wydał ani złotówki ze zrabowanych pieniędzy. Nie puścił w obieg cennej biżuterii ani sreber. Tłumaczył, że z tego samego powodu na razie nie podzieli się łupem z Sewerynem. Mijały tygodnie, miesiące. Sprawa przycichła. Wtedy Ryszard stracił czujność. Uwierzył, że jest już bezkarny i sprytniejszy niż policja. Kupił sobie najnowszego mercedesa oraz elegancką willę w Kielcach. Zostało to dostrzeżone, ponieważ wcześniej nie miał praktycznie nic. Lwią część zrabowanego majątku zainwestował – najnowocześniejsze maszyny, wyposażenie biura, dzierżawa terenu. Założył firmę zajmującą się utylizacją śmieci w czasie, kiedy w Polsce można było na tym zarobić miliony. Jeśli miało się pierwszy milion, by zainwestować w sprzęt. W ciągu niecałych trzech lat rozkręcił wielki interes.

Minęło kolejne pół roku. Poproszono mnie, bym przygotował taktykę przesłuchania Ryszarda Pury, ponieważ jego powiązanie ze sprawą było niezwykle istotne.

Musiałem przyznać, że jest to człowiek zorganizowany, o silnej osobowości. Popełnił poważny błąd, nie dzieląc się łupem ze wspólnikiem. Gdyby Seweryn otrzymał swoją część łupu, jego poziom życia byłby pewnie wyższy, a wtedy nie miałby motywacji, by współpracować z policją. Nie pogrążyłby Pury. Przez Seweryna przemawiała jednak zazdrość: Ja mu pomogłem. On jest teraz jednym z bogatszych ludzi, jakich znam, a w zamian nie dostałem od niego ani grosza. Taki był tok myślenia przestępcy. Wystarczyło uderzyć w tę strunę, by uzyskać zeznania obciążające kompana. To było swoiste zadośćuczynienie, mała zemsta za to, że Pura potraktował go tak nikczemnie.

Policjanci kilka razy przesłuchiwali „Śmieciowego Króla". Choć udało się połączyć go ze sprawą, nigdy się nie przyznał. W zaparte szedł do końca, nawet kiedy zapadł wyrok skazujący. Co ciekawe, żeby jakoś wytłumaczyć pomówienia kompana, przyznał, że wie o tym przestępstwie, bo Seweryn mu o nim opowiadał. I żeby uwiarygodnić swoją wersję, opowiedział ze szczegółami całe zdarzenie. Podał takie detale, których młody nie mógł znać. Co zrobił ze skradzionym złotem, jak je upłynnił, w co zainwestował środki. Ryszard opowiadając o Sewerynie, mówił o sobie. Oczywiście była to tylko próba oczyszczenia się, kolejna gra. Sąd porównywał wyjaśnienia obu mężczyzn i dał wiarę Sewerynowi. Wyjaśnienia Pury uznał za niewiarygodne. Przed sądem stanęli obaj.

Firma śmieciowa Ryszarda Pury prosperuje do dziś. On za zabójstwo został skazany na dwadzieścia pięć lat więzienia, odsiaduje wyrok. Lukratywny biznes nie był oczywiście zarejestrowany na niego, lecz na zakochaną w nim kobietę. Nie została jego żoną, więc majątku nie można było tknąć. Jolanta regularnie odwiedza Ryszarda, przywozi książkę przychodów i rozchodów, dokumenty do podpisu, notuje uwagi, a on daje jej wytyczne, jak ma zarządzać firmą. Praktycznie rządzi nią zza krat.

Młody szybko wyszedł. Dostał bardzo niski wymiar kary. Prawdopodobnie nie wrócił na drogę przestępczą. Wyjechał z Kielc.

Komentarz

Sprawca, który działa na tle ekonomicznym, zawsze stara się wtopić w tłum, by nie zwracać na siebie uwagi. Zwłaszcza gdy dokonuje przestępstwa w dzień.

* * *

Niezwykle skrupulatnie przygotowuje się do popełnienia przestępstwa. Planuje działania szczegółowo, co do minuty i z detalami. Obserwuje miejsca, penetruje teren, szuka informacji dotyczących zwyczajów ofiary, sposobu bycia, trybu, porządku dnia, śledzi ją przez długi czas, by wejść w rytm jej życia w takim momencie, który będzie dla niego najbardziej bezpieczny. W ten sposób ogranicza ryzyko wpadki. Dlatego, jeśli w swoje działanie wkalkulował zabójstwo, to na miejscu zdarzenia nie wykazuje przejawów dodatkowej agresji.

* * *

Agresja sprawcy działającego na tle ekonomicznym jest zadaniowa. Ma charakter instrumentalny – chodzi o osiągnięcie określonego efektu, czyli usunięcie świadka. Jeden cios, jedna kula, jedno uderzenie nożem. Zakneblowanie ofiary chorej na astmę, by sama się udusiła.

* * *

Ofiara zbrodni popełnionych z tego motywu ma zazwyczaj dość wysoki status społeczny. Jest bogata i często wykształcona. Ma pieniądze odziedziczone po przodkach albo jest tak zwanym współczesnym „Dyzmą", posiadającym wysoką inteligencję praktyczną, i na przykład dorobiła się, bo we właściwym momencie uruchomiła właściwy interes. Na ogół ma skłonność do gadulstwa. Opowiada wszystkim, co ma i gdzie. Z pewnością nie robi tego, by zwabić złodzieja. Ludzie lubią się chwalić swoimi sukcesami. To podnosi ich poczucie własnej wartości. Obwieszczają więc wszystkim: „Jeszcze dziesięć lat temu byłem małym żuczkiem, a dzisiaj jestem panem". Niestety, przez takie działanie wystawiają się na ataki przestępców. Jeśli chodzi o wiek – zwykle jest to osoba dojrzała, a nawet w podeszłym wieku. W myśl zasady: im człowiek starszy, tym więcej ma pieniędzy – w końcu majątek i drogocenne przedmioty gromadzi się przez całe życie. Dodatkowo osoba starsza jest dla sprawców idealnym celem – ma obniżoną sprawność fizyczną.

* * *

Sprawca przestępstw na tle ekonomicznym wybiera na ofiarę osobę mało konfliktową. Zwykle po jej śmierci słyszy się: „To był taki miły, sympatyczny człowiek, miło się z nim rozmawiało". Ofiara nie ma wrogów, skłonności agresywnych, co najwyżej obrzuci kogoś wyzwiskami. Zwykle jest to bankowiec, osoba ze świata polityki, dobrze sytuowana. Ma duży krąg kontaktów.

* * *

Sprawców zabójstw popełnionych z tego motywu uważam za groźniejszych niż na przykład „osławionych" zabójców seksualnych[1]. Ich zbrodnia to skrzętnie przygotowana akcja. Wszystko jest obmyślone i wykonane „na zimno", tylko w celu zdobycia łupu. Nie ma mowy o emocjach. I jeśli ten typ przestępcy postanawia zabić, to tylko dlatego, by zlikwidować świadka, wyeliminować przeszkodę na drodze do majątku. Zwykle zresztą

[1] Patrz rozdział 3.

taki sprawca ma duże kompetencje społeczne[1]. Łatwo nawiązuje relacje z innymi, potrafi szybko wyciągać wnioski, zaciera ślady, umie się maskować. Zazwyczaj taki zabójca nie jest człowiekiem, który leje w mordę i zostawia mnóstwo odcisków palców. Przeciwnie. Jeśli działa w grupie, każdy ma przydzieloną rolę, którą musi odegrać i wypełnić swoje zadanie. Jest to swoista partytura i każdy ma swoje nuty do zagrania, jak w orkiestrze: ten ma zagrać to, a tamten co innego, ale razem ma to idealnie zabrzmieć. Dlatego najbrutalniejsze przestępstwa popełnione z motywu ekonomicznego mają zwykle charakter grupowy.

[1] Pojęcie kompetencji społecznych wprowadził do psychologii R. White w 1959 roku. Jest to umiejętność osiągnięcia celów społecznych i indywidualnych z równoczesnym zachowaniem dobrych stosunków z partnerami interakcji.

7

SPRAWCY PEDOFILII

OFIARA JEST NITKĄ, KTÓRA PROWADZI DO KŁĘBKA

Dwie siostry – Cieśla z paralizatorem – Looozik atakuje – Kod działania pedofila – Dziecko kobieta – Cios w umysł – Powracające obrazy

Dwie siostry

Gdyby nakręcono film na podstawie historii sióstr Anety i Wioletty Szmidt ze Skoczowa, widzowie prawdopodobnie uznaliby ją za zbyt nieprawdopodobną. A jednak ta historia zdarzyła się naprawdę.

We wrześniu 1996 roku ze szkoły wracała dziesięcioletnia Aneta. Po drodze odebrała z przedszkola swoją młodszą siostrę, czteroletnią Wioletę. Aby dojść do domu, musiały iść przez las. Było ciepłe popołudnie. Nagle z zarośli wyszedł mężczyzna. Chwycił młodszą z sióstr, starsza zaczęła ją bronić. Mężczyzna był rosły i łatwo poradził sobie z obiema dziewczynkami. Młodszą Wiolę przywiązał do drzewa i na jej oczach brutalnie zgwałcił Anetę. Na koniec użył paralizatora dla zwierząt, czym spotęgował jeszcze jej ból i przerażenie. Zaraz potem uciekł. Kiedy dziewczynki dotarły do domu, rodzice zawiadomili policję. Sporządzono dokładny rysopis, jednak sprawcy nie udało się ująć.

Mijały lata. Nikomu nie przyszło do głowy, by otoczyć dziewczynki opieką psychologiczną. Aneta żyła z ogromną traumą. Zamknęła się w sobie. Przestała eksponować swoją kobiecość. Nosiła wyłącznie spodnie i rozciągnięte swetry. Ogoliła włosy na zapałkę. Rodzice nie zdawali sobie sprawy, jakie spustoszenie w psychice Anety zrobiło tamto zdarzenie.

Rodzina dziewczynek jest uboga. Ojciec – artysta ludowy, rzeźbi drewniane figurki świętych, które sprzedaje na jarmarkach.

Matka zajmuje się domem, nigdy nie pracowała. Szmidtom często brakowało środków na podstawowe potrzeby: żywność, ubrania, przybory szkolne dla dziewczynek. I nawet gdyby zaoferowano im bezpłatną pomoc psychologa, nie mieliby pieniędzy na przejazdy autobusem do specjalisty, a co dopiero, by pokryć koszty prywatnego leczenia. „Dziecko u terapeuty?" – to nie mieściło się w ich świadomości. Udawali, że nic się nie stało. Cieszyli się, że córka uszła z życiem. O samym gwałcie woleli nie wspominać, licząc, że siostry z czasem zapomną.

Młodsza z sióstr, Wioleta, miała już trzynaście lat. Pewnego dnia, gdy wracała do domu ze szkoły, drogę zaszedł jej mężczyzna. Złapał ją, zakneblował usta szmatą, przywiązał do dwóch drzew – prawe kończyny do jednego, lewe do drugiego – po czym zgwałcił. Jakby tego było mało, kończąc, poraził ją paralizatorem, podobnie jak przed dziewięciu laty jej starszą siostrę. W dziewczynce obudziły się tragiczne wspomnienia.

Wioleta załamała się. Próbowała odebrać sobie życie, ale ją uratowano. Po tej próbie rodzice podjęli decyzję o przeprowadzce. Sprzedali dom i kupili tańszy, w innej dzielnicy miasta. Wydawało się, że z Wioletą jest lepiej – nie była narażona na wytykanie palcami przez sąsiadów i kolegów, nie musiała wracać do domu drogą, która budziła złe wspomnienia.

Zawiadomiona o gwałcie policja podjęła intensywne śledztwo. Poszukiwania sprawcy były bezskuteczne. Do sprawy powołano profilera. Miał porozmawiać z dziewczynką i stworzyć psychologiczny portret nieznanego sprawcy.

Byłem w trakcie pisania mojego doktoratu na temat pedofilii. Już po przeczytaniu samego sposobu działania sprawcy wiedziałem, że mam do czynienia z typem pedofila sadysty. Gwałty były brutalne, spowodowały po-

ważne obrażenia u obu sióstr, między innymi rozerwanie krocza. Nie trzeba wymieniać wszystkich, by wyobrazić sobie bestialstwo tego człowieka. To mu jednak nie wystarczyło. Pod koniec każdego gwałtu używał paralizatora. Czynił to, by wprowadzić swoje ofiary w stan jeszcze większego przerażenia, spotęgować strach i przeżywany stres. Pedofil sadysta w taki sposób zaspokaja swoją potrzebę dominacji. Poza tym ofiara ma potem ogromne trudności z opisaniem zdarzenia policji.

W sprawach molestowania seksualnego dzieci najważniejsza jest umiejętna praca z ofiarą. Według polskiego prawa, jeśli mamy do czynienia z przestępstwem popełnionym na dziecku, można je przesłuchać tylko raz, o ile nie nastąpią okoliczności uzasadniające potrzebę ponownego przesłuchania, jak choćby brak obrońcy podejrzanego, pojawienie się nowych okoliczności majątkowych czy rozwód rodziców. To słuszna koncepcja – chodzi o to, by nie powiększać przeżywanej przez ofiarę traumy. Dlatego przesłuchanie Wiolety było jedną z ważniejszych i najtrudniejszych czynności w tej sprawie. Rozmowa była nagrywana, aby w każdej chwili można było ją odtworzyć bez potrzeby wielokrotnego zadawania tych samych pytań.

Poprosiłem o akta wszystkich tego typu spraw, które nie zostały rozwiązane. Byłem pewny, że nie jest to pierwsza zbrodnia tego człowieka. Mówię zbrodnia, ponieważ gwałt na dziecku jest najbardziej odrażającym i najbardziej obciążającym psychicznie aktem przemocy. Porównywalnym z zabójstwem. Sprawca, dokonując tych strasznych czynów, zabija mentalnie. Te dziewczynki nigdy już nie będą takie jak przed zdarzeniem.

Po przeanalizowaniu wszystkich niewykrytych w tym rejonie spraw gwałtów wyselekcjonowałem te, które według mnie zostały wyrządzone przez tego samego sprawcę. Brałem pod uwagę sposób popełniania przestępstw, miejsce ich dokonania oraz wiek, wygląd i cechy psychologiczne ofiar.

Na podstawie zeznań ustaliłem, że sprawcą jest młodym, wysokim, bardzo dobrze zbudowanym mężczyzną o blond włosach. Wybierał dziewczynki o delikatnej urodzie, wyglądające na nie więcej niż dwanaście lat. Wszystkie miały jasne włosy. Ponieważ żadna z dziewczynek nie rozpoznała w gwałcicielu nikogo znajomego, uznałem, że agresor nie mieszka w bliskiej okolicy, ale często w niej bywa. Porusza się starym autem.

Działał zawsze w podobny sposób. Zagajał rozmowę, usypiał czujność i brutalnie atakował. Zatrzymywał się przy mało uczęszczanej drodze, w okolicy szkoły. Zaczajał się na dziecko niczym myśliwy. Czekał, aż samo wpadnie w jego sidła. Kiedy pojawiała się ofiara, otwierał maskę auta i udawał, że coś naprawia. Gdy dziewczynka przechodziła obok, mówił, że zepsuł mu się samochód i pytał, gdzie jest jakiś warsztat. Kiedy dziewczynka zatrzymywała się, by mu pomóc, łapał ją, wrzucał do bagażnika, po czym wywoził do lasu. Miał przygotowane miejsca, w których dwa drzewa rosły w taki sposób, że mógł do nich przywiązać rozłożone nogi i ręce dziecka i brutalnie zgwałcić. W takiej też pozycji je zostawiał i odjeżdżał.

Był jednak jeden wyjątek – w dokumentacji dotyczącej gwałtu na Anecie Szmidt nie było żadnej wzmianki o samochodzie. To mogło oznaczać, że wówczas jeszcze go nie miał. A zatem przyjechał w to miejsce autobusem. Musiał znać tu kogoś, może w Cieszynie mieszka ktoś z jego rodziny, a może podejmuje w okolicy jakieś prace? Jeśli tak – wykonywany zawód wymaga od niego częstego przemieszczania się.

Przestępstw dokonano w różnych miejscach, dlatego wykonałem mapę, na której zaznaczyłem te, gdzie dokonano czynów o charakterze seksualnym. Następnie za pomocą technik profilowania geograficznego ustaliłem, że pedofil musi mieszkać w miejscowości oddalonej najwyżej dwadzieścia kilometrów od dawnego mieszkania Szmidtów.

Na podstawie dostarczonych przeze mnie informacji, policjanci tworzyli listę podejrzanych. Wbrew pozorom mieliśmy bardzo wiele danych, włącznie z portretem pamięciowym sporządzonym na podstawie rozmów z kilkoma jego ofiarami. Wiadomo też było, że skoro sprawca zaatakował dwie siostry w ciągu dziewięciu lat, a do apogeum zaburzeń i co za tym idzie – popełnienia pierwszych zbrodni doszło, gdy miał lat dwadzieścia, w tej chwili jest mężczyzną około trzydziestki. Prawdopodobnie ma rodzinę – żonę, a nawet dzieci.

Kiedy policjanci rozpoczęli działania operacyjne, naszą uwagę zwróciła jeszcze jedna sprawa. Komendant jednego z powiatowych komisariatów wspomniał o zaginięciu jedenastoletniej Joanny Kaczor. Dziewczynka wyszła na dyskotekę i nie wróciła. Rodzina w okolicy rozwiesiła plakaty z jej podobizną, poszukiwano jej przez telewizję, wykupiono ogłoszenia w gazetach. Nie znaleziono jej ciała, wszelki ślad się urwał.

Zacząłem się zastanawiać, czy Joanna nie stała się kolejną ofiarą tego pedofila. Każdy z gwałtów był bardzo brutalny. Poszkodowane miały poważne obrażenia. Być może sprawca porwał dziewczynkę, żeby jak zwykle ją zgwałcić, lecz z jakichś przyczyn sytuacja wymknęła się spod kontroli i musiał zabić. Zasugerowałem, by to zaginięcie dołączyć do spraw zakwalifikowanych przeze mnie jako popełnione przez tego samego człowieka. Tym bardziej, że jedenastoletnia Joasia była blondynką o delikatnej urodzie.

W tym samym bloku, co zaginiona Joanna Kaczor, mieszkała Zofia Nowicka z domu Bandurska. Bardzo często przyjeżdżał do niej brat – Wojciech Bandurski, cieśla, zajmujący się budową dachów. Tak się składało, że dziewczynka zaginęła dokładnie w czasie, kiedy Bandurski pomieszkiwał u siostry. To wzbudziło podejrzenia policji. Bandurski na stałe mieszkał w innej miejscowości z żoną i trzyletnią córeczką. Kiedy przyszedł do niego dzielnicowy, powiedział, że nie zna Joanny i nie kojarzy jej nawet z widzenia. Jego siostra złożyła zupełnie inne zeznania. Policjanci zaczęli się Bandurskiemu przyglądać. Okazało się, że mężczyzna podejmował pracę w różnych miejscach, często wyjeżdżał. Bywał w okolicach, gdzie dokonano gwałtów na dziewczynkach. Jego szef przyznał, że Wojciech jest bardzo silny. Powiedział, że kiedy Bandurski pracuje na dachu, to często zamiast sięgnąć po młotek, dobija gwoździe dłonią. Ten element także pasował do profilu. Podobnie jak pozorny dobry związek Bandurskiego z żoną, która początkowo bardzo go broniła. Utrudniała nawet policjantom pracę, była wściekła, że jej mąż jest brany pod uwagę w tej sprawie. Kiedy jednak zgwałcone dziewczynki zaczęły go rozpoznawać na podstawie zdjęć, a potem okazań, zrozumiała, że pomaga przestępcy. Wtedy Bandurski przestał wracać do domu na noc. Domyślił się, że jest namierzany. W dniu, kiedy postanowiono go zatrzymać, też nie było go w domu. Kiedy żona dzwoniła do niego, by się dowiedzieć, gdzie jest, najpierw w ogóle nie odbierał telefonu, a potem skłamał, że jeszcze pracuje. Rozesłano za nim listy gończe. Kilka dni później sam zgłosił się na komendę. Kiedy policjanci go zobaczyli, nie mogli uwierzyć. Ledwie przeszedł przez drzwi. Był wielki, zwalisty jak szafa. Trudno było uwierzyć, że ten potężnie zbudowany mężczyzna zaspokaja swoje potrzeby seksualne, gwałcąc małe dziewczynki.

Bandurski przyjął linię obrony, że nie wie, o co chodzi. Do sprawy znów powołano profilera, by przygotował śledczych do przesłuchania.

Zacząłem od rozmowy o gwałcie Wiolety Szmidt, potem rozmawialiśmy o innych zgwałconych dziewczynkach. Po kolei mówiłem mu, co zrobił każdej z nich. Opisywałem ich obrażenia. Tłumaczyłem, co im uczynił, jak bardzo je skrzywdził. Próbowałem wyjaśnić, że choć pozostawił swoje ofiary przy życiu, to tak naprawdę jakby je zabił. Nigdy już nie będą takie jak przed tym tragicznym zdarzeniem. Sprawca wciąż szedł w zaparte. Twierdził, że to pomyłka i mylimy go z kimś innym. Wróciłem do sprawy Wiolety. Zapytałem, czy pamięta, co się zdarzyło dziewięć lat temu w lesie na obrzeżach Cieszyna. Przypomniałem mu tragedię Anety. Czy wiesz, kim była ta dziewczynka? Siostrą Wiolety. W ciągu dziewięciu lat w taki sam sposób skrzywdziłeś dwie siostry – powiedziałem.

To go ruszyło. Zaczął współpracować i przyznał się. Opowiedział o jedenastu gwałtach na małych dziewczynkach. Tłumaczył, że nie potrafi inaczej. Nie wie, dlaczego i co w niego wstępuje. Okazało się, że wyzwalaczem jego zaburzeń było zdarzenie, które miało miejsce, kiedy był dwunastolatkiem. Zaprosił do mieszkania starszą od siebie koleżankę, blondynkę o delikatnej urodzie, która miała go „rozprawiczyć". Nie dość, że stosunek był raczej nieporadny, to jeszcze w trakcie weszła jego starsza siostra. Zaczęła krzyczeć na brata i o wszystkim opowiedziała rodzicom. Potem z tej sytuacji śmieli się wszyscy jego koledzy, włącznie z dziewczyną, z którą wówczas był. Nie mógł zapomnieć tego poniżenia i znienawidził kobiety w ogóle. Choć pozornie funkcjonował dobrze, nawiązywał kontakty z płcią przeciwną, to tak naprawdę była to przykrywka, alibi. Satysfakcję dawało mu tylko zadawanie krzywdy małym dziewczynkom. To była jego osobista zemsta za tamtą sytuację.

Pierwszych molestowań dokonywał, przemieszczając się autobusem, kiedy odwiedzał siostrę. Pierwszej sytuacji nie pamięta. Działał spontanicznie. Wyszedł poirytowany od siostry i wtedy minęła go blondwłosa dziewczynka. Obudziła dawne wspomnienia. Zgwałcił ją w pobliskim lesie. Kolejne gwałty planował z rozmysłem. Kupił kilkunastoletnią skodę i jeździł „na polowania". Żona niczego nie podejrzewała. Nawet gdy nie wracał na noc, nie dziwiła się, ponieważ z powodu pracy często wyjeżdżał w delegacje.

Sprawa trafiła do sądu. Do profilera zwrócono się o opinię, czy Wioleta może występować w roli pokrzywdzonej.

Napisałem, że dziewczynka w żadnym wypadku nie może uczestniczyć w procesie karnym. Obecny stan psychiczny nie pozwoli jej nawet na odtworzenie przebiegu zdarzenia. Wioleta wciąż cierpi na stres posttraumatyczny. Dziewczynie wydaje się, że to, co dzieje się wokół niej, nie jest rzeczywistością. Ktoś do niej mówi, a ona nie reaguje – tak jakby tego kogoś nie dostrzegała, nie słyszała. Rodzice nie udzielili jej oczekiwanego wsparcia. Zamiast zająć się córką i zadbać o jej terapię psychologiczną, wpędzili ją w poczucie winy. Ojciec oskarżył Wioletę, że sama się o to prosiła, bo przecież mogła iść inną drogą. Nie pomogło jej to, że rodzina przeniosła się w inny rejon kraju. Nadal nikt nie wspiera jej emocjonalnie, nie została poddana terapii psychologicznej. Wciąż nie czuje się bezpieczna.

Wioleta nie nawiązuje żadnych kontaktów emocjonalnych. Nie tylko z chłopakami, choć koleżanki w jej wieku mają już swoje sympatie, ale i z dziewczętami. Nie ma kolegów, przyjaciół. Jest samotna. Ucieka od rzeczywistości. Boi się nawiązywać więzi, zwłaszcza obawia się tych, które mogłyby się wiązać z jakimikolwiek emocjami. Zresztą ich nie potrzebuje. Cierpi na zamrożenie emocjonalne i jednocześnie syndrom ocalenia – to znaczy cieszy się, że uratowała życie. Nic więcej nie wydaje się jej istotne. Nie myśli o tym, co będzie, nie ma żadnych ambicji ani planów. Żyje z dnia na dzień. Apatyczna, zobojętniała, chłodna. Jednocześnie infantylna, pragnie jak najdłużej pozostać dzieckiem, a wręcz boi się, że kiedyś stanie się kobietą. Jeśli nie otrzyma profesjonalnego wsparcia, może być tak już zawsze.

Sprawca tego czynu dobrowolnie poddał się karze[1]. Sąd skazał go na dziesięć lat więzienia.

Policjanci próbowali powiązać go z zaginięciem Joanny Kaczor. Bandurski nigdy nie przyznał się, że ma z tym coś wspólnego. Do dziś nie odnaleziono ciała dziecka.

W sidłach pedofila

Dziesięcioletni Dawid Fąfal i siedmioletnia Ela Pieleszko są ciotecznym rodzeństwem. Mieszkają w Rudzie Śląskiej, zaledwie kilka bloków od siebie. Ich rodzice bardzo się lubią, często u siebie bywają. Dzieci odwiedzają się nawzajem bez zapowiedzi. Czternastego listopada 2005 roku spędzali czas na placu zabaw przed blokiem dziewczynki. Mama Eli kazała im być w domu przed dobranocką. Tego dnia Dawid miał nocować u Pieleszków. Kiedy minęła dwudziesta, a dzieci nie wróciły, kobieta zaczęła się niepokoić. Wyszła z domu. Na placu zabaw ich nie było, więc zaczęła poszukiwania. Zaangażowała do tego sąsiadów i rodzinę. Pół godziny później znaleziono je w pobliskim parku i przyprowadzono do domu. Ewelina najpierw nakrzyczała na dzieci, że się przez nie najadła strachu, potem jednak zauważyła, że dość dziwnie się zachowują. Były smutne, Ela zapłakana, a rozgadany zwykle Dawid milczał. Dopiero podczas kąpieli zaczął opowiadać, co ich spotkało.

Tego dnia poszli na plac zabaw na sąsiednie osiedle, czego rodzice im zakazywali, ponieważ trzeba było przejść przez

[1] Dobrowolne poddanie się karze służy skróceniu postępowania w sądzie; sąd wydaje wyrok bez postępowania dowodowego, to oszczędza czas, pieniądze, ale przede wszystkim nie zmusza ofiar i świadków do ponownegoo przeżywania tragicznych doznań.

niebezpieczne skrzyżowanie. Około osiemnastej zorientowali się, że jest późno i Dawid zaproponował, żeby poszli skrótem w okolicy dawnej stacji kolejowej. Tam zauważyli, że obserwuje ich „pewien pan". Ela miała wrażenie, że od jakiegoś czasu ich śledził. By dotrzeć do domu, dzieci musiały przejść przez zabudowania stacji. Kiedy znalazły się pod łącznikiem między budynkami, zaszedł im drogę. Dawid wyminął mężczyznę i oddalił się na bezpieczną odległość. Nagle usłyszał krzyk kuzynki. Kiedy się odwrócił, zobaczył, że napastnik trzyma Elę za włosy, a ta rozpaczliwie płacze. Chłopiec wahał się, czy wracać, ale wtedy mężczyzna wyjął z torby nóż i przyłożył Eli do gardła. Powiedział do chłopca: „Wracaj, bo ją zabiję". Dawid posłusznie podszedł.

Mężczyzna stosował wobec nich typową, bardzo perfidną technikę manipulacji. Raz był agresywny, a za chwilę przymilny. Kiedy miał już oboje przy sobie, złagodniał. Po chwili jednak wyjął sznurek i związał małą. Już unieruchomioną zapytał, czy lubi bawić się telefonem. Uspokojona i skołowana nagłą zmianą zachowania mężczyzny dziewczynka kiwnęła głową. Wtedy pokazał obojgu „zboczone obrazki" w telefonie. „Takie rzeczy robiliśmy z innymi dziećmi" – powiedział. Z torby zawieszonej na ramieniu wyjął gazety, w których – jak relacjonowały maluchy – było jeszcze więcej „zboczonych obrazków". Następnie kazał im się rozebrać, włącznie z majtkami i butami. Kiedy dzieci wykonały jego polecenie, sam zdjął spodnie. Małej Eli kazał się położyć na kurtce i włożył jej do odbytu czopek. Potem kazał się całować po członku, a następnie próbował go włożyć do odbytu dziewczynki. Chłopcu też włożył czopek, a następnie usiłował go zgwałcić. Na szczęście bez powodzenia. Dzieci powiedziały, że nie trwało to długo. Kiedy skończył, kazał im się ubrać i zagroził, że jeśli komuś powiedzą o tym, co się stało, znajdzie ich i zabije.

Jeszcze tego samego wieczoru matka Eli zawiadomiła policję. W okolice napadu wysłano patrol, lecz nie zauważono nikogo o podanym przez dzieci rysopisie. Wtedy Dawid przyznał, że chyba widział tego pana kilka dni wcześniej na ulicy, kiedy bawił się z kolegami. „Wtedy wołały mnie dziewczyny. On krzyknął do mnie, żebym nie słuchał żadnych kobiet, tylko mamy, i poszedł" – opowiadał chłopiec. Spotkał „pana" ponownie, kiedy przechodził obok swojego bloku. „Ty tutaj chyba mieszkasz" – powiedział mężczyzna.

Ponieważ pedofil nie zadał dzieciom poważniejszych obrażeń – nie doszło do penetracji – badanie lekarskie nie potwierdzało zeznań matki Eli, jakoby dzieci stały się ofiarą brutalnego gwałtu. Policjanci zastanawiali się, czy matka Eli nie ma jakiegoś interesu w powiadamianiu organów ścigania. Czy nie chce pomówić o ten czyn męża, z którym się właśnie rozwodziła. Nie wykluczono jednak, że doszło do takiego zdarzenia i że sprawca molestował Dawida i Elę. Psycholog, który badał wiarygodność zeznań dzieci, potwierdził, że nie może być mowy o konfabulacji. Rozpoczęły się gorączkowe poszukiwania pedofila.

Jasne dla mnie było, że to zdarzenie jest kolejnym działaniem sprawcy. Potrafił sprawnie zwabić ofiary w swój psychologiczny rewir działania. Ma już ustalony sposób postępowania, wie, jak nawiązać kontakt. Prawdopodobnie ma na koncie wiele ofiar. Przygotował się do tego ataku. Obserwował Dawida i Elę, poznał ich zwyczaje, wiedział, co stanowi dla nich wartość (uśpienie czujności rozmową o komórce).

Dzieci dokładnie opisały jego wygląd – czarne krótkie włosy, bez znaków szczególnych, wzrost około stu siedemdziesięciu pięciu centymetrów. Ja dodałem, że jest to mężczyzna w wieku dwadzieścia pięć do trzydziestu lat. Zamknięty w sobie, tłumiący swoje pragnienia. Pozornie przystosowany społecznie. Motywem jego działania jest zaspokojenie potrzeby kontroli, panowania i władzy. Ma problemy w nawiązywaniu kontaktów z kobietami. To człowiek nieposiadający stałej partnerki, a jeśli funkcjonuje w związku, ma on jedynie pozorny charakter. Prawdopodobnie mieszka samotnie lub z z matką. Kolekcjonuje pornograficzne pisma i zdjęcia. Mógł być karany za podobne czyny, ponieważ nie zostawił żadnych śladów biologicznych, a tak czynią przestępcy po wyjściu z więzienia. Umiejętnie „sprzątają" miejsce zdarzenia, bo wiedzą, co może świadczyć na ich niekorzyść.

Kluczem było dla mnie miejsce, w którym dokonał przestępstwa. Skąd wiedział, że nikt go tam nie nakryje? Przeszedłem kilka razy tę drogę, którą przemieszczały się dzieci i sprawca. Uznałem, że mam do czynienia ze sprawcą sytuacyjnym. Wychodzi „na polowanie" i czeka w dogodnym momencie, aż upatrzone ofiary wpadną w jego sidła.

Droga, którą wracały dzieci, jest dla niego miejscem bezpiecznym, mimo że wokół zwykle przechodzą ludzie. Wiedział, że o tej godzinie nikt go nie przyłapie. Zna więc teren. Dobrze się tu czuje. Podpowiedziałem policjantom, że mieszka w tym mieście lub z niego pochodzi i mógł pracować w okolicy. Obecnie nie przebywa na co dzień w rejonie stacji kolejowej, dlatego czuje się w tym miejscu bezpiecznie i tu właśnie dokonuje przestępstw.

Policjanci wzięli to pod uwagę. Zbadali wszystkich mieszkających w okolicy oraz byłych pracowników stacji notowanych bądź karanych za podobne czyny. Zatrzymano kilka osób. Wśród nich był trzydziestojednoletni kolejarz, który mieszkał samotnie w innej dzielnicy. Żeby odwiedzić matkę, przechodził przez ową bramę. Lubił się włóczyć w okolicy stacji kolejowej, ponieważ kiedyś tam pracował. Sprawca przyznał się do przestępstwa. Na jaw wyszły inne jego przestępstwa pedofilii, do tej pory uznawane za niewykryte. Sprawy zostały połączone. Pedofil za wszystkie odpowie przed sądem.

Looozik

Była pierwsza połowa grudnia 2006 roku, kiedy Katarzyna Wachowska zauważyła, że jej jedenastoletni syn, Karol, zamawia w internecie płatne dzwonki i tapety. Kobieta nie jest osobą zamożną, sama wychowuje syna. Karol nie dostawał więc kieszonkowego, bo Wachowskiej zwyczajnie nie było na to stać. Czasami z okazji świąt rodzinnych otrzymywał drobne pieniądze – od czterech do dwudziestu złotych. Dlatego podejrzanym wydał się jej fakt, skąd chłopak ma na to pieniądze.

Pierwszego stycznia 2007 roku Wachowska skorzystała z nieobecności syna i przeszukała jego komputer, historię używanych stron www oraz przeczytała zapis rozmów na Gadu-Gadu. Kobieta była porażona tym, co znalazła. Karol obnażał się przed kamerą, onanizował, używał sprośnych wyrazów. Coś, co do tej pory wydawało jej się nieprawdopodobne i o czym słyszała jedynie w telewizji, dotknęło właśnie jej dziecko – chłopiec padł ofiarą internetowego pedofila.

Jeszcze tego samego dnia skontaktowała się z administratorem lokalnej sieci internetowej i zażądała dokumentu potwierdzającego, że jej syn wchodził na określone strony internetowe oraz wydrukowania historii rozmów na komunikatorze Gadu-Gadu z użytkownikiem występującym pod nickiem Looozik. Jedenastolatek używał skrótu Karolek2. Matka otrzymała dane w ciągu trzech dni.

Trzeciego stycznia 2007 roku, kiedy kobieta miała już w ręku dowody popełnionego przestępstwa, zawiadomiła policję. Funkcjonariusze przesłuchali matkę, obejrzeli dostarczone przez nią materiały, a następnie w obecności psychologa wysłuchano zeznań Karola. Chłopiec potwierdził, że poznał „tego pana" niecały miesiąc temu na czacie. Pedofil początkowo udawał chłopca w wieku piętnastu lat.

To Looozik inicjował kontakty z chłopcem – były one naprawdę niewinne i bardzo krótkie. Oto ich zapis odtworzony z Gadu-Gadu z ostatnich kilku dni:

26.12.2006 (wtorek)

Godzina 16:40 – „Hejka, się masz". Zerwanie kontaktu.

Godzina 19:17 –„Siema jestem właśnie wróciłem". Koniec kontaktu.

Godzina 20:13 – Tym razem rozmowa trwała już godzinę i trzy minuty.

Analizowałem przebieg tych rozmów. Zauważyłem, że sprawcy w sprytny sposób udało się uwikłać małoletniego. Pierwsze kontakty inicjuje Looozik, są one pozornie niezobowiązujące. To świadczy o przemyślanej lub już sprawdzonej strategii. Działa na tyle skutecznie, że następnego dnia chłopiec sam próbuje nawiązać kontakt z Looozikiem i stara się zwrócić jego uwagę. Pedofilowi dokładnie o to chodzi. Zobaczmy, jak rozwijała się ta „znajomość".

27 grudnia (środa)

9:37 – Karol próbuje nawiązać kontakt z Looozikiem. Po kilku nieudanych próbach, kiedy wydawałoby się, że znajomy się zniechęcił, odzywa się i informuje zdawkowo, że będzie wieczorem: „Teraz jestem w pracy niestety".

18:43 – Następny komunikat ma charakter wyraźnie manipulacyjny: „Siema, ja teraz byłem... będę dalej wieczorem do później". Pedofil chce, żeby następnym razem to Karol zainicjował kontakt.

20:35 – „No witam, właśnie usiadłem do kompa". Po czym o 21:30 przerywa kontakt, wpisując liczbę „22". W ten sposób informuje chłopca, o której godzinie zostanie przekazany mu kod doładowania komórki. To forma zapłaty za onanizowanie się przed kamerą internetową.

22:38 – Ponownie nawiązuje kontakt. Trwa on niecałe dwie minuty. Służy przekazaniu kodów doładowania telefonu komórkowego.

28 grudnia (czwartek)

Tego dnia Karol trzy razy inicjował kontakt z Looozikiem. Looozik z Karolem – tylko dwa. Te pięć rozmów trwało w sumie pięćdziesiąt cztery minuty. Pod koniec dnia pedofil napisał Karolowi: „Skasuj archiwum rozmów".

Po kilku tygodniach pedofil przestał doładowywać konto telefoniczne Karola. Chłopiec zaprzestał kasowania prowadzonych rozmów, o co prosił go sprawca. Tylko dlatego policji udało się odzyskać zapisy z rozmów pedofila i jedenastolatka aż z dziesięciu dni. Dzięki temu mogli udowodnić, że pedofil nakłonił chłopca do różnych czynności seksualnych.

W ciągu niecałych trzech tygodni pedofil całkowicie obniżył próg zahamowań jedenastolatka. Sprawił, że Karol przestał się wstydzić, a wręcz był przekonany, że onanizowanie się przed kamerą internetową nie jest niczym złym, za to przynosi wymierne korzyści. W zamian za erotyczne pokazy chłopiec otrzymywał pieniądze na konto telefoniczne. Sprawca nauczył chłopca, jak manipulować ludźmi, zdobywać na nich „haki", które w przyszłości pozwolą ich szantażować. Gdyby w porę do sprawy nie wkroczyły matka dziecka i policja, bardzo prawdopodobne jest, że kolejnym doświadczeniem Karola byłoby sprzedawanie własnego ciała w rzeczywistości, a nie tylko wirtualnie. Winą za to należy obarczać tylko pedofila działającego w sieci internetowej. Choć mężczyzna nie miał z chłopcem bezpośredniego kontaktu – nie dotykał go, nie zgwałcił, nie zadał żadnego fizycznego obrażenia, zrobił mu coś gorszego, co może się równać ze śmiertelnymi obrażeniami ciała – wyzuł dziecko z podstawowych norm moralnych, pozbawił je niewinności.

Policja bez problemu ustaliła kod IP komputera, z którego korzystał Looozik. Oczywiście numer należał do sieci osiedlowej, która obejmuje ponad dwieście pięćdziesiąt mieszkań. Nie było możliwe wyłowienie z tego grona jednej osoby. Potrzebny był profil, by zawęzić grono podejrzanych.

Przeanalizowałem dane i napisałem w profilu, że sprawcą jest osoba w wieku około dwudziestu pięciu do trzydziestu pięciu lat, ale grono jego znajomych stanowią osoby młodsze od niego. W kontaktach z jedenastolatkiem używał żargonu młodzieżowego (tak ciągle na ręcznym jedziesz, to włączaj kam skype, włącz priv, jedziemy na tym samym wózku) oraz zmiękczeń językowych, na które dzieci są wrażliwe. W efekcie udało mu się wzbudzić zaufanie chłopca. Używał ponadto stosowanych przez młodzież skrótów: spox, oki, nara, narka. Posługiwał się także komunikatami o charakterze emocjonalnym, czyli buźkami.

Stosował chwyty likwidujące wstyd. Pedofile często pokazują dzieciom zdjęcia w telefonie, tłumacząc, że to tylko zabawa. Za to oferują drobne pieniądze. Dziecko chce otrzymać kolejną gratyfikację, więc zgadza się posunąć dalej. Pedofil żąda więcej – na przykład rozebrania się. Dziecko dostaje większą kwotę. Kolejne progi wstydu są przekraczane coraz szybciej i łatwiej. A każde pokonanie bariery wstydu jest nagradzane dodatkową kwotą. W końcu dochodzi do tego, że – jak w tym przypadku – chłopiec sam zgadza się onanizować przed kamerą internetową. Wie, że dostanie pieniądze. Bardzo łatwo pedofilowi wyegzekwować te zachowania, ponieważ manipuluje dzieckiem, a jednocześnie buduje atmosferę wzajemności. Osłabia to mechanizmy obronne. Jest to typowa praktyka stosowana przez pedofilów. Nieprzypadkowo sprawca używa skrótu Looozik – obrazował on jego stan psychiczny oraz nastawienie do życia. Przekazał także chłopcu fikcyjne dane: najpierw przedstawił się jako piętnastolatek, a potem przyznał: „naprawdę mam dwadzieścia osiem lat, na imię Patryk i mieszkam w Gorzowie". Gdyby się przedstawił jako pięćdziesięcioletni Józef i używał normalnego języka, nie udałoby mu się do tego stopnia zmanipulować chłopca. Dlatego napisałem, że sprawcą jest osoba o dość wysokiej inteligencji i przy-

najmniej ze średnim wykształceniem. Jego sposób działania, choćby polecenie, by chłopiec skasował dotychczasowe rozmowy, świadczy o tym, że sprawca zdaje sobie sprawę, co może doprowadzić do jego ujęcia. Prawdopodobnie jego praca polega na pracy z komputerem i nowymi technologiami.

To jest jego kolejne przestępstwo. Powtarza zaplanowane, przemyślane i przygotowane działania. Dba o niski poziom ryzyka. Wie, że internet to miejsce dla niego bezpieczne, ponieważ zapewnia mu anonimowość. Nie podaje prawdziwych danych, natomiast informacje podawane przez dzieci dokładnie weryfikuje. Umożliwia mu to pełną kontrolę nad sytuacją i ofiarą.

Poprzez kontakt z jednym dzieckiem weryfikuje swoją technikę wobec innych będących w tym czasie w sieci. W trakcie tych rozmów ma czas, by analizować sytuację życiową danego dziecka, ocenić jego predyspozycje psychiczne. Wybiera na ofiary chłopców w wieku dziesięć do trzynastu lat. Poszukuje w internecie dzieci z rodzin, które mają problemy. Niekoniecznie patologicznych, ale takich, gdzie rodzice nie zajmują się dziećmi systematycznie, lecz tylko w sytuacjach problemowych. Sprawca przez długi czas „testował" Karola. Wybrał go, ponieważ pasował do roli ofiary – introwertyczny, mający problem z wglądem we własne emocje, posiadał ograniczone kontakty towarzyskie oraz spore zapotrzebowanie na stymulację, zainteresowanie nim. Kiedy już stwierdził, że Karol należy do określonego typu dzieci – rozpoczął składanie propozycji finansowych, na które łatwo dziecko zwabić. Wykazuje się sprawnym sposobem działania. Dobrze zna techniki manipulacji – wyćwiczył je na wielu poprzednich ofiarach.

Sam jest osobą zahamowaną, zamkniętą w sobie. Tłumi swoje potrzeby i pragnienia. Sprawia wrażenie osoby przystosowanej społecznie, a jednak ma trudności w nawiązywaniu kontaktów, zwłaszcza jeśli chodzi o kobiety. Prawdopodobnie żywi do nich urazę wynikającą z dawnych negatywnych doświadczeń życiowych. W dzieciństwie doświadczał przemocy, był poddawany niekonsekwentnej dyscyplinie (ojciec zwalniał go z kar zadawanych przez matkę). Mieszka z matką, nie posiada stałej partnerki.

To typ pedofila-uwodziciela. Jego zaburzenia ewoluują. Wkrótce przeżycia związane z filmami nagrywanymi w internecie przestaną mu wystarczać. Jego fantazje będą się zmieniać, co poskutkuje zmianami w postępowaniu. Podczas zatrzymania w jego komputerze lub mieszkaniu można będzie odnaleźć materiał pornografii dziecięcej i erotycznej. Część niszczy, ale nie wszystko. Musi pozostawić sobie jakąś część zbiorów, by pobudzać własne fantazje erotyczne.

Jego zachowanie: plan, konsekwencja i precyzja, świadczą o tym, że dba o swój wygląd zewnętrzny. Ubiera się schludnie, zgodnie z aktualnym trendem w środowisku młodzieżowym. Posiada własny samochód w dobrym stanie. Jego ubiór i zachowanie imponują nastolatkom.

Po sporządzeniu profilu rozpoczęto działania operacyjne. Trudność polegała na tym, by spośród pięciuset odbiorców przypisanych do tego numeru wytypować konkretną osobę. Myli się jednak ten, kto sądzi, że przestępstwo dokonane w sieci internetowej jest bezkarne. Jeden z policjantów przydzielonych do sprawy po przeczytaniu profilu stwierdził, że wskazane w nim cechy kojarzą mu się z kilkoma osobami. Zapukał do pierwszych drzwi, otworzyła mu matka dwudziestosiedmioletniego Krystiana Abramczyka. Kiedy zaczął wypytywać ją o syna, kobieta oniemiała. „Skąd pan to wszystko wie?" – zapytała. Policjant, który przyszedł zebrać dane o podejrzanym, przyznał potem, że poczuł się jak detektyw w amerykańskim thrillerze. Dzięki danym z profilu miał ogromną przewagę nad matką podejrzanego, ponieważ nawet ona nie wiedziała tyle, co on.

Okazało się, że jej syn od kilku tygodni jest w areszcie za oszustwa internetowe. Przeszukano jego pokój, w którym, jak zapowiedział profiler, znaleziono mnóstwo materiałów pornografii dziecięcej. W jego komputerze zabezpieczono dowody świadczące, że w podobny sposób wykorzystał jedenaścioro dzieci. Sprawca nie przyznał się do popełnionych czynów.

Prawdopodobnie doskonale wiedział, że dzieci, które wykorzystywał, będą wstydziły się o tym mówić. I początkowo tak było. Obawiały się, że będą wytykane palcami w szkole.

W większości przypadków rodzice o niczym nie wiedzieli, niczego nie zauważyli. Często też woleli o tym nie mówić, w obawie przed rozgłosem i złą sławą, niż doprowadzić do ujęcia i skazania zboczeńca. W Polsce ten typ przestępstwa jest ścigany na wniosek. Niestety, wielu rodziców bagatelizowało przestępstwo i wycofali swój wniosek o ściganie. Tłumaczyli się: „No i cóż on tam zrobił? Doładował chłopcu kartę za onanizowanie się. I co, ubyło mu?". W ten sposób utwierdzali pedofila w przekonaniu, że niczego złego nie czyni. Na szczęście nie wszyscy tak postąpili i ostatecznie Abramczyk został osądzony oraz skazany za posiadanie i rozpowszechnianie pornografii dziecięcej. Ale choć policja ustaliła bardzo wiele, z powodu postawy rodziców dzieci, nie udało się udowodnić Looozikowi wszystkich przestępstw.

Komentarz

Pedofilia to intensywne, powtarzające się popędy seksualne, które są ukierunkowane na relacje z dziećmi przed okresem dojrzewania. Wiek dziecka wynosi trzynaście lub mniej lat. Nieprzypadkowo mówi się tutaj o popędzie seksualnym, ponieważ pedofil nie jest w stanie się powstrzymać i jest to dla niego naturalny sposób zaspokajania potrzeb seksualnych.

* * *

W Polsce wzrasta liczba tego typu przestępstw i obniża się wiek ofiar. U dzieci obserwuje się coraz większe zapotrzebowanie na konsumpcję oraz brak hamulców moralnych, co sprzyja kształtowaniu się nowego typu sprawców seksualnych, którzy bez skrupułów eksperymentują na tym polu. Są znudzeni dotychczasowym życiem seksualnym i potrzebują czegoś „nowego", frapującego, niepowtarzalnego. Angażują się w poszukiwanie coraz młodszych partnerów, także dzieci.

* * *

Udział profilera w sprawie molestowania seksualnego jest przydatny, jeśli mamy do czynienia z przestępcą nieznanym dziecku. Warto podkreślić, że do wielu tego typu aktów dochodzi w rodzinach. Dziecko zostaje skrzywdzone przez znajomego lub kogoś mu bliskiego: ojca, wujka, konkubenta matki, sąsiada, dziadka. Takie przypadki niezwykle rzadko są zgłaszane ze względu na poczucie wstydu, a także pobudki ekonomiczne – dziecko skrzywdził jedyny żywiciel rodziny, a matka dziecka jest na jego utrzymaniu, nie ma dokąd pójść, dlatego wybiera milczenie. W takich przypadkach dziecko jest w stanie rozpoznać sprawcę nawet po latach. Do pozostałych spraw profil jest niezbędny. Im więcej mija czasu, tym trudniej złapać pedofila.

* * *

Pedofile to najbardziej wędrowny typ sprawców, działają najczęściej ze wszystkich przestępców, nie tylko seksualnych. Mogą zaspokajać swoje potrzeby seksualne tylko dzięki współżyciu z dzieckiem. W poszukiwaniu ofiar często się przemieszczają. Szybko się uczą, jak unikać odpowiedzialności karnej. Eskalują agresję.

Najczęściej nie przyznają się do wszystkich przestępstw. Nawet jeśli zgromadzono przeciwko nim dowody lub odsiadują wyrok. W Stanach Zjednoczonych wykonano badania – osadzonym pedofilom zapewniono anonimowość i obiecano nie wyciągać żadnych konsekwencji, jeśli opowiedzą o wszystkich swoich zbrodniach. Nie ujawnili nawet jednej dziesiątej czynów.

* * *

Większość sprawców to ofiary molestowania. Opisani powyżej również.

* * *

Są dwa typy sprawców dokonujących przestępstw pedofilii (autorski podział na podstawie badań nadkomisarza Lacha):

Pedofil działający z pobudek preferencyjnych

Jest to jego stały i długotrwały sposób działania. Preferuje dzieci jako partnerów seksualnych, kolekcjonuje i wymienia się z innymi pedofilami materiałami z pornografią dziecięcą, gromadzi materiały erotyczne. Lubi fotografować dzieci podczas kąpieli bądź zabawy, na przykład w pobliskim parku. Identyfikuje się z dzieckiem, jego potrzebami, zainteresowaniami, aktywnością. Ma trudności i obawia się kontaktów z ludźmi starszymi od niego. Zwykle jego znajomi i przyjaciele są od niego młodsi. Najbardziej drastycznym motywem wiodącym jest potrzeba zadawania bólu ofierze – w ten sposób zaspokaja pragnienie dominacji i panowania. Pozwala mu czuć się kimś wyjątkowym, lepszym, wielkim niczym Bóg.

Wybiera dziewczynki w wieku osiem do dziesięciu lat lub nieco starszych chłopców. Płeć nie ma dla niego znaczenia – ważny jest wiek dziecka. Metody jego działania są wyrachowane, dokładnie przemyślane i opracowane. Potrafi długo „uwodzić" upatrzoną ofiarę. Wykorzystuje zainteresowania dziecka, dopasowuje się do nich. Bywa brutalny, stosuje środki przymusu.

W tej grupie wyróżniamy określone typy:

- uwodzący,
- introwertyczny,
- sadystyczny.

Większość osób chorych na pedofilię wzrastała w niekorzystnych warunkach wychowawczych. Sporo w tej grupie jedynaków. Praktycznie każdy z nich prowadzi ustabilizowane życie osobiste i rodzinne. Ma ograniczone kontakty społeczne. Nie potrafi odnaleźć się społecznie w dorosłym życiu. Większość była karana sądownie, a za przestępstwa seksualne prawie jedna trzecia z nich. Wielu było molestowanych seksualnie w dzieciństwie. Zwykle sprawca mieszka samotnie lub z matką. Umawia się na randki, by stwarzać pozory normalnego funkcjonowania. Jeśli zdecydował się na małżeństwo, dba, by na zewnątrz uchodziło ono za szczególnie zażyły związek.

Zazwyczaj ma dostęp do dzieci, pracuje w związanej z nimi instytucji bądź w jej pobliżu. Przesadnie interesuje się dziećmi, ich problemami, często je obserwuje. Lubi podejmować zajęcia z dziećmi bez obecności dorosłych. Uwodzi dziecko, troszcząc się o nie, daje prezenty. Umiejętnie nim manipuluje. Stwarza specyficzne sytuacje, które pozwalają mu „wejść w posiadanie" ofiary, na przykład: poznaje chłopca, który go „interesuje", zaczyna jego kolegom wmawiać, że ów chłopiec zrobił komuś krzywdę i trzeba mu dać nauczkę; gdy dochodzi do bójki, pojawia się i „ratuje" chłopca, zabiera go do samochodu i wiezie, dokąd chce. Potrafi w krótkim czasie obniżyć zahamowania dziecka, dotyczące sfery seksualnej oraz związanego z nią poczucia wstydu. Pedofil wie dokładnie, czym aktualnie interesują się dzieci. Wybiera takie same hobby jak one. Pokazuje dziecku materiały, czasopisma, filmy o tematyce erotycznej i pornograficznej. Ma to stanowić jednocześnie materiał instruktażowy. Wystrój mieszkania pedofila jest nieadekwatny do jego wieku (przedmioty i wyposażenie pochodzą często z jego młodości).

Pedofil działający z pobudek sytuacyjnych

Ten typ sprawcy nie musi zaspokajać swoich potrzeb seksualnych tylko z dziećmi. Gwałci również kobiety. Zwykle to człowiek generalnie słabo radzący sobie w życiu. Jest społecznie niedostosowany. Ma tendencję do wykorzystywania innych na różnych obszarach życia. Podejmuje eksperymenty seksualne, co może wynikać ze znudzenia dotychczasową aktywnością seksualną – z ciekawości oraz niepewności co do swoich kompetencji w tej sferze. Wybiera na ofiarę dziecko, ponieważ ma do niego łatwiejszy dostęp. Łatwiej je zmanipulować, jest atrakcyjne, nowe, a także – w porównaniu ze zgwałceniem młodej kobiety

– ryzyko ujawnienia czynu jest o wiele mniejsze. Jego motywem działania jest: „Używam dziecka do zaspokajania popędu seksualnego, bo nie mam innego obiektu w zasięgu ręki".

Metoda działania pedofila sytuacyjnego polega na namawianiu dziecka do spotkania lub innej formy kontaktu, przyciągnięciu go siłą bądź dzięki manipulacji psychicznej. Jest to osoba dojrzała lub w podeszłym wieku (zwykle starsza od sprawcy preferencyjnego), o niskim poziomie wykształcenia ogólnego, obycia, doświadczenia zawodowego, statusie materialnym oraz nieustabilizowanym bądź konfliktowym życiu osobistym i rodzinnym. Wewnątrz tej grupy sprawców wyodrębniono następujące typy:

- sprawca w regresji,
- bez skrupułów moralnych,
- bez skrupułów seksualnych,
- nieosiągający oczekiwań.

* * *

Najczęściej spotykane schematy myślowe pedofila:

- Dziecko jest gotowe do seksu i na ogół to lubi.
- To nie jest przestępstwo. To co, że się trochę zabawiłem – ubędzie jej/jemu?
- Dziecko jest lepszym obiektem seksualnym niż dorosły: nie stawia oporu, nie zaprzecza, jest wierne, ufne.
- Kobieta jest niebezpieczna, a dziecko nie zrobi mi krzywdy.

* * *

Najgroźniejsze dla ofiary pedofila nie są obrażenia fizyczne, ale wielki uraz psychiczny, niepowetowane straty w jego dalszym rozwoju emocjonalnym. Obrazy przestępstwa będą do niej często wracać. Ofiara musi z nimi żyć. Nawet jeśli komuś powie o swoich przeżyciach, będzie to rzutować na całe jej życie. Sama sobie nie poradzi. Będzie miała problemy z samoakceptacją, autodestrukcją, poczuciem winy. Zaburzenia są jak kula śnieżna. Jeśli ktoś doświadczył negatywnych przeżyć, a nikt mu nie pomógł, nic z tym nie zrobiono, to po jakimś czasie może nabrać przekonania: mnie kiedyś skrzywdzono, więc czemu ja nie miałbym zrobić tego komuś. Dochodzą agresywne zachowania i z czasem ofiara zamienia się w sprawcę. Konieczna jest terapia psychologiczna.

* * *

Trochę inna jest ofiara pedofila internetowego. Przede wszystkim czuje się bezpieczniej, ponieważ nie ma bezpośredniego kontaktu ze sprawcą, nie staje z nim twarzą w twarz. Skutki psychologiczne są jednak podobne. Pedofil namawia dziecko do czynności nienaturalnych (proponuje pieniądze za onanizowanie się przed kamerą komputera). Nakręca filmy z udziałem dziecka, sprzedaje je w sieci i w zasadzie osoba poszkodowana nie ma żadnego wpływu na ich rozpowszechnianie.

* * *

Alkohol i substancje psychoaktywne odgrywają istotną rolę w wyzwalaniu zboczeń seksualnych, okrucieństwa i agresji płciowej. Obniżają krytycyzm, osłabiają hamulce, a ich długotrwałe używanie powoduje psychodegradację i zmiany osobowości. Nie oznacza to jednak, że wszystkie czyny sadystyczne są popełniane pod wpływem alkoholu lub narkotyków, a zwłaszcza jeśli jest to kolejne przestępstwo tego samego sprawcy.

* * *

Pedofilia to nie tylko gwałt na nieletnim czy jego molestowanie, ale także produkcja, posiadanie, sprzedaż oraz rozpowszechnianie materiałów pornograficznych z dziećmi – co podlega karze. To jeden z bardziej intratnych obszarów handlowych w internetowej czarnej strefie. Bardzo dokładnie pokazała to „sprawa Dworca Centralnego w Warszawie", gdzie na liście podejrzanych o wykorzystywanie nieletnich znalazły się nazwiska osób z pierwszych stron gazet. Wiele z nich zostało zatrzymanych, lecz nie udało się udowodnić im udziału w siatce pedofilskiej, jak nazwała ich prasa. Trudność polega na tym, że ci ludzie najczęściej korzystają z serwerów za granicą – umieszczonych na przykład na Seszelach.

* * *

Nie ma wiarygodnych badań ani dobrej bazy behawioralnej, jaka istnieje na przykład w Stanach Zjednoczonych. W polskich zakładach karnych za ten typ przestępstwa karę odsiaduje dwieście pięć osób, które stale trudnią się tym procederem (dane z 2005). Obecnie w polskich zakładach karnych przebywa dwa tysiące dwustu dwudziestu jeden skazanych za molestowanie seksualne dzieci, u stu trzydziestu siedmiu sprawców na podstawie badań seksuologiczno-psychologicznych stwierdzono pedofilię preferencyjną.

* * *

W Stanach Zjednoczonych publikowane są dane osobowe i portrety pamięciowe pedofilów. W Polsce trzeba uzyskać na to specjalną zgodę – ofiary i sprawcy. Tymczasem na przykład w merostwie stanu Wisconsin (Stany Zjednoczone Ameryki Północnej) każdy mieszkaniec może obejrzeć zdjęcia osób, które za te czyny zostały skazane. W każdej chwili może wejść do internetu i sprawdzić, czy i co jego sąsiad ma na sumieniu. Nikt nie protestuje, że pedofil będzie pokrzywdzony lub wytykany palcami przez społeczność. Amerykanie doszli do wniosku, że najlepsze efekty daje wspólne działanie zapobiegawcze. Bo jeśli wiadomo, że w sąsiedztwie mieszka człowiek skazany za pedofilię, to wszyscy zwracają na niego baczną uwagę. Nie tylko ludzie, którzy mają dzieci, ale też inni śledzą jego zachowania i dbają o to, by nie zrobił nikomu krzywdy. On sam także się pilnuje. Wie doskonale, że jest monitorowany. Jeśli zaś chce wyprowadzić się do innego stanu, zmienić miejsce zamieszkania – musi otrzymać specjalną zgodę. Jeśli bez niej opuści dom, automatycznie zostają wszczynane poszukiwania jak za przestępcą. Ujawnienie jego twarzy okazało się najskuteczniejszym „kagańcem". pomysłem znacznie tańszym niż proponowane w Polsce obroże elektroniczne.

* * *

Pedofilię należy leczyć. Sprawca, który raz popełnił tego rodzaju czyn (zwłaszcza typ preferencyjny), będzie to robił wielokrotnie. Tylko odizolowanie od społeczeństwa może zapobiec jego atakom. Jeśli raz uniknie odpowiedzialności, kolejne przestępstwo przygotuje doskonalej, by nie popełnić błędów i zminimalizować ryzyko wpadki.

I choć wszyscy eksperci zgadzają się, że sprawców tego typu należy leczyć, w polskich więzieniach jest w tej chwili zaledwie czterdzieści miejsc przeznaczonych do terapii. W porównaniu z naszymi sąsiadami: Niemcami i Czechami, Polska w tej kwestii stanowi klasyczny ciemnogród. W Czechach – kraju sześć razy mniejszym od naszego – gdzie karę odbywa stu jedenastu pedofilów, istnieje siedemdziesiąt miejsc do leczenia w warunkach izolacji oraz jedenaście poradni seksuologicznych niosących pomoc na wolności. Czesi zajmują się tym problemem od 1979 roku, a recydywa pedofilów wynosi pięćdziesiąt pięć procent. W Niemczech jest dziewięćdziesiąt osiem placówek na wolności, terapie prowadzi się od 1971 roku i recydywa wynosi dwadzieścia procent. U nas, jeśli pedofil po odbytej karze chciałby się leczyć, prawdopodobnie nie uda mu się to, zwłaszcza jeśli pochodzi z małego miasteczka. W Polsce istnieją tylko trzy placówki: w Warszawie, Łodzi i Krakowie.

* * *

Działanie pedofilskie może prowadzić do zabójstwa. Niektórzy rodzice molestowanych dzieci zadają sobie pytanie: Zgłaszać czy nie? Odpowiedź jest oczywista: ZGŁASZAĆ! Zaniechanie rodzi w sprawcy poczucie bezkarności, utwierdza w przekonaniu, że jest doskonały. Jeśli nikt i nic go nie powstrzyma, po pewnym czasie zacznie objawiać tak zwany syndrom Boga: „Nikt nie jest w stanie mnie zatrzymać, nic nie jest w stanie stanąć mi na drodze, żebym znów nie mógł tego zrobić". Zacznie zabijać.

8

PODPALACZE

STAŃ ZE SPRAWCĄ TWARZĄ W TWARZ

Ogniu, krocz za mną – Maszeruj albo giń – Przeszkadzały mu bacówki – Lubię ogień – Kompleks i mania wielkości – Siedem motywów

Mag

Piątego stycznia 2005 roku na szczycie Łyski (Żywiecczyzna) spłonęła drewniana chatka należąca do Jarosława Gibały. Przed laty właściciel używał jej jako schronienia podczas wypasu owiec, teraz służyła jako domek letniskowy, z pięknym widokiem na szczyty gór. Gibała zapewniał, że zamknął ją na kłódkę i że wewnątrz nie było żadnych substancji łatwopalnych. Znajdowały się tam jedynie stare meble i podstawowe wyposażenie. Strażacy, którzy zostali wezwani, kiedy łuna uniosła się nad górami, nie zdołali ugasić pożaru. Z powodu dużej ilości śniegu zalegającego na zboczach nie byli w stanie podjechać do chaty. Spłonęła doszczętnie. Nie była ubezpieczona. Właściciel oszacował straty na około pięciu tysięcy złotych. Choć twierdził, że chatka została podpalona, nie udało się tego udowodnić.

Latem 2005 roku las w Jeleśni palił się pięć razy. Raz w czerwcu, dwa razy w lipcu i dwa w sierpniu. Miejscowi początkowo obciążali winą turystów zostawiających w lesie śmieci i butelki. Powieszono nawet tablice ostrzegawcze z napisem: „Ostrożnie z ogniem".

Dopiero, kiedy pierwszego listopada 2005 roku w okolicach Jeleśni spalił się zagajnik należący do sołtysa, wszczęto dochodzenie. Nie udało się ustalić, czy ogień wybuchł samoistnie, czy został przez kogoś podłożony.

Dziesiątego listopada spłonął kolejny drewniany domek umiejscowiony na stoku w okolicach Gilowic. Ten pożar wzbudził więcej wątpliwości. Po wsiach rozeszła się plotka, że w okolicy grasuje podpalacz. Policja zatrzymała kilka osób. Powołano biegłego z zakresu pożarnictwa, który potwierdził, że ogień został podłożony. Na miejscu zdarzenia zabezpieczono szczątki rozerwanej butli gazowej.

Jedenastego listopada wieczorem poszedł z dymem domek letniskowy w miejscowości Koszarawa, który był o wiele lepiej wyposażony i dużo droższy niż poprzednie. Nie było wątpliwości, że ktoś „gra z policją i strażakami". W kolejnych dniach wybuchały coraz silniejsze i większe pożary – płonęły domki letniskowe, drewniane budy, budynki gospodarcze i stodoły.

Czwartego grudnia spalił się drewniany domek letniskowy, stojący na przełęczy w okolicach Juszczyny. Wartość budynków zniszczonych do tej pory nie była znaczna. Ale trzynastego grudnia ogień strawił luksusową murowaną willę w stylu góralskim.

Dziewiętnastego grudnia wybuchł pożar na podwórku Macieja Gołębia. Przy samej linii brzegowej ognia policja zabezpieczyła ślady obuwia domniemanego sprawcy podpalenia. W pierwszy dzień Świąt Bożego Narodzenia spłonęła stodoła na górze w Pewli Małej. Pod koniec stycznia 2006 roku na górze Michałce w Świnnej podpalacz podłożył ogień pod kolejną stodołę. Tym razem zrobił to nieudolnie i pożar został ugaszony.

Mimo wzmożonych wysiłków przez prawie rok nie udało się zatrzymać sprawcy. Policja i straż pożarna były całkowicie bezradne. Ludzie zaczęli się bać. Każdy czuł się zagrożony. Nie wiadomo było, kiedy sprawca zaatakuje i czyj dom wybierze jako obiekt.

W połowie lutego 2006 – po podpaleniu jeszcze sześciu samotnie stojących na zboczach budynków, do których strażacy nie byli w stanie dojechać – ludzie z okolicznych wsi zebrali się w gminnym ośrodku i zdecydowali o powołaniu lokalnych patroli. Od czternastego lutego każdej nocy mężczyźni pilnowali dobytku. Ale i to nie przyniosło spodziewanych rezultatów. Podpalacz nie tylko pozostał nieuchwytny, ale przynajmniej raz w tygodniu wzniecał ogień.

Na każdej policyjnej odprawie komendant pytał: „Co nowego?". Tymczasem żadnych nowych dowodów nie było. Poza tym, że sprawca stawał się coraz zuchwalszy. Już nie co tydzień, ale co dwa, trzy dni podpalał kolejne budynki. Wzniecał coraz większe pożary.

Był marzec. W tym czasie byłem mocno absorbowany pomocą poszkodowanym podczas zawalenia się dachu hali targowej w Katowicach. Załatwialiśmy tym ludziom sanatoria, pomoc psychologiczną i finansową. Jako szef psychologów w katowickiej komendzie policji miałem pełne ręce roboty. Nie było czasu na zajmowanie się niczym innym. I nagle dzwoni do mnie komendant wojewódzki i mówi: „Ty już tu nie siedź, chłopie, tylko bierz się do roboty!". Rozkaz to rozkaz. Czternastego marca pojechałem na miejsce i natychmiast poczułem napięcie panujące w tym regionie. Podpaleniami żyła cała Żywiecczyzna.

Poprosiłem o akta wszystkich spraw i zacząłem porównywać ekspertyzy biegłego z zakresu pożarnictwa. Ten typ przestępstw jest niezwykle trudny do profilowania, bo nie jest łatwo ustalić przyczynę pożaru. Myli się jednak ten, kto sądzi, że ogień trawi wszystko. Przeciwnie. Biegły z zakresu pożarnictwa dokładnie wskazywał, w którym przypadku ogień został podłożony wewnątrz budynku, a kiedy na zewnątrz. Dobry ekspert może wiele ustalić. Czasami nawet na podstawie zgliszcz udaje się ustalić sposób wejścia lub ucieczki sprawcy.

Przed przyjazdem profilera policjanci przeczesywali środowisko operacyjnie. Wyłonili grono podejrzanych, które liczyło kilkanaście osób. Byli pewni, że udało im się zatrzymać podpalacza – na jednego z podejrzanych wskazywali z niemal stuprocentową pewnością. Teraz liczyli na pomoc psychologa w stworzeniu taktyki przesłuchania – miał spowodować, żeby sprawca się przyznał. Nadkomisarz Lach uczestniczył w przesłuchaniu pierwszego podejrzanego.

Byli już tak zmęczeni dochodzeniem i ciągłymi pożarami, że chcieli wierzyć, iż to jest właściwy zatrzymany.

– To nie on – powiedziałem po kilkunastu minutach rozmowy. – Dawajcie następnego – dodałem. Prowadzący dochodzenie autentycznie się wściekł. Zarzucił mi, że kieruję się intuicją, bo nie mam żadnych dowodów, tylko przeczucia. I dodał, iż oczekiwali ode mnie innej pomocy. Odparłem, że to nie jest poszukiwany sprawca pożarów, choć owszem, ma coś na sumieniu i dlatego wygląda na załamanego. Policjant zapytał, na czym opieram swój osąd.

– A jak oceniasz jego wygląd, zwłaszcza jego formę fizyczną? – zapytałem.

– Mizerny flegmatyk. Raczej nie jest bywalcem siłowni – odparł.

Chciałem, żeby policjant zrozumiał mój tok rozumowania, dalej więc głośno analizowałem.

– Nasz podejrzany działa na dużym obszarze – w promieniu do czterdziestu kilometrów. Atakuje z zaskocze-

nia. Jednego dnia wznieca pożar w miejscowości X, a następnego w miejscu znajdującym się na drugim krańcu przełęczy, gdzie nikt się go nie spodziewa. Jest w stanie tego dokonać, choć mamy zimę stulecia, a śniegu w górach jest po pas. O czym to świadczy?

– Jest bardzo sprawny.

Właśnie! I tak, wspólnie omawiając różne przesłanki, doszliśmy do kluczowych wniosków. Poszukiwany człowiek przemieszcza się górami pieszo. Nie przeszkadza mu śnieg, który wozom strażackim uniemożliwia dotarcie na miejsce pożarów. A skoro odległości pokonuje o własnych siłach – musi być bardzo wysportowany, cieszy się dobrą kondycją fizyczną.

Profiler spędził na komendzie w Żywcu trzy dni. Analizował akta, rozmawiał z policjantami prowadzącymi dochodzenie oraz strażakami. Uczestniczył w przesłuchaniach podejrzanych. By nie tracić czasu na dojazdy, spał na fotelu w pokoju przesłuchań z nogami opartymi na biurku.

Już w pierwszą noc określił cechypodpalacza i wskazał przesłanki, gdzie śledczy powinni go szukać.

To mężczyzna dobrze zbudowany, wysportowany, wysoki. Nie korzysta z auta, ponieważ nie byłby w stanie oddalić się niezauważony z miejsca zdarzenia. Może korzystać z roweru – to sprzęt, który można ukryć w zaspie śniegu i po niego wrócić. Jest chory. Musi podpalać i będzie to robił, ponieważ ogień go podnieca. Nazwałem go MAG-iem – od skrótu Maszeruj albo Giń, ponieważ przemieszcza się głównie piechotą. Potrafi w kilka godzin pokonać dziesiątki kilometrów górami, idąc po śniegu i lodzie. Stwierdziłem, że jest to osoba młoda – w wieku dwadzieścia do trzydziestu lat. Ma problemy w domu, prawdopodobnie jest bezrobotny lub utrzymuje się z drobnych zleceń. W środowisku jest odbierany jako samotnik, zamknięty w sobie dziwak, mało kontaktowy, introwertyczny, nieagresywny. To kawaler nieposiadający stałej partnerki, z którą utrzymywałby stosunki seksualne. Podpalanie kolejnych budynków jest dla niego sposobem na zdobycie samoakceptacji, uwolnienie się od kompleksów. Interesuje się przebiegiem śledztwa w mediach, aby dowiedzieć się, jakie postępy zostały poczynione. Po każdym podpaleniu odczuwa podniecenie. Obserwuje swoje dzieło z bezpiecznej odległości. Ponieważ doszło do takiej eskalacji jego choroby, będzie chciał znacznie bliżej podejść do ognia. Należy fotografować gapiów każdego kolejnego pożaru, a sprawca będzie wśród nich.

Kiedy nadkomisarz Lach przedstawił śledczym profil, z aresztu wypuszczono „pierwszego podejrzanego". Tymczasem MAG działał dalej i właśnie podłożył kolejny ogień. Prowadzący dochodzenie musiał przyznać profilerowi rację i potraktował poważnie jego wskazówki dotyczące poszukiwanego. Wnikliwie przestudiował portret psychologiczny MAG-a i następnego dnia, około siódmej rano, zatrzymano kolejne podejrzane osoby. Wśród nich był dwudziestopięcioletni Dawid Wodzian z Łączek, który godzinę wcześniej wrócił do domu i od razu położył się spać. Rodzina nie wiedziała, gdzie był ani co robił. Ten człowiek był przesłuchiwany jako świadek po jednym z pierwszych podpaleń... Wtedy sam zgłosił się na policję i brał udział w akcji ochotniczych patroli.

To był bardzo zamknięty w sobie człowiek. Przesłuchanie było właściwie monologiem – moim oczywiście.

Pamiętam, że przez pierwsze cztery godziny powiedział tylko dwa słowa: „Nie wiem". Byłem pewny, że to on. I wiedziałem, że jest bardzo zmęczony. Tej nocy podpalił duży domek oddalony od jego miejsca zamieszkania o dwadzieścia kilometrów. Cały dystans – tam i z powrotem -pokonał pieszo. Miałem przy sobie kanapki, wyjąłem je i poczęstowałem go. Ten gest go otworzył. Od tej chwili traktował mnie jak człowieka. Zaczął płakać, tłumaczyć się. Wtedy powiedziałem, że zaraz wrócę, zrobię tylko herbatę. Poszedłem do naczelnika, a ten jak na mnie nie huknie:

– To zbyt długo trwa, Bogdan. Zaraz zakończę to przesłuchanie, bo widzę, że nie przynosi ono skutku!

Ja mu na to:

– Chłopie, wyhamuj. Żeby się przyznał, muszę z nim jeszcze trochę porozmawiać.

– Ile jeszcze potrzebujesz?

– Trzy godziny.

Ten się za głowę złapał. Ale po trzech godzinach Wodzian faktycznie zaczął mówić. Jeszcze nie do protokołu – potrzebował po prostu się zwierzyć. Ale pamiętam, że o dziewiętnastej, czyli dwanaście godzin po zatrzymaniu, poszedłem do naczelnika i powiedziałem, że potrzebuję policjanta, który spisze zeznania Wodziana.

Wodzian wzniecił pierwszy pożar, żeby stać się mężczyzną. „Nie byłem w wojsku, bo ojciec mi zabronił – zeznawał. – Kiedy przyszło wezwanie na komisję, ojciec powiedział, że się nie nadaję i żeby mi dali spokój. Poskutkowało. Tylko, że ja bardzo chciałem iść do wojska".

Od tamtej pory Dawid nie wiedział, co ze sobą zrobić. Ta sytuacja negatywnie wpłynęła na jego samoocenę. Czuł się gorszy, niepotrzebny, nieudaczny. Nie miał pomysłu na życie, poza tym nie mógł znieść atmosfery w domu, w którym często wybuchały awantury, więc włóczył się po stokach. Wędrował górami od Żywca po Zakopane. Miał rozeznanie terenu nie gorsze niż ratownik górski. Zbudował sobie lepiankę i mieszkał w niej przez kilka miesięcy. Potrafił przejść dziennie sześćdziesiąt kilometrów. Pokonywał długie trasy na rowerze – do Zakopanego, Krakowa, Katowic. Jego największym problemem był brak samoakceptacji. Długo szukał potwierdzenia własnej wartości. Chciał za wszelką cenę udowodnić, że jest mężczyzną. Dlatego pamięta dokładnie daty, kiedy „to" się zaczęło. W marcu 2001 roku podpalił ściernisko koło torów kolejowych w okolicach góry Łyski. Od ścierniska zapalił się las, choć zapewnia, że tego nie chciał. To dało mu poczucie siły, ogarnęło go podniecenie. Podpalał kolejne ścierniska. Wtedy to mi wystarczało – tłumaczył podczas przesłuchania.

Początkowo wzniecał ogień co kilka miesięcy, ale potem musiał to zrobić raz w miesiącu, w końcu – co kilka, a nawet co drugi dzień. Lubił patrzeć na ogień. To powodowało radość, euforię, dawało siłę. „Czułem się po prostu lepiej" – mówił. Po podpaleniu wspinał się na jakiś szczyt, z którego obserwował swoje dzieło. Patrzył do czasu, aż przyjechali strażacy. Potem próbował wmieszać się w tłum gapiów, by być jeszcze bliżej. Kiedyś po jednym ze wznieconych pożarów został zatrzymany przez policję, ale go wypuścili. Zabrali mu jedynie rower, który zresztą po jakimś czasie odzyskał.

Wodzian przyznał się do trzydziestu różnych podpaleń. Trzeba było wznawiać sprawy sprzed dwóch, trzech lat. Roboty przy tym było tyle, że cała komenda miała zajęcie. A komendant powiatowy tylko zacierał ręce, bo po sprawie, gdzie facet się przyznaje do trzydziestu przestępstw, jednostka trafia na pierwsze miejsce pod względem wykrywalności w miesiącu. Nawet zamówił nam pizzę, bo czynności trwały już kilkanaście godzin i zarówno ja, jak i moi koledzy przez ten czas nie mieliśmy nic w ustach. Około drugiej w nocy Wodziana przewieziono do aresztu, ale do domu nie mogłem jeszcze pojechać. Nie opłacało się, bo o siódmej rano musiałem wracać do pracy – zlecili mi wykonanie analizy psychologicznej. Znów fotel, nogi na biurku, mycie w umywalce.

Wodzian pochodzi z wielodzietnej rodziny – ma siedmioro rodzeństwa. Jest trzecim dzieckiem z kolei. Ojciec pracował jako kierowca TIR-a (w tej chwili jest na emeryturze), matka zajmowała się domem i wychowaniem dzieci, nie pracowała zawodowo.

Dawid nie miał problemów z nauką i przechodzeniem z klasy do klasy. Choć chodził na wagary, nigdy żadne z rodziców nie zwróciło mu nawet uwagi. Skończył szkołę zawodową o profilu mechanik samochodowy. Potem podjął naukę w technikum, ale po pół roku zrezygnował. Tym także rodzice się nie przejęli. Nigdy nie nagradzali ani nie chwalili syna. Natomiast kiedy ojciec go karcił, matka zwalniała go z kar. Gdy ojciec dawał mu jakieś zadanie do wykonania, matka wyręczała go w tym lub odradzała, by tego nie robił. Czasami miał zakaz wychodzenia z domu. Jako dziecko przez długi czas moczył się oraz dręczył zwierzęta (głównie gęsi i psa).

Z dzieciństwa pamięta przede wszystkim awantury wszczynane przez ojca, który bił matkę i starsze rodzeństwo. Dawid natomiast wiele razy był bity przez starszego brata. Potem także przez ojca. Nie robiło to na nim wrażenia, ale w odwecie niszczył przedmioty i wychodził z domu. Czasami uciekał tylko na noc, innym razem przepadał na wiele dni. Sytuacje te prowadziły do wzajemnego oskarżania się rodziców.

Nigdy nie pracował. Początkowo chciał znaleźć sobie jakieś zatrudnienie, lecz po kilku nieudanych próbach zrezygnował z dalszych poszukiwań. Matka dawała mu drobne kwoty. Nie nadużywał alkoholu. Jeśli już, pijał piwo lub tanie wina.

Zawsze starał się być z dala od ludzi – wynikało to z jego kompleksów. Nigdy nie związał się emocjonalnie z żadną dziewczyną. Nie potrafił nawiązywać ani rozwijać kontaktów z ludźmi. Kobiet się bał. Napięcie seksualne rozładowywał, onanizując się.

Wodzian cierpi na piromanię. Zawsze włamywał się do obiektu, szukał tam łatwopalnych przedmiotów, świeczek, czasem robił lont z papieru toaletowego, tak zwanego papierosa, i oblewał wszystko benzyną. Tendencja do wzniecania ognia od środka oznaczała, że chciał mieć kontrolę nad podpalaniem. Bo jeśli człowiek podpala od zewnątrz, działa z innego motywu – zemsty, krzywdy i urazy lub chce wymusić ubezpieczenie.

W jego rodzinie nikt nigdy nie był piromanem. Naukowcy jeszcze nie znają odpowiedzi na pytanie: Dlaczego akurat ten człowiek, a nie inny? Z całą pewnością wpływ na to wywarły wielkie kompleksy, życie na marginesie rodziny, która zresztą była niezwykle chłodna.

Podczas przesłuchania okazało się, że Dawid działał już ponad trzy lata i właściwie czekał, aż go złapiemy. Był zmęczony wewnętrzną presją, która kazała mu podpalać, a potem uciekać. Tak naprawdę chciał przyznać się do winy. Sztuką było tylko odpowiednio z nim rozmawiać. Jak się okazało, już dwa razy był przesłuchiwany, ale nie dało to rezultatu. Pamiętam, że kiedy już wróciłem do domu i sprawa MAG-a została zamknięta, dzwoni do mnie siostra, która pracuje w komendzie policji w Żywcu jako kadrowa. Najpierw ochrzaniła mnie, że trzy dni jestem w Żywcu, trzy kilometry od jej domu i nie przyjdę zanocować, tylko wolę spać na fotelu w komendzie. A potem, już innym tonem, dodała: Wczoraj przyszedł do mnie naczelnik i mówi: Tyle się namęczyliśmy z tym podpalaczem. A twój brat przyjechał i w dwa dni rozmienił gościa na drobne.

To był jeden z największych komplementów, jakie kiedykolwiek otrzymałem.

Wodziana złapaliśmy właściwie w ostatnim momencie, bo już zamierzał przenieść się z Beskidu Śląskiego w Beskid Wyspowy (rejony Łodygowic). A ten teren podlega innej jednostce policji w garnizonie, która poszukiwania zaczynałaby praktycznie od zera.

Niszczyciel bacówek

Latem 2002 roku w Szczyrku zaczęły płonąć bacówki – małe drewniane chaty z mocno skośnymi dachami. Dół domku służy góralom za mieszkanie, gdy na wiele miesięcy wychodzą w góry z owcami. Na górze trzymają siano. Wiele takich bacówek zostało dziś przerobionych na domki letniskowe.

Kiedy w nocy z piątego na szóstego września (z czwartku na piątek) 2002 roku spłonęła pierwsza bacówka – stodoła na stoku wraz z kilkutonowym zapasem siana – jej właściciela podejrzewano, że chce wymusić odszkodowanie. Bacówka była ubezpieczona na ponad pięćdziesiąt tysięcy złotych i taką wartość strat podał Grzegorz Stonka. Policjanci zajęli się badaniem sytuacji materialnej, upodobań i potrzeb Stonki. Ustalono, że wkrótce wychodzi za mąż jego jedyna córka i gospodarz podobnej sumy będzie potrzebował na imprezę weselną. Jednocześnie prowadzona przez niego firma transportowa całkiem dobrze prosperuje. Śledczy byli pełni wątpliwości. Czy właściciel uciekałby się do takich sposobów na zdobycie gotówki?

Trzy dni później (dziewiątego września – poniedziałek) około osiemnastej strażacy znów pojechali do pożaru. Tym razem płonęła bacówka Katarzyny Misztal, stojąca na górze Beskid. Domek był ubezpieczony na kwotę około czterdziestu pięciu tysięcy złotych. Pożar strawił drewniany budynek, a ponieważ nie mógł się rozprzestrzenić, nie stwarzał zagrożenia dla zdrowia i życia ludzi. W toku oględzin ujawniono nadpalone siano. I tym razem biegły z zakresu pożarnictwa nie miał wątpliwości – przyczyną było podpalenie. Kolejny pożar miał miejsce jedenastego września (środa), przed godziną szesnastą. Spłonęła bacówka na górze Beskidek. W domu wykonanym z bali omszonych i z dachem pokrytym papą była założona instalacja elektryczna, ale właścicielka, Dorota Galińska, w ostatni weekend sierpnia odłączyła dopływ prądu. Domek służył jej jako miejsce wypoczynku – znajdowała się w nim kuchnia oraz mały pokoik. Biegły potwierdził, że obiekt został podpalony: znów nadpalone siano.

Trzynastego września (piątek) około dziewiętnastej trzydzieści spłonęła bacówka należąca do Wiesławy Główki, stojąca nieopodal budki kasjera przy wyciągu narciarskim. Kobieta zapewniała, że nie trzymała w budynku żadnych materiałów łatwopalnych. Przechowywała w nim tylko siano dla królików. Ogień podłożono od zewnątrz.

Tego samego dnia około dwudziestej drugiej trzydzieści spłonął niezamieszkany domek, który Edward Machinacki odziedziczył niedawno po ojcu. Budynek nie był ubezpieczony. Biegły z zakresu pożarnictwa stwierdził, że ogień podłożono od zewnątrz.

Policja przesłuchała sąsiadów i górali pasających na zboczach owce. Nikt nie zauważył w okolicy podejrzanych osób. Marian Gadkowski, który w dniu podpalenia domku Galińskiej wypasał niedaleko owce, stwierdził, że nawet jego psy nikogo nie wyczuły.

Wszystkie pożary wybuchły w ciągu dziesięciu dni.

Nie miałem żadnego punktu zaczepienia. Zacząłem od analizy terenu działania sprawcy. Ustaliłem, że jest niedostępny, trudny do poruszania się dla osoby niepochodzącej z gór. Zauważyłem, że wszystkie podpalone budynki były zabytkowe. Zbudowano je z drewna, materiału klasyfikowanego nawet przez przeciętnie rozwiniętych intelektualnie jako łatwopalny. Żaden – z wyjątkiem pierwszego – nie znajdował się w pobliżu domów mieszkalnych, co mogłoby powodować bezpośrednie zagrożenie dla ludzi i zwierząt. Pozwalało też zbliżyć się do bacówki niezauważonym. Sprawca z pewnością brał to pod uwagę, wybierając miejsca ataku. Ogień był podkładany z zewnątrz. Stwierdziłem, że wybór budynków nie jest przypadkowy i to właśnie psychologiczny podpis sprawcy. Z ich właścicielami bądź usytuowaniem musi się wiązać jego poczucie krzywdy. W podpisie zawarte jest również przesłanie: „Lubię manipulować ludźmi".

Zastanawiał mnie tylko ów wyjątek, czyli pożar u Stonki. Wskazałem, że w tym przypadku chyba mamy do czynienia z przypadkowym zaprószeniem ognia. Podpalacz nie wybrałby tej bacówki, bo trudno byłoby mu oddalić się z miejsca zdarzenia niezauważonym, ponieważ bacówka stała blisko zabudowań miejskich.

Według mnie sprawca mógł uczestniczyć w akcji gaszenia pierwszego pożaru, co prawdopodobnie stało się inspiracją do jego późniejszych podpaleń. Z tego powodu też wybiera takie budynki, które są podobne do pierwszego spalonego. Z punktu widzenia profilingu nie można jednak pierwszego pożaru łączyć z pozostałymi, ponieważ podpalony budynek nie był typową bacówką na szczycie góry, ale znajdował się na obrzeżach miejscowości. Jest mało prawdopodobne, że zrobiła to ta sama osoba.

Dostrzegłem eskalację przestępstwa – kolejne pożary wybuchały coraz bliżej zabudowań ludzkich. Świadczy to, że podpalacz chce, by jego działania były zauważone. Pragnie być podziwiany. W gruncie rzeczy jest jednak tchórzliwy i boi się stanąć twarzą w twarz z ofiarą. W jego przekonaniu przestępstwa zapewniły mu sławę w mediach, a to z kolei podniosło jego samoocenę, której starczy mu na jakiś czas. To osoba aspołeczna. W kontaktach stwarza emocjonalny i fizyczny dystans. Typ samotnika. Z nikim nie jest związany, nie ma żony. Prawdopodobnie moczył się w nocy i jako dziecko dręczył zwierzęta, a nawet młodsze dzieci. Wskazałem, że sprawca posiada średnią inteligencję oraz wykształcenie podstawowe, ewentualnie zawodowe, prawdopodobnie związane z rolnictwem. Pracuje na roli lub się uczy. Jest nim mężczyzna w wieku szesnaście do dwudziestu pięciu lat. Chciał pracować w służbach pomagających ludziom, ale go nie przyjęto – wobec tego rosła jego frustracja. Według mnie mieszka na terenie Szczyrku, czuje się tutaj bezpiecznie, swobodnie. Zna teren, należy go poszukiwać w rejonie dzielnicy Biła (tak wynikało z mapy podpaleń, którą wykonałem i dostarczyłem policji). Ogień fascynował go od dzieciństwa, mógł rozniecać niegroźne pożary w pobliżu domu, bawić się ogniem.

Jego motywem wiodącym jest próżność, a jednocześnie niska samoocena, poczucie odrzucenia, problemy w kontaktach z ludźmi. Motywem towarzyszącym mogła być chęć zemsty za doznane urazy, na przykład ze strony osób starszych (właściciele domów są w większości ludźmi po pięćdziesiątce), oraz ciekawość lub nuda.

Doradziłem policjantom, by przeanalizowali zdjęcia gapiów. Prawdopodobnie sprawca znajduje się wśród nich.

Na fotografiach aż trzech akcji gaśniczych w tłumie gapiów stał Piotr Marcinkiewicz. Już podczas pierwszego przesłuchania ten niespełna osiemnastolatek przyznał się do wzniecenia wszystkich pożarów oprócz bacówki Stonki. Powodem była nuda. Chciał się dowartościować, zrobić wrażenie, zdobyć sławę. Nie zastanawiał się długo, gdy ktoś, komu bacówki przeszkadzały, postanowił go wynająć do ich „usuwania". Zleceniodawca starannie wybrał podpalacza. Charakterologicznie Piotr idealnie nadawał się do tej roli. Patrzenie na ogień sprawiało mu przyjemność. Poza tym z jednym z właścicieli miał konflikt – była więc okazja „wymierzyć sprawiedliwość". Za wykonaną „usługę" Piotr otrzymywał wynagrodzenie.

Marcinkiewicz podpalał tylko bacówki o wartości historycznej. Pochodziły z osiemnastego lub z początków dziewiętnastego wieku. Konserwator zabytków nie zezwalał na ich wyburzenie ani przemieszczanie. Tymczasem, gdyby ich nie było, właściciele kilkudziesięciu działek mogliby sprzedać je za horrendalne sumy – stoki były idealnym miejscem do wytyczenia szlaków narciarskich, wybudowania hoteli, które stałyby się żyłą złota. Marcinkiewicz zeznał, że został wynajęty, żeby usunąć jak najwięcej bacówek, tak by teren do sprzedaży ziemi był „czysty". Policja ustaliła, kim jest zleceniodawca, ale nie udało się go postawić przed sądem. Sprawca przyznał, że za każdą „usuniętą" bacówkę dostawał porządną pensję. Rodzina zauważyła, że Piotr nagle zaczął dysponować sporą gotówką. Kupił sobie telefon komórkowy, ubrania, markowe buty. Marcinkiewiczowi nie zależało na dobrej opinii. Był już notowany na policji i karany za drobne wykroczenia. Za swoje czyny został skazany na osiem lat więzienia.

Czyściciel krajobrazu

Kiedy MAG znalazł się za kratkami, na terenie Pienin zaczął działać kolejny podpalacz. Wzniecił jedenaście pożarów. Działał zwykle w nocy, podpalał budynki z zewnątrz.

Zastanowiło mnie, że ten człowiek podpala budynki częściowo murowane, stodoły z pustaków albo budynki gospodarcze o niezbyt atrakcyjnym wyglądzie, a nawet porzucone zdewastowane samochody. Wyjątek stanowiła stara restauracja, która w ostatnim czasie nie przynosiła dochodów. Ten pożar nie pasował mi do reszty, która była spójna. Sprawę podpalenia restauracji wyłączono do oddzielnego postępowania, ponieważ ewidentnie ktoś ten pożar chciał przypisać podpalaczowi. Analizowałem tylko pozostałe przypadki. Wtedy pomyślałem: Ten człowiek eliminuje elementy niepasujące do klimatu miejscowości Szczawnica.

Profiler przedstawił policjantom mapę działania podpalacza i wskazał, że prawdopodobnie jest nim mieszkaniec Szczawnicy.

Doskonale znał teren. Wybierał porę dnia, zapewniającą mu anonimowość. Brał pod uwagę rytm dnia panujący w miejscowości podczas wakacji oraz roku szkolnego. Uznałem, że uczy się lub niedawno ukończył szkołę. Posiada wykształcenie najwyżej zawodowe.

Ma szesnaście do dwudziestu dwóch lat. Jest sfrustrowany, o niskiej samoocenie, nie jest mu dane spełniać się w tym, co jest jego prawdziwym powołaniem. A chciałby pomagać ludziom, lecz z jakichś przyczyn nie może tego robić. Wzniecanie pożarów stanowi dla niego antidotum na nudę i poczucie osamotnienia. Motywem uzupełniającym jest skrywane poczucie urazy do bliskiej osoby.

Analizowałem pogodę w danym dniu oraz bieżące wydarzenia. Stwierdziłem, że mężczyzna dokładnie przygotowuje się do ataków. Przykłada wagę do warunków atmosferycznych, minimalizuje wysiłek związany z dotarciem na miejsce, dokonaniem przestępstwa oraz szybką ucieczką. Interesuje się działaniami podejmowanymi przez policję i straż pożarną. Kolejne jego akcje wskazywały, że modyfikował swoje działania, dostosowywał je do aktualnej sytuacji.

Jest typem samotnika, lecz chętnie słucha plotek na temat podpalacza – to jest tak zwany psychologiczny syndrom „Supermana". W życiu poszukuje podniet, dużych emocji, których nie daje mu codzienne życie. W jego działaniach zauważyłem wzrastającą zuchwałość, poczucie bezkarności, pychę. Prawdopodobnie on sam uważa, że jest niezwykle inteligentny, a przestępstwa dokonuje w sposób wyrachowany i przemyślany. Czuje się bezpieczny i anonimowy. Ma przeświadczenie o słuszności swojej misji. Uważa, że wszystkie podpalone obiekty nie pasowały do okolicy.

Po zapoznaniu się z profilem policjanci zapukali do drzwi Krzysztofa Ździebełko, którego rozpoznano na trzech fotografiach gapiów, wykonanych podczas akcji gaśniczych. Na jednym z tych zdjęć miał minę, jakby przeżywał orgazm.

Dwudziestojednoletni mężczyzna rzeczywiście skończył tylko zawodówkę. Kiedyś był notowany, bo niszczył latarnie, które według niego nie pasowały do krajobrazu. Uważał się za „gospodarza-czyściciela", za człowieka perfekcyjnego, który musi czuwać nad wszystkim, co się dzieje w mieście. Interesowało go życie Szczawnicy, słuchał plotek, był na bieżąco z każdą sprawą dotyczącą mieszkańców i przyległych terenów.

Zamknięty w sobie, skryty. Miał problemy komunikacyjne. Rozmowy z osobami nieznanymi sprawiały mu dużą trudność. Był wyśmiewany przez rówieśników, uważany za człowieka infantylnego, a nawet niedorozwiniętego intelektualnie. Zadawał się z dużo młodszymi od siebie, bo tylko w tym gronie cieszył się autorytetem. Nie miał dziewczyny, ponieważ żadna nie chciała chodzić z kimś takim jak on.

Uważał się za sprawnego fizycznie i dobrze znającego okolicę. Tymczasem wyrzucono go z drużyny pożarniczej, bo stwierdzono, że jest niewystarczająco inteligentny i mało sprawny.

Wtedy w gazetach przeczytał o MAG-u, który właśnie został ujęty. Postanowił, że będzie od niego lepszy i nie da się złapać. Spędzał dużo czasu, surfując w internecie – tam szukał nowych sposobów na podpalenia.

Po wznieceniu pożaru, by się dowartościować, słuchał, co ludzie mówią na ten temat. Wtapiał się w tłum gapiów, gdyż chciał być jak najbliżej tego, co było jego dziełem. Musiał być blisko, inaczej nie przeżywał tak silnie emocji, tego podniecenia ogniem. I tylko dlatego, że nie grzeszył inteligencją, nie zorientował się, że w ten sposób błyskawicznie znajdzie się w gronie podejrzanych. Choć bardzo się starał, nie udało mu się przechytrzyć policjantów. Przyznał się podczas pierwszego przesłuchania. Został skazany na osiem lat więzienia.

Komentarz

Podpalaczy dzielimy na siedem typów. Za podstawę podziału przyjęto motywy wzniecania pożaru. Oszustwa, na przykład wymuszanie ubezpieczenia z odszkodowania.

- Chęć ukrycia zbrodni, zatarcia śladów.
- Próżność (podpalanie traw, od których mogą zająć się zabudowania).
- Zemsta.
- Niepokoje społeczne (podpalanie samochodów lub opuszczonych obiektów jest zwykle wyzwalaczem kolejnych agresywnych zachowań).
- Lekkomyślność dzieci i nastolatków, które bawią się ogniem.
- Piromania – chorobliwa potrzeba wzniecania ognia.

Dopiero, kiedy ustalimy powód podpalenia, możemy się zabrać do przygotowania odpowiedniej analizy.

* * *

Sprawy podpalaczy nie mają cech wspólnych i to jest najistotniejsze w pracy nad profilem. Psycholog musi prawidłowo odpowiedzieć na pytanie: Dlaczego sprawca to zrobił? Jeśli pomyli się, nigdy nie uzyska odpowiedzi na kolejne pytania: Czy zrobi to jeszcze raz? Ile razy to zrobi? Kim może być? W efekcie nie wykona rzetelnego profilu.

* * *

Każde podpalenie charakteryzuje kilka motywów. Ale tylko jeden jest wiodący i trzeba go wyodrębnić. Potem sprawa przypomina zagadkę logiczną. Profiler odpowiada na pytania: Czy sprawca to przemyślał, czy robił to sam, czy ze wspólnikiem, czy komuś o tym opowiadał i jak się zachowuje po popełnieniu przestępstwa?

* * *

Podpalacze działają z ukrycia, ponieważ boją się otwartej konfrontacji. Jeśli decydują się na atak, to jedynie pośrednio. Bywa, że atakują budynek należący do kogoś, kto zrobił im krzywdę – rzecz jasna w ich subiektywnym mniemaniu. Czasem wystarczy, że osoba ta powiedziała jedno słowo za dużo lub „krzywo spojrzała". Podpalacze nie reagują natychmiast. Odczekują i atakują dopiero po jakimś czasie. Wtedy czują się bezpieczni, nie do wykrycia. Dlatego w profilowaniu podpaleń nieocenioną rolę odgrywa analiza opinii biegłego z zakresu pożarnictwa oraz ustalenie, jaki był sposób wzniecenia ognia. Pomaga ona we wskazaniu motywu wiodącego.

* * *

Najtrudniejsze są śledztwa dotyczące piromanów, ponieważ najczęściej są to sprawcy seryjni. Piromania to choroba. Nieleczona rozwija się w błyskawicznym tempie. Sprawcy czują nieodpartą potrzebę podpalania i nie są w stanie nad tym zapanować. Zaczynają od drobnych podpaleń, których nikt nie zauważa i nie pamięta. Potem mają ochotę na „dzieła" coraz większe. Ich choroba postępuje. Tak wielka eskalacja jest typowa tylko dla piromanów. Piroman nigdy nie jest zabójcą – w przeciwieństwie do innych typów podpalaczy. Nie wykazuje agresji, atakuje tylko pośrednio. Jeśli w wyniku jego działania są ofiary, to dlatego, że nie przewidział jak szeroko rozprzestrzeni się ogień. Po dokonaniu wielu, często poważnych podpaleń, piromani chcą być złapani, czekają na to. Wielką ulgę przynosi im przyznanie się do winy. Doskonale wiedzą, że sami nie będą w stanie z tym problemem sobie poradzić.

* * *

Ludzie dotknięci piromanią są zagubieni w życiu, tłumią bliżej nieokreśloną złość do świata. Uważają, że wszyscy ludzie są źli. W dzieciństwie lub wczesnej młodości przeżyli traumę, którą odreagowują podpalając. Zwykle wychowywani w rodzinach z zasadami, ale twardo, chłodno, bez emocji (*stricte family*). Rodzice mocno ich karali i nie dawali wsparcia, żadnych wzmocnień w postaci ciepłych odruchów czy nagród. Efekt? Piromani mają problem z zaakceptowaniem siebie. By znaleźć potwierdzenie własnej wartości, muszą coś zniszczyć. Zwykle już w dzieciństwie przeżyli niegroźne incydenty z ogniem.

* * *

Piromani to zazwyczaj ludzie młodzi – około dwudziestu lat. Nie mają dużego doświadczenia życiowego. W większości przypadków – mężczyźni. U niektórych funkcjonuje stereotyp, że jeśli nie okaże swojej siły fizycznej, nie jest prawdziwym facetem. W przeciwieństwie do innych typów podpalaczy rzadko są agresywni w codziennym życiu. Stąd tak wielkie zdziwienie, kiedy zostają zatrzymani: To był taki miły, zamknięty w sobie, zakompleksiony chłopak

* * *

Piromani rzadko podpalają budynki, w których mieszkają ludzie. Nie chcą ofiar, tak naprawdę boją się kogokolwiek skrzywdzić. Podpalają, bo ogień stanowi podnietę seksualną i psychiczną. Dlatego obserwują łunę pożaru, na ogół z daleka, lecz z czasem zbliżają się tak bardzo, że można ich wyłapać w tłumie gapiów. Dlatego trzeba fotografować ludzi, którzy przychodzą obserwować akcję gaszenia pożaru. Wiele razy udało się w ten sposób ustalić sprawcę.

* * *

Kobiety piromanki wzniecają znacznie mniejsze pożary, i to przeważnie w domu lub w jego pobliżu. Działają w dzień, bo w świetle dnia czują się bezpieczniej. Mają tendencję do autodestrukcji. Karzą same siebie za wyimaginowane winy. Mężczyźni przenoszą frustrację na innych. Kobieta podpala, bo uważa, że to przez nią wybuchają konflikty w rodzinie. Pragnie to jedynie odreagować, więcszuka w pobliżu domu obiektów, które może podpalić, by dać upust swoim emocjom.

9

STARE SPRAWY

SPOTKAJ SPRAWCĘ W JEGO OBRAZIE ŚWIATA

Grzeczna łatwa dziewczyna – Była, miała, chodziła – Czy pan wierzy w Boga? – Dobry zielonoświątkowiec – Syndrom Otella – Niewierny „Groszek" – Mężczyzna w białych butach

Zabójca wielkiej wiary

Alicja Matusiak była ładną dziewczyną. Drobna siedemnastolatka o migdałowych oczach i kasztanowych włosach. Typ laleczki z serialu Beverly Hills. Chodziła do trzeciej klasy liceum na terenie województwa śląskiego.

Rodzina o Alicji: Dobrze się uczyła. Była lubiana, uprzejma, dobrze wychowana. Miała chłopaka, w którym była zakochana, ale się rozstali. Bardzo to przeżyła. Potem rzadko wychodziła z domu, jedynie z koleżankami na dyskotekę, ale rzadko...

Koledzy ze szkoły: Kręciło się wokół niej wielu chłopców. Była bardzo rozrywkową dziewczyną. Lubiła towarzystwo, alkohol, a ostatnio nawet narkotyki. Podobali się jej starsi chłopcy. Miała opinię łatwej.

Siódmego kwietnia 2005 roku około godziny dziewiątej rano matka Alicji zgłosiła na komisariacie policji w Szczekocinach zaginięcie córki: „Wczoraj o piątej po południu wyszła na mszę świętą i nie wróciła".

Rodzina i znajomi w całym miasteczku rozwiesili plakaty ze zdjęciem dziewczyny. Fotografię i dane zaginionej zostały pokazane w programie „Ktokolwiek widział, ktokolwiek wie". Mijały miesiące, w końcu rok. Policjanci przesłuchali wszystkie osoby, które mogłyby cokolwiek wiedzieć, co stało się z Alicją. Dziewczyna jakby zapadła się pod ziemię.

Codziennie ginie mnóstwo ludzi, ale ta sprawa była wyjątkowa. Dziewczyna poszła do kościoła. Wszyscy ją widzieli. Wyszła stamtąd, stała na przystanku, po czym zniknęła. Po prostu przepadła bez śladu.

Zwrócono się do mnie z prośbą o pomoc. Sprawę prowadzili policjanci z małego komisariatu w Szczekocinach. I pamiętam, że kiedy zgłębiałem akta, zwróciłem uwagę na jednego świadka. Dwudziestosześcioletni Robert Strusiński był jedynym wśród wszystkich przesłuchanych do sprawy poszukiwawczej, który mówił o Alicji w czasie przeszłym. „Była fajną dziewczyną, była dosyć wesoła". Wszyscy inni używali czasu teraźniejszego lub przyszłego: „jest, będzie, znajdzie się". Tylko Robert wyrażał się o niej jak o osobie, której już nie ma. A przecież Alicja była osobą zaginioną, a nie ofiarą. Dlatego pracę nad materiałem zacząłem od analizy jego zeznań. Wykazała znacznie więcej interesujących elementów. Był ostatnią osobą, która widziała Alicję żywą.

- *W swoich zeznaniach podawał szczegóły dotyczące zdarzeń niezwiązanych bezpośrednio ze sprawą, natomiast krytyczny dzień opisywał bardzo ogólnie, bez detali.*
- *Jego zeznania na temat cech osobowości Alicji były sprzeczne z zeznaniami rodziny i przyjaciół dziewczyny. Mówił o niej głównie źle.*
- *Ten mężczyzna był w Alicji śmiertelnie zakochany. Bez wzajemności.*

Podczas pierwszego przesłuchania Strusiński podał, że od chwili zaginięcia Alicja nie kontaktowała się z nim w żaden sposób. Podał także, że już wcześniej zdarzało się jej znikać na całe tygodnie z domu i nikogo to nie dziwiło. Tymczasem jej rodzina twierdziła, że dziewczyna wracała do domu zawsze przed dwudziestą drugą. Zaprzeczał, by szóstego kwietnia około dwudziestej pierwszej był na przystanku w Drużykowej (woj. śląskie, powiat zawierciański). Kiedy przesłuchiwano go ponownie, twierdził już, że nie pamięta, co działo się tamtego wieczoru, ponieważ był pod wpływem alkoholu. Podczas następnych przesłuchań zeznał z kolei, że pamięta, jak ludzie wychodzili z mszy, a także że przegonił z przystanku kolegę, ponieważ chciał zostać z Alicją sam. Mówił, że stali na przystanku dziesięć minut i rozmawiali o nieistotnych sprawach. Pytał ją na przykład, czy ma nowego chłopaka i jak jej się układa. Opowiadał, że musi jechać do lekarza. Twierdził, że po tej wymianie zdań odszedł z przystanku, bo miał wrażenie, że Alicja na kogoś czeka.

Zauważyłem, że te zeznania są niespójne, a nawet sobie przeczą. Wielokrotnie też Strusiński w ogóle odmawiał składania zeznań – tłumacząc, że nic nie pamięta, bo był pod wpływem alkoholu. W jego zeznaniach dostrzegłem elementy emocjonalne. Był wściekły, że dziewczyna go ignoruje, był o nią zazdrosny i podejrzliwy. Inni świadkowie potwierdzili moje przypuszczenia. Mówili, że Strusiński był w Alicji śmiertelnie zakochany, jednak dziwnie okazywał swoją miłość. Z jednej strony wyznawał jej uczucie, z drugiej wyzywał od „szmat i dziwek".

Strusiński był lokalnym zabijaką, wiele osób się go bało. Alicji na początku to imponowało. Traktowała go jak swojego bodygarda. Gdy ktoś ją zaczepiał, obraził, czy źle potraktował, skarżyła się Robertowi, a on natychmiast dawał temu komuś wycisk. Poza tym mężczyzna handlował narkotykami, więc miał pieniądze. Kupował jej ubrania, kosmetyki, karty telefoniczne, dawał gotówkę. Podwoził ją samochodem, częstował alkoholem lub narkotykami. Matka dziewczyny była przeciwna tej znajomości. Bała się o córkę.

Alicja akceptowała adoratora przez dwa miesiące, a potem się jej znudził. Umówiła się z nim na spotkanie i oświadczyła, że z nim „zrywa". To zrodziło w nim poczucie krzywdy i urazy. Strusiński zakochał się, zainwestował w Alicję sporo pieniędzy, a ona wykorzystała go i zerwała znajomość. Jego zachowanie świadczyło, że nie potrafi sobie z tą sytuacją poradzić.

Był wściekły, że tak go potraktowała. Uważał się za macho: sam zawierał znajomości z młodszymi od siebie dziewczynami i po krótkim czasie je porzucał. Alicja była pierwszą, na której mu zależało.

Po zerwaniu dzwonił do niej kilka lub kilkanaście razy dziennie, wysyłał SMS-y, w których na zmianę ubliżał jej i wyznawał miłość. Czekał na nią pod szkołą. Dziewczyna skarżyła się koleżankom. Mówiła, że „Strusiu" ją drażni, że wydaje mu się, iż posiadł ją na własność.

W bilingach znalazłem coś jeszcze, co wymownie świadczyło o tym, że Strusiński wiedział, iż Alicja nie żyje. Mianowicie od marca 2005 do szóstego kwietnia – czyli dnia zaginięcia – wysłał do niej dwieście trzydzieści dwa SMS-y, a łączył się pięćdziesiąt trzy razy. Po zaginięciu nie wykonał do niej żadnego telefonu, nie wysłał żadnego SMS-a. Dwukrotnie zmienił numer komórki, co przed zaginięciem Alicji mu się nie zdarzało. Pomyślałem, że nawet jeśli sam jej nie zabił, musiał mieć związek z jej zniknięciem.

Zapytałem śledczych, co wiedzą o tym człowieku, ponieważ w aktach nie było o nim zbyt wiele. Okazało się, że Strusiński siedzi właśnie w więzieniu za dwa pobicia ze skutkiem śmiertelnym. To był kolejny sygnał, że mężczyźnie należy przyjrzeć się bliżej.

Robert Strusiński jest jedynakiem, ma dwadzieścia dziewięć lat. Pochodzi z prostej, wiejskiej rodziny. Jego matka przez wiele lat była pracownikiem fizycznym w PGR. Teraz jest na rencie ze względu na przewlekłą chorobę. Ojciec był palaczem w jednym z prywatnych zakładów, ale z powodu alkoholizmu i zaniedbywania obowiązków przeniesiono go na niższe stanowisko – pilnowanie trzody chlewnej. Jednak i tam nie wytrwał długo. Za kradzież świń, które spieniężył (pieniądze wydał na wódkę), wyrzucono go z zakładu. Za to przestępstwo skazano go zresztą na kilka miesięcy aresztu. Kiedy wyszedł, opowiadał sąsiadom i znajomym, że w więzieniu jest lepiej niż na wolności, bo mają tam super jedzenie, znacznie lepsze niż u niego w domu. To nie był jego pierwszy pobyt w zakładzie karnym. Wcześniej siedział już za różne czyny popełnione pod wpływem alkoholu.

Robert obwinia ojca za stan zdrowia matki. Uważa, że zaczęła mieć problemy z psychiką, ponieważ się nad nią znęcał. To przez niego kilkakrotnie poroniła, próbowała też popełnić samobójstwo. Gdy chłopak był mały, wiele razy stawała w jego obronie. Brała na siebie ciosy męża, który kilka razy złamał jej szczękę i nos. Ale z wiekiem zaczęło jej brakować sił, nie była już w stanie uchronić syna przed agresją ojca, który bił go właściwie bez powodu. Czasem aż do utraty przytomności. Kiedy Robert podrósł na tyle, by oddać ojcu, zaczął stawać w obronie matki. Role się odwróciły. Po jednej z kłótni pobił ojca tak, że ten nie był w stanie ruszyć się przez tydzień. Kiedy w końcu doszedł do siebie, Robert wygnał go z domu. Ojciec zamieszkał u swojej matki. Jego zachowanie nie uległo jednak zmianie.

W dalszym ciągu pije i przychodzi do żony, by się awanturować, krzyczeć i próbować wszczynać bójki.

Sytuacja materialna rodziny była i jest bardzo ciężka. Zawsze ledwie wiązali koniec z końcem. W tej chwili matka mieszka ze swoją mamą w jednoizbowym domu bez podstawowych wygód – ubikacja mieści się na zewnątrz budynku. Ubóstwo, agresja i rozliczne kłopoty sprawiły, że nawet babcia Roberta próbowała popełnić samobójstwo. To on, jej jedyny wnuk, odciął sznur, kiedy próbowała się powiesić.

Robert nie pamięta, by kiedykolwiek go pochwalono lub nagrodzono. Rósł w przeświadczeniu, że jest do niczego. Zaczął uciekać z domu jako nastolatek. Włóczył się, wagarował, zadawał ze zdemoralizowanym elementem. Szybko spostrzegł, że w takim towarzystwie ma szanse zdobyć szacunek. Uwierzył w prawo pięści. Wyrzucono go ze szkoły, ponieważ wszczynał bójki i notorycznie opuszczał zajęcia. Przeniesiono go do szkoły specjalnej, gdzie uczył się zawodu murarza, ale zawodówkę ukończył z trudem... Przez długi czas nie miał pracy. Brał dorywczo drobne i słabo płatne zlecenia, na przykład u sąsiadów. Kilka razy pracodawcy próbowali „dać mu szansę", jednak szybko się wycofywali z powodu nieodłącznych cech osobowości Roberta: agresja, skłonność do nadużywania alkoholu, lenistwo. Jego przełożeni oceniają go jako osobę konfliktową, roszczeniową i nieodpowiedzialną. W sierpniu 1999 roku Strusiński wyjechał do pracy do Austrii. Zamiast zarabiać pieniądze, dokonywał drobnych kradzieży w sklepach, za co został deportowany do kraju. Służby wojskowej nie odbył, gdyż był jedynym żywicielem rodziny, otrzymał kategorię zdrowia D.

Przeanalizowałem wyroki Strusińskiego. Sprawdziłem, jak długo już siedzi i jak w więzieniu się zachowuje.

Ile dostał nagród, ile kar, czym najczęściej podpada. Jakie ma kontakty i potrzeby. Co ceni, co stanowi dla niego wartość. Odwiedziłem komisariat, gdzie go przesłuchiwano i rozmawiałem z policjantami, którzy mieli z nim kontakt. Byłem w więzieniu, gdzie siedział już drugi rok, i rozmawiałem z ludźmi, którzy się nim zajmują. Chciałem dowiedzieć się, kim ten człowiek jest dzisiaj. Wiedziałem, że będę musiał sam z nim porozmawiać, bo czułem, że on wie o wiele więcej, niż zeznał do sprawy. I byłem przekonany, że wydobycie z niego jakichkolwiek informacji będzie graniczyło z cudem. Nie miał żadnego interesu, by się do czegokolwiek przyznawać.

Osiem miesięcy po zaginięciu Alicji Robert się ożenił. Jego żona, Sylwia, miała już czteroletnie dziecko, które przysposobił. Kiedy zacząłem budować taktykę jego przesłuchania, kobieta była w szóstym miesiącu ciąży. Ojcem dziecka był Strusiński. Ponieważ po jego aresztowaniu nie miała z czego żyć, wyprowadziła się do swojej rodziny. Sylwia z wykształcenia jest kucharką, ale nigdy nie pracowała w swoim zawodzie. Kiedy poznała Strusińskiego, pracowała w agencji towarzyskiej, o czym Robert wiedział. W tej chwili kobieta zajmuje się wychowaniem dzieci swoich oraz siostry, która je porzuciła i wyjechała za granicę. Choćby ta sytuacja rodzinna nie pozwalała przypuszczać, że przesłuchanie Roberta będzie proste. Ponadto Sylwia nie miała pojęcia, iż jej mąż może być zamieszany w sprawę zaginięcia Alicji, a tylko przyznanie się sprawcy do winy mogło doprowadzić do wyroku. Wszystko co możliwe zostało już zrobione i nie dało rezultatów… Ciała dziewczyny nie odnaleziono. Zeznania świadków nie wskazywały bezpośrednio na Strusińskiego. Obciążały go jedynie szczątkowe informacje, wyodrębnione z dokumentów przez profilera, które dla sądu byłyby łatwym do zerwania łańcuchem poszlak, niczym więcej.

Musiałem znaleźć klucz, by „otworzyć" Strusińskiego. W pracy nad starymi sprawami dobra taktyka przesłuchania jest ważniejsza od profilu. Po latach znacznie trudniej nakłonić kogoś do przyznania się do winy, a czasami jest to jedyna droga, by powstał akt oskarżenia. Dlatego nie zastanawiałem się dłużej i pojechałem do Strusińskiego w odwiedziny.

Pierwszy dzień nie przyniósł żadnego efektu. Zadawałem pytania i sam musiałem na nie odpowiadać. Robert uparcie milczał. Na drugi dzień zabrałem go do komendy wojewódzkiej policji. Policjant, który był ze mną, siedział obok kierowcy i trochę przysypiał. Tymczasem ja pytałem osadzonego, jak się czuje, co robił wczoraj, czy odpoczął. Odpowiadał zdawkowo: tak, nie, nie wiem. Sprawa wydawała się być beznadziejna. Aż nagle, kiedy już byliśmy niedaleko posterunku, nagle się ożywił:

– Wierzy pan w Boga?

– Tak, oczywiście – odpowiedziałem. Nie skłamałem. Tak się składa, że w swoim życiu miałem wiele wspólnego z kościołem. Byłem czynnie zaangażowany, czytałem Biblię, występowałem jako animator ruchu „Światło-Życie".

W więziennych aktach Strusińskiego znalazłem informacje, że był on na kilku spotkaniach zielonoświątkowego kościoła. To mnie zainteresowało, bo ten człowiek wydawał się niezdolny do głębszych uczuć, jakichkolwiek przemyśleń, bądź zadumy. Zastanawiałem się, co mogło go skłonić do tych spotkań. Całkiem możliwe, że nie mógł już unieść ciężaru winy w związku z zabójstwem Alicji lub innych przestępstw. Sprawcy często uciekają w religię, a nawet fanatyzm, by „nie zwariować". Wiara umożliwia ujście silnym emocjom. Uruchamia mechanizmy obronne, pozwala uwolnić się od koszmarów, poczucia winy czy strachu. A po dokonanej zbrodni życie bardzo się zmienia i nie jest łatwo przejść nad tym do porządku dziennego. To mit, że ktokolwiek jest w stanie zapanować nad swoim sumieniem. Praktycznie nie ma takich „twardzieli". Nawet psychopata ma flesze, koszmary nocne lub w nieoczekiwanym momencie atakują go traumatyczne wspomnienia.

Okazało się, że Strusiński obecnie jest głęboko wierzącym człowiekiem. W jego przypadku należałoby raczej mówić o fobii, a nie o wierze. Zdecydowałem to wykorzystać jako klucz „otwarciowy".

– Panie Robercie, chyba pan wie, co Bóg nakazuje – zagaiłem. – Należy zadośćuczynić za swoją przeszłość.

– Przeszłość to ja już za sobą zamknąłem. Teraz mam nowe życie.

– Nowe życie bez rozliczenia się z przeszłością?

– No tak.

Dziś sądzę, że podjął ze mną rozmowę tylko dlatego, że uznał mnie za równego sobie partnera do dyskusji. Przekonał się, że sporo wiem na temat religii i potrafię swobodnie posługiwać się fragmentami Pisma Świętego. Nasze rozmowy wyglądały tak, że on mnie zarzucał swoimi argumentami, na co ja przytaczałem fragment z Biblii – na przykład o łotrze: „Jeden z nich złorzeczył, a drugi mówi: Panie, wspomnij o mnie, jak będziesz już w raju" – po czym pytałem:

– Którego by pan wybrał?

– Wiadomo, tego dobrego.

– To niech pan się zachowa jak ten dobry.

– Trochę ma pan rację, ale jednak mnie to nie przekonuje, bo moja religia nakazuje mi zamknąć stare życie i rozpocząć nowe.

– Żeby się w nowym odrodzić, to stare trzeba uporządkować – odparłem.

I tak sobie konwersowaliśmy. Nie godzinę czy dwie, lecz wiele dni. Może mężczyzna poczuł jakąś więź ze mną, a nawet podziw dla mojej wiedzy biblijnej. Jestem przekonany, że w przeciwnym wypadku nie wydobyłbym ze Strusińskiego ani jednej informacji. I tak zajęło mi mnóstwo czasu, by nakłonić go do rozmowy o wieczorze, kiedy ostatni raz widział Alicję.

Któregoś dnia, kiedy mój kolega dochodzeniowiec zrobił przerwę w przesłuchaniu i poszedł zaparzyć herbatę, Strusiński nagle powiedział:

– Pan już wie, że uwierzyłem w Boga, a on zmienił moje życie. Powiem o wszystkich sprawach, o które pan pytał, ale pod jednym warunkiem.

– Jakim?

– Niech pan załatwi, żeby pastor, który sprawił, że jestem bliżej Boga, odwiedził mnie w więzieniu.

Powiedziałem mu, zgodnie z prawdą, że nie mogę nic obiecać, ale spróbuję. Zaczęły się podchody, ponieważ nie jest łatwo załatwić wizytę „cywila" w areszcie tymczasowym, a zwłaszcza na tym etapie postępowania, gdzie istnieje groźba mataczenia. Organem dysponującym w sprawach tej rangi jest prokurator i policjanci nie mogą podjąć żadnej decyzji bez konsultacji. Kiedy zadzwoniłem do prokuratora, usłyszałem właściwie to, czego się spodziewałem:

– Panie, niech pan to sobie wybije z głowy! Jaki pastor? A co nas to obchodzi, że facet się nawrócił? Albo klient mówi, albo nie, i do widzenia.

Wtedy postanowiłem zagrać va banque. Choć nie mogłem Strusińskiemu ufać, nie dał mi żadnej gwarancji, to zaryzykowałem:

– A jeśli wtedy się przyzna? Czy uznałby pan to za okoliczność dopuszczającą?

– Gdyby się przyznał, to byłaby zupełnie inna sprawa. Ale z tego, co wiem, na razie jeszcze do tego nie doszło.

– Niech mi pan pozwoli – poprosiłem. – Biorę to na siebie. Jeśli nie uda mi się namówić Strusińskiego do przyznania się do winy, jeśli to spotkanie nie stanie się przełomem w śledztwie, to już nigdy we współpracy ze mną nie pozwoli mi pan na jakieś niekonwencjonalne metody.

Prokurator warunkowo wyraził zgodę.

Nadkomisarz Lach i śledczy pracujący nad tą sprawą znaleźli pastora, o którym mówił Strusiński. Skontaktowali się z jego przełożonym, porozmawiali z nim i uzyskali zgodę na przyjazd do osadzonego. Okazało się, że pastor Waldemar też w przeszłości był karany i wiara odmieniła jego życie. Założył rodzinę, wyszedł na prostą, a potem rozpoczął misję. Jeździł po zakładach karnych w całej Polsce, nauczał, nawracał. Umiał nawiązać kontakt z osadzonymi, wiedział, co do nich trafia, jak z nimi rozmawiać, ponieważ kiedyś był taki sam jak oni. Strusiński zaufał mu, zwierzył się i został zielonoświątkowcem. Pastor Waldemar został jego guru.

Pojechałem do domu pastora. Opowiedziałem mu o zabójstwie, Strusińskim i rodzinie, która już drugi rok czeka na odnalezienie dziewczyny. Pastor zadeklarował swoją stuprocentową pomoc. Moi koledzy z policji mieli duże wątpliwości. Sądzili wręcz, że będą z tego wyłącznie kłopoty. Sugerowali mi, że pastor współpracuje ze Strusińskim, więc nie nakłoni go do przyznania się do winy, a jedynie utwierdzi w przekonaniu, że zabójca powinien milczeć i na dodatek przekaże mu informacje, które zebrali śledczy. Odparłem, że na ile znam ludzi, wątpię, by o to chodziło. Nikogo jednak nie przekonałem. Na szczęście nie ugiąłem się i doprowadziłem do spotkania.

Policjanci przywieźli pastora. Wszedł do pokoju Strusińskiego z Biblią w dłoniach. Pół godziny się modlili, czytali różne fragmenty.

– Sam widzisz, wciąż nic – mówi do mnie prowadzący dochodzenie. – Teraz już chyba przyznasz, że się pomyliłeś.

Wszedłem do pokoju przesłuchań, a gdy Strusiński mnie zobaczył, rzekł: „Pan mi okazał tyle dobra, więc ja panu o wszystkim opowiem". I zaczął opowiadać.

Tragicznego wieczoru szóstego kwietnia 2005 roku spotkanie Alicji i Roberta wyglądało inaczej, niż to wcześniej podawał. Oni na tym przystanku PKS w Drużykowej byli umówieni.

To nieprawda, że Alicja i Robert nie byli parą. Spotykali się potajemnie. W obawie przed rodzicami Alicji, przed wszystkimi mieszkańcami miejscowości. Nagle Alicja postanowiła z nim zerwać. Zrobiła to kilka tygodni przed swoim zniknięciem. Chłopak nie potrafił sobie z tym poradzić. Więcej pił, a po alkoholu stawał się agresywny i tracił panowanie nad sobą. Wyzywał Alicję od „k...", czego żałował, gdy wytrzeźwiał.

Tego dnia wyszedł z domu około trzynastej, kupił w sklepie wino i pił je na zakręcie. Potem spotkał kolegów, którzy zaprosili go na wódkę, wypił z nimi jeszcze około pół litra. O dziewiętnastej miał umówione spotkanie z Alicją i gdy siedział na przystanku, czekając na nią, pojawił się jeszcze inny kolega – z dwoma winami. Kiedy spotkał się z Alicją, był mocno pijany.

Tego dnia Alicja nie chciała się z nim widzieć. Robert wymusił na niej przybycie, twierdząc, że chce tylko się pożegnać. Próbował wzbudzić w niej litość. Oświadczył, że wyjeżdża i prawdopodobnie nigdy nie wróci. Liczył, że dziewczyna się złamie, zacznie rozpaczać, a przynajmniej powie coś miłego. Tymczasem ona zaczęła się śmiać i okrutnie z niego szydzić.

– Już to widzę. Ale wiesz, jak już tam będziesz, to napisz. Może przyjadę na dzień czy dwa.

Ta reakcja doprowadziła go do furii. Chciał tylko, by się uciszyła. Chwycił ją i rzucił o przystanek. Zaczął okładać pięściami, po czym jeszcze kilka razy ją popchnął. Betonowy przystanek PKS w Drużykowej jest bardzo zdezelowany. Z ławek powyrywano deski, zewsząd wystawały metalowe pręty. Jeden z nich wbił się w głowę dziewczyny. Zaczęła charczeć. Robert nie od razu pojął, co się stało, ale zdecydował ją dobić. To było bardzo drastyczne zabójstwo.

Po wszystkim przeciągnął ciało za przystanek, zadzwonił do kumpli i powiedział, że sprzeda im sprzęt grający po bardzo atrakcyjnej cenie. Wcześniej nie chciał im go odpalić, choć nalegali. Wiedział więc, że wabik zadziała. Przyjechali po niedługim czasie. Kiedy Robert ich zobaczył, prawie się rozpłakał: „Pomóżcie mi, zabiłem moją dziewczynę". Byli w szoku, ale pomogli mu wciągnąć ciało do samochodu, a potem niemal całą noc jeździli ze zwłokami Alicji na tylnym siedzeniu, szukając odpowiedniego miejsca na pochówek. Byli także pod domem Roberta, ponieważ chłopak musiał wziąć sprzęt, którym *de facto* „zapłacił" kolegom za przysługę. Przy okazji zabrał łopaty do wykopania dołu w lesie, czyste ubrania i buty, bo wszyscy trzej byli zakrwawieni – z dziury w głowie Alicji nieustannie lała się krew. Nikt ich nie zauważył, bo w tej miejscowości domy są od siebie oddalone, a poza tym szybko skierowali się w stronę lasu. Długo szukali odpowiedniego miejsca. Próbowali kopać w kilku. W pierwszym trafili na zbyt grube korzenie, co uniemożliwiało wykopanie odpowiednio dużego dołu. Robert upierał się, że dół musi być głęboki, żeby nikt jej nie znalazł. Próbowali w drugim, jednak wtedy Strusiński uznał, że grunt jest za miękki, i ktoś może ją przypadkowo odkryć. Dopiero w trzecim miejscu udało się ją zakopać.

Wybór tego miejsca nie był przypadkowy. Wiązał się z nielicznymi pozytywnymi wspomnieniami z dzieciństwa. Kiedyś było tam jeziorko, w którym Strusiński kąpał się jako mały chłopiec. W miejscu, gdzie ostatecznie sprawcy wykopali grób Alicji, Robert zawsze kładł ręcznik, na którym się opalał, odpoczywał i czuł się pewnie. Dlatego je wybrał. Tylko z pozoru działał nieświadomie. Później zresztą, w trakcie naszych rozmów przyznał, że to miejsce kojarzyło mu się z czymś dobrym. Tego samego zresztą pragnął dla Alicji. Mimo okrutnego czynu, chciał jej jakoś zadośćuczynić po śmierci.

Po zabójstwie łopaty wrzucili do pobliskiego jeziora, zakrwawionych rzeczy pozbyli się z dala od swojej miejscowości. Aby zminimalizować stres, próbowali załatwić jakieś narkotyki, ale się nie udało. Następnego dnia Robert musiał pojechać do sąsiedniego miasta. Rano przyszedł na przystanek PKS. Ten sam, na którym spotkał się z Alicją. Struchlał, bo stała tam jej matka. Nie mógł uciec ani się schować. Był zmuszony stanąć obok. Podszedł, ale powiedział tylko „dzień dobry" i się oddalił. Nic więcej nie był w stanie zrobić. Pani Matusiak jechała do gminnego miasteczka w Szczekocinach, by zawiadomić policję o zaginięciu córki.

Jakże różne myśli kłębiły się w tych dwóch głowach.

Matka: Gdzie ona jest? Co teraz robi? Gdzie poszła?

Zabójca: Wiem, gdzie jest twoja córka, wiem, że już nie wróci. Na próżno czekasz. A spotkanie z tobą to nieciekawy znak, muszę od tego uciekać.

Strusiński przyznał się i opowiedział profilerowi ze szczegółami przebieg zbrodni. Kiedy policjanci z posterunku w Szczekocinach dowiedzieli się o tym, nie mogli uwierzyć. Strusiński wcześniej był przesłuchiwany wielokrotnie. Nie tylko do sprawy zaginięcia Alicji, lecz do różnych spraw, po różnych incydentach. Zawsze odmawiał zeznań, był agresywny, wulgarny i nie chciał współpracować. Wielu śledczych nie mogło uwierzyć i nie rozumiało, dlaczego tym razem zachowuje się inaczej. Jakież było ich zaskoczenie, kiedy zgodził się na wizję lokalną[1] i obiecał,

[1] Oskarżony w trakcie postępowania prokuratorskiego może wyrazić zgodę na odtworzenie przebiegu zabójstwa. Odbywa się to w miejscu, gdzie tego dokonał. Sprawca pokazuje, jak to zrobił, gdzie ukrył ciało i narzędzia zbrodni. Jest to jeden z dowodów w sprawie.

że wskaże miejsce ukrycia ciała. Postawił tylko jeden warunek: w wizji musi uczestniczyć profiler. Tylko z tym człowiekiem będę rozmawiał.

Miałem na ten dzień zupełnie inne plany, ale wszystko musiałem odwołać, bo Strusiński powiedział, że nie wyjdzie z celi, jeśli nie pojadę z nim na wizję. Postawił warunek prokuratorowi z Prokuratury Okręgowej w Częstochowie, która prowadziła sprawę, że pokaże to miejsce jedynie mnie lub temu policjantowi, który był z nami. Tak się złożyło, że tamten funkcjonariusz był na urlopie, więc na miejsce pojechałem ja. I myślę, że dobrze się stało. Strusiński jest typem człowieka, który jeśli zatnie się w sobie, to nikt go do niczego nie nakłoni – jak wy mi tak, to ja wam też tak. Na zasadzie wet za wet. O mało zresztą tak się nie stało, a wtedy nigdy nie odnaleziono by zwłok Alicji. Przyjechaliśmy na przystanek PKS w Drużykowej, gdzie Robert ją zamordował. Stoimy na przystanku, on opowiada i nagle widzimy, że zbliża się do nas jego matka. Akurat tego dnia zamierzała dokądś pojechać autobusem. To był zupełny przypadek. Ani syn, ani matka nie mogli tego spotkania przewidzieć czy zaplanować. Zresztą on nie widział jej od kilku miesięcy, bo prokurator nie dawał zgody na widzenia. Teraz on na nią patrzy, a ona podchodzi, płacze. Ale policjanci nie pozwalają jej się zbliżyć do syna. Prokurator nie zwraca na ten fakt uwagi. Wtedy poprosiłem, żeby rozkuli Strusińskiego – tylko na chwilę, by mógł się z matką przywitać.

– No chyba pan żartujesz! – usłyszałem od prokuratora. – To jest groźny bandyta i zabójca! Absolutnie wykluczone!

– Zróbcie to – mówię do niego. – Na moją odpowiedzialność.

Wreszcie się zgodził. Strusiński zamienił z matką dwa zdania, zakuli go z powrotem i wszystko potoczyło się dalej jak należy. Dobrze oceniłem, jak ważna dla Roberta była możliwość przywitania się z matką. Byłem pewny, że jeśli mu na to nie pozwolą – mężczyzna nie pokaże miejsca ukrycia zwłok.

Podobna sytuacja miała miejsce, kiedy chodziliśmy po lesie. Trwało to bardzo długo, bo on nie mógł sobie przypomnieć, gdzie dokładnie zakopali ciało Alicji. Próbowali je ukryć w kilku miejscach. Tego dnia był silny mróz. A on tylko w więziennym drelichu, skuty kajdankami. Pomyślałem, że ja mogę schować ręce do kieszeni, a on nie, więc potwornie marznie. I choć nie zapomniałem, ile złego zrobił, podszedłem i dałem mu swoje rękawiczki. Nie musiałem tego robić, bo on i tak zaraz wskazałby miejsce ukrycia ciała. To był tylko gest, bezinteresowny. Strusiński o tym wiedział.

Kiedy się żegnaliśmy, nie było wielkich słów. Nie dziękował mi, nie okazywał praktycznie żadnych emocji. Tylko powiedział do mnie:

– Mam taką prośbę. Niech pan to przemyśli. Z pana byłby dobry zielonoświątkowiec.

Po dwóch latach od zniknięcia Alicji Matusiak sprawa znalazła swój finał w sądzie. Kiedy Strusiński rozmawiał z nadkomisarzem Lachem, odsiadywał karę wymierzoną do 2012 roku. Proces o zabójstwo Alicji skończył się dla niego wyrokiem dwudziestu pięciu lat, więc nieprędko wróci na wolność. Odbył się też pogrzeb dziewczyny, na który przybyła cała społeczność miasteczka.

Finał tej sprawy, czyli odnalezienie zwłok, ma największe znaczenie dla rodziny ofiary. Ludzie, których bliscy zaginęli, nie dopuszczają do siebie myśli, że ich dziecko, brat, siostra, mąż nie żyje. Łudzą się, że ten ktoś wróci, odnajdzie się. Jeżeli zaginęła piękna dziewczyna – jak to miało miejsce w tej sprawie – oszukują się, że może ktoś ją porwał do domu publicznego w Niemczech, że tam pracuje. Czekają na telefon, na list, jakikolwiek znak. Mają nadzieję, że ta osoba żyje i któregoś dnia zapuka do ich drzwi, a wszystko znów będzie jak dawniej. Taki stan zawieszenia powoduje, że ci ludzie nie umieją normalnie żyć. Odnalezienie zwłok Alicji było dla jej bliskich wielkim wstrząsem. W tym jednym momencie wszystkie ich nadzieje umarły. Ale właśnie dzięki temu, że mogli dziewczynę pochować, uczcić jej pamięć, z czasem będą mieli szansę na domknięcie żałoby. I choć minie bardzo dużo czasu, zanim pogodzą się z jej stratą, nie będą żyć w iluzji, która wcale nie jest lepsza od prawdy.

Kiedy sprawa została rozwiązana, wyrok Strusińskiego uprawomocnił się, na biurku profilera zadzwonił telefon.

Robert dzwonił z zakładu karnego w Częstochowie, gdzie teraz siedział. Poprosił, bym przyjechał, bo chciałby opowiedzieć mi o innych sprawach, których policjantom nie udało się rozwiązać. Zgodziłem się, choć miałem mnóstwo innych obowiązków. Strusiński opowiedział o ponad pięćdziesięciu zdarzeniach, w których uczestniczył lub o których wiedział. Ja tylko wchodziłem do szefa sekcji dochodzeniowo-śledczej i pytałem, czy tego i tego dnia mieli takie zdarzenie. A oni wyciągali akta kolejnych nierozwiązanych spraw.

Kiedy rozmawiałem z tym mężczyzną, miał zaledwie dwadzieścia dziewięć lat. W swoim krótkim życiu zdążył związać się z prostytutką, mieć z nią dziecko, uczestniczyć w pięćdziesięciu przestępstwach, w tym w dwóch pobiciach ze skutkiem śmiertelnym, oraz zabić.

O „przestępczym charakterze" Roberta zadecydowało przede wszystkim jego życie: matka i babka, które próbowały popełnić samobójstwo, ojciec, który go bił aż do utraty przytomności, bieda, frustracja, brak wykształcenia i perspektyw na inny los. Wściekłość na życie, że nigdy nie będzie miał szansy wyjść na prostą i zyskać szacunku praworządnych obywateli. Gdy patrzę na tego typu człowieka, to zawsze powtarzam, że nie da się wskazać jednego momentu, kiedy z ofiary przeistacza się on w agresora. Jeśli osoba, która doznała wiele złego, ma za sobą mnóstwo negatywnych doświadczeń, wreszcie komuś zaufa, odda serce, to oczekuje takiego samego zaangażowania. On zainwestował w Alicję dużo pieniędzy. Kupował jej komórki i ubrania, podwoził, dokądkolwiek chciała, załatwiał narkotyki, alkohol. Ale to, co zainwestował ważniejszego – to było uczucie. Liczył, że ona będzie jego przepustką do normalnego świata. Jeszcze wtedy chciał się zmienić. Miał w sobie potencjał, by wrócić z ciemnej strony mocy i dlatego tak bardzo przeżył to odrzucenie. Nie chodziło o zainwestowane pieniądze ani nawet męską dumę. Poczuł się oszukany, ponieważ wiedział, że tracąc Alicję, traci wszystkie swoje marzenia o lepszym życiu. Tak to wyglądało z jego strony w tamtym momencie, choćby nikomu poza profilerem się do tego nie przyznał. Motywem jego działania było poczucie krzywdy i urazy. Gdyby dziewczyna została z Robertem, miałaby z pewnością bardzo ciężkie życie, jednak prawdopodobnie by żyła. Jego agresję uruchomiło jej zachowanie: odrzuciła go i wyśmiała.

Czy można dokonać zbrodni doskonałej? Strusińskiemu w zasadzie się udało. Przez dwa lata po zbrodni był bezkarny. Jego kompani milczeli. Zwłoki ukrył tak dobrze, że nie można było ich odnaleźć, a jeśli nie ma ciała – nie ma zbrodni. I gdyby nie odpowiednia taktyka przesłuchania, być może nadal sprawa należałaby do niewyjaśnionych. Wiele takich nie ujrzało światła dziennego. Ktoś zastosował niewłaściwą taktykę podczas przesłuchania podejrzanego, ciała nigdy nie odnaleziono i nie ma zbrodni.

„Cześć"

Wersja Wiktora:

Dwudziestego siódmego września 1986 roku około godziny trzynastej pojechaliśmy na zakupy. Mieszkamy w Kamionkach, dwadzieścia kilometrów od Pabianic pod Łodzią. Auto należało do mnie, ale prowadziła Aneta, bo ja od kilku miesięcy nie mam prawa jazdy – odebrali mi za jazdę w stanie nietrzeźwym. Pojechaliśmy do miasta, bo Aneta miała kupić mięso i wędlinę[1]. Weszła do sklepu, ja czekałem na nią w barze naprzeciwko. Potem wróciła i powiedziała, że dostawy nie było, więc musimy jeszcze pojechać w jedno miejsce – do Pabianic. Zgodziłem się pod warunkiem, że nie będę musiał stać z nią w kolejkach. Wysadziła mnie przed restauracją „Mewa" i odjechała do sklepu.

[1] To były czasy, kiedy większość produktów, w tym mięso, była na kartki.

Tymczasem okazało się, że akurat tego dnia restauracja była nieczynna. Nie ukrywam, trochę się zdenerwowałem. Zostawiła mnie bez słowa. Mogła chociaż powiedzieć, że po mnie nie wróci. Czekałem dwadzieścia minut, a kiedy nie przyjechała, poszedłem na piechotę do dworca kolejowego i złapałem taksówkę. Zapłaciłem pięćset złotych. W domu byłem około szesnastej. Aneta nie wróciła ani tej nocy, ani następnej.

Zeznania bliskich Anety:

Nigdy nie zdarzyło się, aby zniknęła z domu bez powodu, zwłaszcza na tak długo. Była odpowiedzialna, nie zostawiłaby córki. Bardzo się niepokoimy. Zachowanie Wiktora po jej zniknięciu było delikatnie mówiąc dziwne. Nie interesowało go, co się z nią dzieje, ani jak mogło do tego dojść. Był przecież jej mężem! Z jednej strony był ślepo zazdrosny: śledził ją, podsłuchiwał, kontrolował, a z drugiej, kiedy pierwszy raz zaginęła na dwa dni, w ogóle się nie przejął. Rodzinie i bliskim powiedział po dwóch dniach i to na naszą prośbę poszedł na milicję i złożył oficjalne doniesienie. Gdybyśmy na nim tego nie wymusili, jeszcze by zwlekał. Cała ta sprawa śmierdzi na odległość.

Z milicyjnych akt:

Pierwszego października 1986 roku na parkingu osiedlowym w jednym z łódzkich osiedli przy ulicy Konopnickiej 23 zostało ujawnione auto zarejestrowane na Wiktora Sadowskiego – trzyletni fiat 125p w kolorze czerwonym metalic. Za szybą samochodu znaleziono zdjęcie portretowe jego żony, na którym ktoś przykleił wycięte z gazety litery. Tworzyły one słowo: CZEŚĆ. Milicjanci wszczęli poszukiwania, ale nie wykryto śladu bytności Anety w tym rejonie.

Szesnastego października Stanisław Bielecki wybrał się na grzyby do lasu w okolicach Kamionki. Zaraz po wejściu do lasu natknął się na zwłoki kobiety i natychmiast zawiadomił milicję. Śledczy, którzy przyjechali na miejsce, znaleźli w torebce ofiary dokumenty na nazwisko Aneta Sadowska. Zamordowana miała na sobie jasną sztruksową kurtkę zapinaną na zamek błyskawiczny, bluzkę i podkoszulek w tym samym kolorze oraz niebieskie dżinsy. Leżała twarzą do ziemi. Ręce miała wyrzucone nad głową, nogi wyprostowane. Ciało pozostawiono wśród niskich krzewów kilkadziesiąt metrów od drogi.

Z ekspertyzy medyków sądowych:

Śmierć była gwałtowna i nastąpiła w wyniku uduszenia. Biegli stwierdzili ostre rozdęcie płuc, co może oznaczać, że zabójca zatkał kobiecie nos i usta ręką bądź poduszką. Na twarzy Anety były liczne zadrapania. Sprawca przemieścił ciało. Nie było śladów biologicznych. Zabójstwa dokonano w przeciągu ostatnich dwóch tygodni[1].

Sprawa została umorzona z powodu niewykrycia sprawców.

Dwadzieścia lat później, w 2006 roku, Wiktor Sadowski trafił do więzienia, skazany za ugodzenie nożem własnej córki, Iwony. Podczas pracy nad tą sprawą Iwona zeznała, że przez lata podejrzewała ojca o zabójstwo matki. Policjanci wyciągnęli z archiwum akta sprawy z 1986 roku i zaczęli je ponownie badać. Wynikało z nich, że już wówczas Wiktor był jednym z głównych podejrzanych, jednak nie można mu było niczego udowodnić. Drugim podejrzanym był kochanek Anety – Jacek Wodzisławski.

[1] Czasem trudno ocenić, czy ofiara nie żyje od dwóch czy czternastu dni, bo decydują o tym warunki atmosferyczne itp.

To pod jego domem znaleziono auto Wiktora wraz ze zdjęciem Anety i napisem „CZEŚĆ". W tamtym czasie zabezpieczono odcisk palca, ale nie nadawał się do badań. Minęło jednak sporo lat i przy obecnym poziomie rozwoju techniki można było dokonać analizy porównawczej. Zlecono ekspertyzę, która wykazała, że ślad daktyloskopijny należy do męża zamordowanej. To odkrycie pozwoliło na wznowienie śledztwa po dwudziestu latach od dokonania zbrodni. Ślad linii papilarnej był jednak niewystarczającym dowodem, by postawić zabójcę przed sądem. Poproszono o pomoc profilera.

Śledczy przysłali mi akta archiwalne i poprosili o zrobienie ekspertyzy. Nie powiedzieli mi nic o zabezpieczonym odcisku palca męża ofiary, wiążącym go z zabójstwem. Skupiłem się na wykonaniu klasycznego profilu, w którym określiłem cechy sprawcy, a nie wskazywałem, kto konkretnie mógł tej zbrodni dokonać. To była mrówcza praca. Analizowałem zdjęcia, zeznania świadków, dokumenty z oględzin i opinie biegłych.

Aneta Sadowska była atrakcyjną, filigranową kobietą. Czarne długie włosy. Śniada cera, delikatne rysy twarzy. Wyglądała na mniej lat, niż miała w rzeczywistości. Dbała o strój, fryzurę i dodatki. Nie malowała się. Była skryta, miała małe grono znajomych. Pracowała w firmie włókienniczej. Przełożeni cenili ją. Przedstawiali jako osobę systematyczną, odpowiedzialną i zdyscyplinowaną. Chociaż miała jedynie średnie wykształcenie i zaczynała jako pracownik najniższego szczebla, szybko awansowała. W krótkim czasie stała się zaufaną pracownicą zwierzchników i angażowano ją podczas wizyt zagranicznych delegacji, bo jako jedna z niewielu posługiwała się biegle niemieckim. Była bardzo zaradna życiowo. Sama utrzymywała dom.

Wiktor Sadowski był kompletnym przeciwieństwem żony. Nadużywał alkoholu, zaniedbywał pracę, był nieodpowiedzialny i miał opinię „bawidamka", który przedkłada życie towarzyskie nad obowiązki. Czwartego lipca 1986 roku odebrano mu zawodowe prawo jazdy. Pracował jako kierowca miejskiego autobusu, więc z dnia na dzień został bezrobotny, a ciężar utrzymania domu spadł na Anetę.

Ci dwoje nigdy nie tworzyli udanego związku. Siedemnastego września 1970 roku, gdy Aneta brała ślub z Wiktorem, była w ciąży. Obawiała się opinii ludzi i działała pod presją. Ich jedyną córkę, Iwonę, urodziła pięć miesięcy później. Przez lata w domu Sadowskich dochodziło do awantur, a nawet rękoczynów. Sąsiedzi kilka razy widzieli u Anety podbite oko. Bywało, że interweniowała milicja.

Na początku 1985 roku z państwowej budowy, na której wtedy pracował, Wiktor ukradł worek cementu, paletę pustaków i zwój kabli. Został za to skazany na grzywnę i więzienie. Aneta spłaciła jego dług, ale wyrok Wiktor musiał odsiedzieć. W zakładzie karnym spędził pół roku. W tym czasie Aneta poznała Jacka Wodzisławskiego, kolegę swojego brata. Bardzo szybko zadurzyła się w mężczyźnie i została jego kochanką. Zanim Wiktor odbył wyrok, romans Anety i Jacka przerodził się w głębokie uczucie. Oboje planowali odejście od swoich partnerów – Jacek też był żonaty – i rozpoczęcie wspólnego życia. Sielanka skończyła się, kiedy Wiktor wrócił do domu. Pił coraz więcej i stawał się coraz agresywniejszy. Cierpiał na typowy dla alkoholików zespół Otella, co przejawiało się chorobliwą zazdrością i wywoływał karczemne awantury, które nierzadko kończyły się szarpaniną lub pobiciem. Aneta uznała, że powinna zaczekać z opuszczeniem Wiktora i utrzymywała swój nowy związek w tajemnicy. Jednocześnie spotykała się z Jackiem codziennie po pracy, a w dni wolne wyjeżdżali za miasto. To z nim, a nie z mężem spędziła urlop, na który zabrała córkę, Iwonę, by przygotować nastolatkę do nowej sytuacji życiowej.

Choć Aneta była przekonana, że jej nowa miłość to jej osobisty sekret, Wiktor o wszystkim doskonale wiedział. Praktycznie od wyjścia z więzienia śledził żonę i jej kochanka. Swoje działania doprowadzał do granic absurdu. Do tropienia i rejestrowania każdego kroku Anety wykorzystywał znajomych i rodzinę. Kiedy Aneta wracała do domu, wszczynał awantury i bił ją. Atmosfera w ich małżeństwie stała się bardzo napięta.

W sierpniu 1986 roku Aneta podjęła ostateczną decyzję o rozwodzie. Wywiozła do swojej matki biżuterię, zapasowe klucze do samochodu oraz książeczkę oszczędnościową z wkładem dwustu dwudziestu siedmiu tysięcy złotych. Stwierdziła, że boi się, iż mąż roztrwoni to wszystko na wódkę. Powiedziała matce, że już wcześniej zabierał cenne rzeczy, choć zawsze, kiedy groziła rozwodem, oddawał. Piętnastego września Aneta radziła się Jacka, czy można przepisać książeczkę na córkę. Nie zdążyła tego zrobić.

Niecały miesiąc przed śmiercią zażądała rozwodu. Wiktor nie chciał się zgodzić. Zwyzywał Anetę od ladacznic i zagroził, że zabije ją razem z jej kochasiem. Potem kłócili się praktycznie codziennie. W przerwach między awanturami próbował w żonie wzbudzać litość, mówiąc, że sobie bez niej nie poradzi. Jednocześnie kontrolował każdy jej krok. Dzwonił do jej pracy, sprawdzał, o której wychodzi i przychodzi. Wynajmował ludzi, by ją obserwowali. Jednocześnie udawał, że ten romans go nie interesuje i zaprosił Jacka na swoje imieniny.

Dzień przed zniknięciem Aneta wyjechała z kochankiem na wycieczkę. Mężowi powiedziała, że jedzie w delegację, dlatego nie będzie odbierała jego telefonów w pracy. Mimo to Wiktor wydzwaniał do niej non stop. W końcu ktoś ze współpracowników odebrał telefon i powiedział, że Aneta ma wolne. Wiktor wpadł w szał. Kiedy kobieta wróciła do domu, wybuchła wielka awantura. Następnego dnia Aneta zniknęła bez śladu.

Przesłanki wskazywały, że tego zabójstwa nie dokonano na tle seksualnym czy ekonomicznym. Motywem działania zabójcy Anety Sadowskiej były emocje.

Sprawca zostawił kartę wizytową, która go identyfikuje z punktu widzenia psychologii śledczej. Odnalezione auto było zaparkowane nieprawidłowo, ukosem, częściowo na krawężniku, a częściowo na jezdni. Takie trudności w precyzyjnym parkowaniu mogły być spowodowane na przykład spożyciem alkoholu przez kierowcę.

Sprawca zadał sobie trud, by przemieścić zwłoki, odstawić samochód pod blok kochanka, a także wykonać makabryczną laurkę ze zdjęcia ofiary i liter z gazety. Świadczy to o tym, że musiał mieć bardzo dokładną wiedzę na temat kontaktów i relacji ofiary oraz że te relacje były dla niego ważne, budziły w nim silne emocje. A także chciał skierować poszukiwania sprawcy na niewłaściwe tory. Gdyby nie był bliski ofierze, nie zrobiłby ani jednej z tych rzeczy – choćby po to, by nie zostać ujawnionym. Dzięki analizie usytuowania zwłok stwierdziłem, że sprawca dobrze znał teren. Musiał w tej okolicy pracować, bywać lub mieszkać. Fakt, że po zabójstwie odwrócił ofiarę twarzą do ziemi, świadczy o jego związku emocjonalnym z Anetą. Nie chciał po śmierci patrzeć kobiecie w twarz.

Kiedy kończyłem przygotowywać profil, natrafiłem w aktach na bardzo ciekawy szczegół. To był ostatni element układanki. Do analizy miejsca zbrodni mogłem posłużyć się jedynie starymi, czarno-białymi fotografiami. To naprawdę niewiele, zważywszy na to, że oględziny są czynnością niepowtarzalną. Wpatrywałem się w te kilka zdjęć i zastanawiałem nad różnymi kwestiami. Na jednym z nich zamordowana kobieta leżała na plecach. Przyglądałem się ułożeniu ciała i rozmyślałem nad jej emocjonalnym związkiem z zabójcą, kiedy dostrzegłem, że zamek od spodni jest do połowy rozpięty. To mnie zastanowiło. Z akt i rozmów z jej bliskimi wiedziałem o niej naprawdę wiele. Znałem jej tryb życia i byłem przekonany, że Aneta niezwykle skrupulatnie dbała o swój wygląd. Nie mogła tak po prostu zapomnieć o suwaku. Przyjrzałem się okolicy na zdjęciu. To był las. I nagle mnie olśniło – być może zabójca zaatakował ją, kiedy poszła za potrzebą. Wtedy zrodziło się kolejne pytanie: Czy byłaby w stanie załatwiać się w obecności kogoś nieznajomego? Kogoś, z kim nie była związana emocjonalnie, z kim – jak to się potocznie mawia – nie „żyła". Z łatwością odpowiedziałem sobie: „Nie!". Czy mógł to być jej kochanek? Zastanawiałem się nad tym i według mnie kobieta swobodniej czuła się w obecności męża.

Dokończyłem profil, nie sugerując się jednak tym odkryciem. Sporządziłem psychologiczny portret, uwzględniając wszystkie elementy, które charakteryzują zabójcę.

Napisałem, że sprawca jest mężczyzną w wieku czterdziestu do czterdziestu pięciu lat, emocjonalnie związanym z ofiarą, nawet spokrewnionym. Głównym motywem jego działania było bowiem rozładowanie negatywnego napięcia dotyczącego Anety Sadowskiej oraz unicestwienie, wymazanie złych przeżyć, a więc zemsta! Przed dokonaniem czynu spożywał alkohol, a po nim wypił jeszcze więcej – alkohol odgrywał rolę „tłumika" negatywnych emocji. To osoba o wysokim poziomie agresji, mogła być karana za przemoc w rodzinie. Ma zaburzoną lub nieprawidłową osobowość. Zna doskonale teren, gdzie dokonał zabójstwa – mógł tu mieszkać lub pracować. Prawdopodobnie nie respektuje w codziennym życiu podstawowych norm moralnych – ma problemy w pracy, w sąsiedztwie, w rodzinie. Nie zabrał ze sobą narzędzia zbrodni, ale zaplanował ją. Przygotowywał się „przed" i pieczołowicie wykonał swój plan „po" zdarzeniu. Pochodzi z rodziny o niskim statusie ekonomicznym. Jest najstarszym dzieckiem w rodzinie, w stosunku do którego była stosowana niekonsekwentna dyscyplina: matka zakazywała, a ojciec pozwalał. Po zdarzeniu dokonał minimalnych zmian w swoim postępowaniu. Potrafi zachować zimną krew.

Kiedy przekazałem tę opinię prowadzącemu dochodzenie, okazało się, że wiernie oddaje cechy męża Anety, chociaż go nie znałem. Nie wiedziałem, ile ma lat, choć w dniu popełnienia zabójstwa Wiktor Sadowski miał właśnie tyle, ile podałem w profilu. Wtedy zaproponowano mi, żebym pomógł w opracowaniu taktyki jego przesłuchania, które miało być kluczowym dowodem we wznowionej sprawie. Zgodziłem się i rozpocząłem zbieranie dodatkowych informacji na temat życia Anety i Wiktora Sadowskich. Pojechałem na rozmowę do ich jedynej córki. Od Iwony dowiedziałem się wielu szczegółów o małżeństwie jej rodziców. Na koniec zapytałem, czy *ma może jakieś fotografie. Powiedziała, że ma zdjęcia z pogrzebu matki. Gdy je przyniosła, wyciągnąłem dwa na chybił trafił i zaraz pokazałem policjantom, którzy ze mną byli.*

– Co ciekawego tu widzicie?

– A co tu ciekawego? Pogrzeb zwykły.

– Popatrzcie, gdzie stoi Sadowski.

Nie stał z rodziną, ze wszystkimi, lecz obok. Ludzie nieświadomie ustawiają się w konkretnej konfiguracji. Właśnie na fotografiach doskonale widać wszelkie ludzkie emocje. I nie trzeba być wnikliwym psychologiem, żeby dostrzec, kto kogo lubi, kto z kim sypia albo kto chce się odizolować, „wyjść na aut". Takie nieświadome ustawienia wskazują ważny dla psychologa śledczego element: emocjonalny związek ze zdarzeniem.

Odwiedziłem jeszcze wiele osób. Zebrałem mnóstwo ciekawych informacji, które przydały mi się potem podczas przesłuchania podejrzanego.

Sadowski wykazywał cechy charakterystyczne dla zespołu Otella[1]*, jednak jego zazdrość nie miała związku z miłością do żony. Była to wyłącznie potrzeba posiadania i kontroli. Formalnie był osobą najbliższą ofierze, ale po jej zniknięciu nie zaangażował się w jej poszukiwania. Nie zadał sobie nawet trudu, by cokolwiek udawać.*

Wszystko, co było związane z jego osobą, nasuwało wniosek, że ten człowiek może być zamieszany w zbrodnię. Na jego niekorzyść świadczyły przeszłość, pobyt

[1] Chorobliwa zazdrość, jednostka chorobowa, powinna być leczona psychiatrycznie.

w więzieniu, inklinacje oraz prosty rachunek, ile mógł stracić na rozwodzie, a co zyskać na zniknięciu Anety.

Rozważałem jeszcze, czy tego zabójstwa nie mógł dokonać Jacek, nowy mężczyzna w życiu Anety, ale po sporządzeniu dokładnego rozkładu dnia okazało się, że był wtedy w pracy. Przed laty milicjanci nie znaleźli sposobu, żeby „złamać" męża ofiary. Dlatego na początku pozwoliłem mu kłamać. Oczywiście wyjaśniał, że niczego nie pamięta, więc zapytałem go o konkretną godzinę i datę. W pewnym momencie zaczął odpowiadać. A kiedy próbował się z czegoś wytłumaczyć, chwytałem się podawanych przez niego detali – nazw produktów, które kupili, barów, w których miał pić, czekając na żonę. Pytałem, dlaczego aż tyle czasu zajęły im konkretne czynności i co konkretnie robili. Wreszcie tak się zaangażował, że stworzył szczegółowy harmonogram tragicznego dnia. I choć bardzo się starał, okazało się, że gdzieś umknęło mu pół godziny. Rzecz jasna zapytałem o ten czas i już wiedziałem, że go mam, bo podał tyle szczegółów, iż nie mógł nie wyjaśnić, co działo się przez te pół godziny. Niestety, wymyślenie na poczekaniu wiarygodnej odpowiedzi przerosło jego możliwości.

– Co wtedy robiliście i gdzie byliście? – pytałem kolejny raz.

Jąkał się, dukał. W końcu zaczął opowieść:

– No bo jak tak jechaliśmy z żoną... A ona tak słabo jeździła... To ona na takim lotnisku opuszczonym ćwiczyła jeżdżenie do przodu i do tyłu. Przez te pół godziny.

To nie mogło być prawdą, bo jeździła świetnie, prawo jazdy miała od dziesięciu lat.

Potem popełnił jeszcze kilka podobnych błędów i w końcu tak się zaplątał w swoich kłamstwach, że już nie miał wyjścia – musiał się przyznać.

Sprawa trafiła na wokandę kilka miesięcy później. Sadowski zasiadł na ławie oskarżonych w sprawie o zabójstwo własnej żony po dwudziestu latach. Jedną z osób świadczących przeciwko niemu jest jego córka. Prawdopodobieństwo, by został uniewinniony, jest praktycznie zerowe.

Mężczyzna w białych butach

Dwudziestego szóstego października 1990 roku przed północą Waldemar Knopfer wrócił z urlopu u rodziny. Ponad dwa tygodnie wcześniej zostawił swoje mieszkanie pod opieką Rafała Grochowskiego, bardziej znanego jako „Groszek". Waldemar i Rafał stanowili homoseksualną parę. Mężczyźni znali się już ponad dwa lata, ale wspólnie mieszkali od niedawna. Knopfer nie miał ze sobą kluczy. Był przekonany, że jego partner będzie w domu.

Waldemar czekał jakiś czas na Rafała, wreszcie poszedł go szukać na dworcu kolejowym w Krakowie, gdzie w tamtych czasach zwykle zbierali się geje. Rozpytał znajomych, ale nikt „Groszka" nie widział. Waldemar był zmuszony przenocować na dworcu. Rano wsiadł do kolejki podmiejskiej i pojechał do rodziców Rafała. Powiedzieli mu, że nie widzieli syna od dwóch tygodni i właśnie zamierzali zawiadomić policję. Waldemar wrócił do Krakowa i poprosił innego geja, by ten wdrapał się po rynnie i przez okno wszedł do jego mieszkania.

Rafał leżał nagi, ręce i nogi miał skrępowane sznurem. Na szyi mężczyzny zabójca zacisnął kabel od żelazka. Potem medycy sądowi stwierdzą, że przyczyną zgonu „Groszka" było uduszenie właśnie tym narzędziem. W momencie śmierci mężczyzna miał we krwi dwa i siedem dziesiątych promila alkoholu.

Jedna z sąsiadek zeznała, że szesnastego października 1990 roku widziała jakiegoś mężczyznę, który próbował zamknąć mieszkanie Waldemara. Intruz mocował się z zamkiem w drzwiach, jakby klucze, które posiadał, nie pasowały. Kiedy zauważył, że kobieta z naprzeciwka bacznie mu się przygląda, natychmiast schował się w mieszkaniu. Sąsiadka spostrzegła, że mężczyzna miał na nogach białe klapki.

Mimo intensywnego śledztwa i zabezpieczenia wielu śladów nie udało się ustalić, kto zamordował „Groszka". Sprawa została umorzona z powodu niewykrycia sprawców i taki status miała przez ponad siedemnaście lat. Dopiero wtedy do sprawy włączono profilera.

Podczas analizy porównawczej przygotowywanej do jakiegoś drobnego włamania na Śląsku, system zestawił ślad linii papilarnej zabezpieczonej na miejscu tego zdarzenia z odciskami znalezionymi na miejscu zbrodni. Policjanci zainteresowali się tym elementem i rozpoczęli batalię o wydanie listu gończego za włamywaczem, którego nazwisko też było w systemie. Tymczasem pani prokurator nadzorująca dochodzenie miała inne zdanie. Stwierdziła, że linie papilarne to za mało. Wtedy policjanci zapytali: W takim razie, czego trzeba, żeby wznowić śledztwo, skoro odciski palców sprawcy nie wystarczą. Prowadzący dochodzenie zaproponował, żebym zrobił profil zabójcy „Groszka", a oni porównają go z tym, co wiedzą o człowieku, którego linie papilarne zabezpieczyli na miejscu zbrodni. Oczywiście nie chciałem wiedzieć, do kogo ten ślad należał, by ta wiedza nie rzutowała na ocenę faktów podanych w dokumentach. Profiler nie zbiera wiedzy na temat podejrzanych, bo na tym etapie utrudnia ona profilowanie, ponieważ zawiera silne sugestie.

Homoseksualiści to specyficzne środowisko. To grono ludzi, u których brak wyróżniających cech. Już wcześniej analizowałem zdarzenia, w które zamieszani byli geje, i wiedziałem, że są nieufni, niechętni do współpracy z organami ścigania. Mimo otwartości wielu środowisk, ich odwagi w ujawnianiu orientacji, nadal wciąż w Polsce geje mają olbrzymie problemy z funkcjonowaniem w społeczeństwie. Nie chcą mówić, współpracować, gdyż po prostu boją się ujawnienia wstydliwej orientacji. Dlatego też jest niezwykle trudno prowadzić takie sprawy.

Kupiłem książkę Lwa Starowicza „Homoseksualizm" i pojechałem na zaplanowany wcześniej urlop do Chorwacji. Pamiętam, że czytałem ją na plaży, bo tuż po powrocie miałem przedstawić śledczym gotowy profil. Jest to pozycja bardzo ciekawa, lecz analizuje problem przede wszystkim pod względem socjologicznym, natomiast psychologii jest w niej niezmiernie mało. A ja musiałem poznać sposób myślenia i działania ludzi tej orientacji. Interesowały mnie szczególnie kwestie związane z umawianiem się na randki, poznawaniem nowych partnerów i tak zwanego pierwszego kontaktu z homoseksualizmem. Okazało się, że wśród gejów są osoby, które w przeszłości były ofiarami pedofila lub gwałciciela, których pierwszy kontakt seksualny w życiu wiąże się z przestępstwem.

Zdarza się, że wykorzystanie seksualne młodzieńca przez dorosłego mężczyznę powoduje zmianę jego orientacji seksualnej i potem już do końca życia funkcjonuje jako gej. Oczywiście nie jest to normą, bo nie wszyscy zostali kiedyś zgwałceni, ale musiałem zwrócić na to uwagę.

Na miejsce życia, bytowania geje wybierają duże skupiska ludzkie. Po pierwsze, mają dzięki temu większą szansę spotkania partnera seksualnego, a po drugie, w dużych aglomeracjach jest mała jawność życia. Z tych samych powodów – by ułatwić sobie znalezienie nowego partnera oraz jednocześnie zachować anonimowość – często zmieniają miejsce zamieszkania. W większości się znają (choćby z widzenia), mają swoje ksywy, wiedzą o sobie bardzo wiele. I jeśli któryś zyska złą opinię – musi się wynieść. Jeśli na przykład został „spalony" w Katowicach, jedzie do Szczecina. Po jakimś czasie – kilku miesiącach lub latach – także tam zostaje „spalony", więc znowu się przeprowadza. Jednocześnie ci, którzy nie zamierzają się ujawnić, przed resztą społeczeństwa cały czas odgrywają rolę heteroseksualnych.

Zainteresowało mnie, że zazwyczaj wykonują specyficzne zawody. Często mają one związek ze sztuką lub twórczością w szerokim znaczeniu tego pojęcia: fotograf, stylista, projektant, krawiec, ale też fryzjer lub kelner. Wspólny klucz do tych zajęć to możliwość bezpośredniego fizycznego kontaktu, który nie powoduje żadnych podejrzeń, komentarzy. Profesja często pozwala im na dotykanie ludzi i nikt nie ma nic przeciwko temu, bo w końcu praca fryzjera na tym polega.

Mieszkanie, w którym odnaleziono zwłoki „Groszka", znajduje się w jednopiętrowym budynku. Do klatki schodowej prowadzą dwa wejścia – jedno od strony drogi, drugie od podwórka. W nocy mieszkańcy zamykali oba na zasuwy. Policjanci ujawnili na drzwiach do mieszkania ślady włamania. Okazało się, że powstały, kiedy Knopfer próbował wytrychem dostać się do własnego mieszkania. Wewnątrz panował wielki bałagan. Kotary w obu oknach największego pokoju były szczelnie zasunięte. Na ławie kuchennej znajdowały się resztki jedzenia, pięć brudnych szklanek, w których zdążyła wyrosnąć pleśń, niedopałki papierosów Carmen i Popularne i puste butelki po Extra Żytniej, zaś z włączonego telewizora wydobywał się lekko wyciszony jednostajny dźwięk. Za piecem stała pralka z dawno upraną pościelą. Obok leżały białe męskie skórzane klapki. Według zeznań świadków nie należały do właściciela mieszkania ani ofiary. Przyjęto, że są własnością zabójcy. Na dolnej półce ławy zabezpieczono „Mały słownik języka polskiego", „Kieszonkowy słownik ortograficzny", numer miesięcznika „Inaczej" oraz katalog mody. Na podłodze walały się porozrzucane płyty gramofonowe. W różnych miejscach bezładnie porzucono odzież ofiary. Policjanci zabezpieczyli listy, które Rafał Grochowski wysyłał do Waldemara Knopfera. Przepraszał w nich za wielokrotne kradzieże pieniędzy i wyznawał mu miłość typu: „Nie mogę bez ciebie żyć".

Zabójca zabrał z mieszkania płaszcz skórzany w kolorze wiśniowym, białe buty w rozmiarze czterdzieści dwa, młynek elektryczny do kawy, turecki sweter we wzory, trzy pary białych skarpet, sześć kompletów slipów. Nie znaleziono dowodu osobistego „Groszka" ani kluczy do mieszkania jego rodziców.

Ślady pozostawione przez sprawcę wskazywały, że w tym miejscu przed zadaniem śmierci odbywała się libacja alkoholowa. Prawdopodobnie zabójca i ofiara spędzili razem dużo czasu: pili, słuchali muzyki, jedli.

Prawdopodobnie doszło do interakcji seksualnej, choć najwyraźniej zabójca tego nie chciał i być może dlatego zareagował agresywnie. Dlaczego i po co przyszedł do tego mieszkania? Aby odpowiedzieć na to pytanie, musiałem bliżej poznać „ofiarę".

Rafał Grochowski skończył dwadzieścia osiem lat, miał wykształcenie zawodowe i pracował jako kelner w wielu znanych restauracjach Krakowa. W każdej z nich utrzymał się nie dłużej niż kilka miesięcy. Pochodził z Jaworzna, jego matka była pedagogiem, a ojciec górnikiem. Został zwolniony ze służby wojskowej ze względu na zaburzenia osobowości. Po kilku tygodniach w wojsku próbował popełnić samobójstwo, przejawiał problemy adaptacyjne. Na dłuższy czas trafił do szpitala psychiatrycznego. Nigdy nie rozmawiał z rodzicami o swojej orientacji, choć wiedzieli, że jest „inny". Matka zrzuca to na karb jego słabej psychiki: „Rafał był dobrym, delikatnym chłopcem. Bał się bólu fizycznego, nie przejawiał skłonności masochistycznych lub sadystycznych. Lubił jeździć na wycieczki".

Znajomi „Groszka" opisywali go zupełnie inaczej. Mówili, że wynosił z domu rodziców różne przedmioty i sprzedawał je na wódkę. Był towarzyski, otwarty na ryzykowne znajomości. Miał opinię lekkoducha. Nie był wierny. Kiedy stwierdzał, że aktualny związek go nie satysfakcjonuje, szukał kolejnego partnera. Często okradał swoich kochanków. Potem przepraszał i obiecywał poprawę. Nie był osobą pamiętliwą i ze swoimi ekspartnerami nadal się przyjaźnił. Lubił dużo starszych mężczyzn, ponieważ go utrzymywali. Zwykle u nich pomieszkiwał. Jego pierwszy partner był od niego starszy o siedemnaście lat, kolejni o pięć do dziesięciu. Zdarzało się, że był bity przez swoich kochanków. W kontaktach seksualnych był stroną czynną.

Kiedy już wiedziałem, jaki styl życia prowadziła ofiara, nabrałem przekonania do mojej tezy, że sprawca nie chciał kontaktu seksualnego z Grochowskim i dlatego zareagował agresywnie. Obraz miejsca zdarzenia, nieład, jaki tam pozostał, potwierdzał, że musiała zaistnieć interakcja, która nie była akceptowana jednakowo przez obie strony. Mówiąc krótko, tylko jeden z nich – najprawdopodobniej „Groszek" – chciał tego dnia uprawiać seks. Drugi mężczyzna przyszedł napić się wódki, najeść i może pomieszkać jakiś czas, bo nie miał się gdzie podziać.

Pierwszym podejrzanym był oczywiście Knopfer. „Groszek" ukradł mu książeczkę oszczędnościową i gotówkę oraz dewizy, notorycznie go porzucał i zdradzał. Waldemar miał jednak żelazne alibi: był w tym czasie u rodziny w Tarnowie. Należało poszukać innych znajomych „Groszka" oraz zrekonstruować ostatnie dni jego życia.

Kiedy analizowałem materiały, stwierdziłem, że sprawca nie może być emocjonalnie związany z ofiarą. Po zabójstwie zamknął wszystkie zamki i okna. Zasunął kotary. Takie zachowania świadczą o psychicznej tendencji do ukrywania zwłok. Nie wyniósł ich, nie zakopał, lecz zrobił wszystko, by utrudnić i opóźnić ich odkrycie. Oddalił się i najprawdopodobniej wyjechał do innego miasta. Uznałem, że jest to mężczyzna starszy od ofiary i ma około czterdziestu lat. „Groszek" poznał go przypadkowo, najprawdopodobniej na dworcu kolejowym. Sprawca bardzo dba o swoją aparycję, wygląd i ubiór. Nie jest jednak gejem. Krótko funkcjonował w związku małżeńskim, może mieć dzieci. Jest osobą wybuchową, był karany za zachowania agresywne. Inteligencja przeciętna, wykształcenie najwyżej zawodowe. Nie pracuje, nie pochodzi z Krakowa. Prowadzi wędrowny tryb życia, często zmienia miejsce pobytu. Nie spodziewał się takiego rozwoju sytuacji, dlatego w mieszkaniu pozostawił wiele śladów oraz rzeczy osobiste, między innymi ubrania i białe klapki. Wziął rzeczy należące do gospodarza mieszkania, czyli Knopfera, by użyć ich jako kamuflażu.

Kiedy profiler przedstawił śledczym opinię, stwierdzili, że osoba, której ślad linii papilarnej został zabezpieczony siedemnaście lat temu w mieszkaniu Knopfera, idealnie charakterologicznie wpasowuje się w profil nieznanego sprawcy. W każdej komendzie jest zespół poszukiwań celowych[1] i właśnie ci policjanci odnaleźli Mieczysława Skorupa na jednym z polskich dworców.

Gdy podejrzany znalazł się w areszcie, rozpoczęto przesłuchania. Oprócz linii papilarnych policjanci potrzebowali informacji, które mógł znać jedynie sprawca zbrodni.

Rozpracowywanie Skorupa było niezwykle trudne, bo to urodzony manipulant i mitoman. Gdy widzi możliwość wprowadzenia drugiej osoby w błąd, robi to perfekcyjnie. Kiedy starał się o przepustkę, oszukał wychowawcę, że zawsze wraca terminowo, ponieważ zauważył, że ten nie ma przy sobie jego akt.

Gdy zacząłem analizować jego dossier kryminalne, okazało się, że w ciągu ostatnich lat był chyba w każdym

---

[1] Grupa funkcjonariuszy, którzy zajmują się ludźmi podejrzanymi do konkretnych spraw, przeciwko którym toczą się postępowania, a trudno ich odnaleźć, bo na przykład nie mają zameldowania albo nie przebywają w miejscu zamieszkania.

mieście w Polsce. Nigdy nie pracował. Jest bardzo prawdopodobne, że popełnił inne zbrodnie. Nikt nigdy nie podejrzewał, że mógł mieć w życiu relację homoseksualną, a co gorsza – zabił. Wysoki, z wąsem i brodą, czeszący się do góry, zadbany. Żadnych zewnętrznych przejawów homoseksualizmu. Przeciwnie, to typ o wyglądzie macho. W momencie zatrzymania miał na sobie białe buty, co w tamtym czasie wyjątkowo rzadko zdarzało się u mężczyzny.

Skorup pochodzi z bardzo dobrej, pełnej rodziny. Ojciec był inżynierem budownictwa, matka pracowała na kolei jako kierownik działu administracyjnego. Mieczysław to rodzinna czarna owca. Jego młodsza siostra jest szanowaną lekarką, natomiast on zdobył tylko wykształcenie zawodowe, ogólnobudowlane (choć podawał, że skończył liceum ogólnokształcące, czego rzecz jasna nie potwierdza żaden dokument). Ożenił się w wieku dwudziestu trzech lat, ale małżeństwo nie przetrwało nawet roku. Z byłą żoną i córką nie utrzymuje kontaktu. Przez całe życie pracował jedynie dorywczo, na jednym stanowisku miesiąc, dwa. Nigdy dłużej. Po wyjściu z wojska zatrudniał się jako kierowca, dekorator wnętrz lub malarz pokojowy. Powierzonych mu zadań nie kończył. Bywało, że znikał z zaliczką i ukrywał się przed zleceniodawcą, a potem także i komornikiem. Często zmieniał miejsce zamieszkania. W momencie zatrzymania jego zaległości szacowano na dziesiątki tysięcy złotych. Wielokrotnie siedział w więzieniu za niepłacenie alimentów. W trakcie odbywania kary pracował jako bibliotekarz, dostawał nagrody, nie należał do subkultury więziennej, nie grypsował, ale był karany za agresywne zachowania wobec współwięźniów. Nie wracał z przepustek, a po doprowadzeniu go przez policję tłumaczył, że nie mógł wrócić, ponieważ odebrano by mu mieszkanie. Nie jest to prawdą, gdyż stracił je wiele lat temu – już po pierwszym wyroku.

Z jednej strony zdyscyplinowany, z drugiej łatwo wchodzi w sytuacje konfliktowe. Ma trudności z dostosowaniem się do zastanych warunków. Nie potrafi budować planów na przyszłość, żyje chwilą. Ma gruźlicę, ale pali papierosy. Podaje, że pije sporadycznie, a jest uzależniony od alkoholu. Uważa się za ofiarę niekorzystnych okoliczności, które następowały w jego życiu: rozwód, alimenty, brak mieszkania, które po śmierci matki odziedziczyła jego siostra i je sprzedała. W ten sposób Mieczysław stał się bezdomny. Zawsze przedstawia siebie w lepszym świetle, niż jest. Potrafi roztaczać wizje dotyczące własnej osoby: utalentowany handlowiec, świetny ojciec, ma wiele pomysłów na własny biznes. Za niepowodzenia obarcza wszystkich wokół: żonę, rodziców, urzędników w gminie, polityków, napotkanego przypadkowo przechodnia. Mówi rzeczy niemające związku z rzeczywistością: „Moim największym marzeniem jest, by córka wróciła do mnie, do mojego życia. Chciałbym znów być ojcem. Zrobię wszystko, by jej pokazać, że jestem wart więcej niż obraz, który sobie wytworzyła, słuchając swojej matki". Za jego deklaracjami nie idą żadne czyny. Ten człowiek zatrzymał się na etapie idealizmu, jest całkowicie bezkrytyczny wobec siebie. Nie widzi w sobie wad. Za to nieustannie krytykuje innych.

Aby go przekonać, że warto się przyznać do popełnienia zbrodni, rzuciłem mu tak zwaną kotwicę, czyli informację, która pozwala przesłuchiwanemu wytłumaczyć jakoś swój odrażający czyn i nie wstydzić się do niego przyznać. W tym przypadku zaistniało nieporozumienie co do celu spotkania. „Groszek" myślał, że Mieczysław idzie do niego, by uprawiać seks, a ten chciał jedynie napić się wódki i przenocować w ciepłym mieszkaniu, a nie na dworcu.

To zadziałało niemal natychmiast. Podejrzany chwycił się tej „kotwicy" i przyznał się, a potem opowiedział szczegółowo przebieg zbrodni.

Sprawa mogła być wykryta dużo wcześniej, gdyby w Polsce istniała baza danych behawioralnych. O badaniach biologicznych: śliny czy włosa, pozwalających ustalić DNA, w tamtych czasach nikt nie wiedział.

Z drugiej strony, nie dziwię się, że wtedy tej sprawy nie wykryto. Po pierwsze, w tamtych czasach wiedza na temat homoseksualizmu była żadna, po drugie, nikt nie myślał, by szukać sprawcy wśród osób nieposiadających orientacji homoseksualnej. Podejrzewano raczej Knopfera, tym bardziej że Mieczysław Skorup zachowywał się na miejscu zbrodni, jakby był domownikiem. Wziął klucze, pił, jadł, zabrał ubrania, kilka swoich wymienił, zostawił własne buty i rzeczy osobiste, a następnie niczym się nie przejmując, poszedł sobie w świat.

Komentarz

Stare sprawy to te, które zostały umorzone ze względu na niewykrycie sprawcy. Dotyczą najczęściej zabójstw lub zaginięć. W sprawie o zabójstwo śledztwo trwa zazwyczaj rok i jeśli nie doprowadzi do wykrycia, jest umarzane do czasu ujawnienia nowych okoliczności. W polskiej policji utworzono specjalne komórki, zwane Archiwum X, które specjalizują się w badaniu starych zbrodni.

* * *

By umorzona sprawa była ponownie podjęta, muszą pojawić się przesłanki dostatecznie uprawdopodabniające, że tym razem przestępca zostanie wykryty. Nowy świadek, dowody, poszlaki, technika. Zdarza się, że po latach sprawca pod wpływem alkoholu zdradza komuś jakieś dane i do policji trafia anonimowy list lub zadzwoni telefon. Bywa i tak, że zabezpieczono ślady biologiczne, tyle że jeszcze dziesięć lat temu niemożliwa była pełna identyfikacja sprawcy na podstawie kodu DNA. Dziś sprawca, który dwadzieścia pięć lat temu był bezkarny, zostaje zidentyfikowany dzięki postępowi technicznemu. Podobnie jest z bazą danych banku daktyloskopijnego[1]. W tej chwili istnieje system AFIS, w którym umieszczane są wszystkie dane dotyczące odcisków palców. Codziennie do tego systemu dorzucane są kolejne informacje, nawet najdrobniejsze ślady z miejsc przestępstw typu kradzież z włamaniem i to zarówno w sprawach wykrytych, jak i niewykrytych. Kiedy „paluchy" drobnego złodziejaszka po włamaniu znajdą się w bazie, a dziwnym zbiegiem okoliczności okaże się, że identyczny ślad – tylko jako NN – figuruje tam przy zabójstwie sprzed dwudziestu lat, sprawa ma szansę być podjęta przez Archiwum X.

---

[1] Bank danych linii papilarnych, w którym znajdują się odciski palców wszystkich osób podejrzewanych oraz oskarżonych do różnego rodzaju spraw – począwszy od poważniejszych wypadków drogowych, a na sprawach o zabójstwo skończywszy. Każda osoba podejrzewana o popełnienie przestępstwa obowiązkowo zostawia swoje odciski palców, które trafiają do bazy. Aktualnie, w związku z nowymi przepisami obowiązującymi od dwóch lat, dużo trudniej jest uzyskiwać tego typu ślady do porównania. Zmieniły się bowiem podstawy prawne daktyloskopowania.

* * *

W rozwiązywaniu starych spraw bardziej niż do profilowania psycholog potrzebny jest do przygotowania odpowiedniej taktyki przesłuchania. Policjanci mają już zazwyczaj wytypowanego potencjalnego sprawcę, potrzebują tylko wskazówek, jak się do niego zabrać.

* * *

Pracując nad starymi sprawami, o wiele trudniej jest weryfikować informacje. Profiler musi znaleźć takich świadków, którzy pamiętają i dokładnie opowiedzą zdarzenia, nawet jeśli minęło dwadzieścia lat. Wbrew temu, co się uważa, takich osób jest bardzo dużo. Ludzie często żyją z taką wiedzą, jakby zatrzymali w sobie całą tragedię i wciąż na nowo ją przeżywają. Dla nich czas się zatrzymał. Nie mogą ruszyć dalej. Na przykład w pewnej sprawie kopalnią wiedzy była matka zamordowanej dziewczyny. Ona dzień w dzień chodziła na grób swojej córki. Ta kobieta pamiętała wszystko ze szczegółami, jakby tragedia zdarzyła się wczoraj. Matka nie domknęła żałoby[1], pozostała na etapie rozpaczania po stracie. Z punktu widzenia śledztwa była jednak najlepszym źródłem informacji, w szczególności wiktymologicznych. Profiler musi z takimi osobami osobiście porozmawiać, bo posiada wiedzę i umiejętności umożliwiające zdobycie informacji, które przydadzą się do profilu czy taktyki przesłuchania.

Druga grupa ludzi to ci, którzy mówią, że niczego nie pamiętają. Nie ma takiego człowieka, który faktycznie nic nie pamięta. Sztuką jest jednak to z niego wydobyć. Istnieją specjalne techniki „odpamiętywania" szczegółów, które znają profilerzy.

[1] Proces godzenia się z utratą osoby bliskiej nie został zakończony pomimo sporego upływu czasu.

* * *

Do niedawna, w sprawie o zabójstwo, przedawnienie winy następowało po dwudziestu pięciu latach. W praktyce oznacza to, że nawet jeśli po tylu latach policja wykryłaby sprawcę i udałoby się zebrać przeciwko niemu dowody, to nie ma to już żadnego znaczenia. Sprawca nie podlega już odpowiedzialności karnej. Trzy lata temu Sejm zdecydował o wydłużeniu tego okresu do trzydziestu lat.

ROZDZIAŁ VI

ROZWIĄZANIE ZAGADKI DLA CZYTELNIKA

KTO JEST MORDERCĄ PIĘKNEJ EWY?

Ewa Bełdowska była z natury osobą ostrożną. Po dwunastu godzinach pracy jednak zmęczona, niewyspana, znużona, straciła swoją czujność. Nastąpił efekt kresu, czyli psychiczne rozluźnienie, które polega na tym, że w takim momencie człowiek skupia się głównie na takich czynnościach, jak zebranie osobistych rzeczy i szybkim dotarciu do domu. Jest nimi tak zaabsorbowany, że nie kontroluje sygnałów z zewnątrz i staje się mniej czujny. Myślami jest już gdzie indziej. Sprawca to wykorzystał. Zaatakował w chwili, kiedy Ewa zaczynała zbierać się do domu. Zmęczona i zaskoczona, nie była w stanie przeciwstawić się czynnie zabójcy. Zareagowała stuporem (osłupieniem, znieruchomieniem). Dopiero, kiedy zaczęło do niej docierać, że „to wszystko dzieje się naprawdę" i musi walczyć o własne życie, obudził się w niej naturalny instynkt, podjęła zdesperowaną obronę fizyczną. Było jednak za późno.

Jest mało prawdopodobne, by na teren zakładu weszła osoba z zewnątrz. Potwierdzały to zeznania świadków. Zatem sprawca to pracownik papierni. Świadomie wybrał ofiarę. Wiedział, że o tej porze kobieta będzie sama. Wykorzystał okazję, że od kilku dni pracuje w nowym miejscu. Nie zna tego terenu, nie czuje się tam bezpiecznie. „Sprawdzał ją", pukając do okna. W ten sposób stopniowo podnosił poziom jej stresu. Skutecznie, czego dowodzi między innymi sweter założony przez ofiarę na lewą stronę.

Obrażenia i pozostawienie ciała wskazują, że sprawca był znany ofierze. W przeszłości między ofiarą a sprawcą na pewno istniała jakaś relacja.

Zamordowana była atrakcyjną, spokojną kobietą. Miała uregulowane życie osobiste (mąż, dziecko). Nie zrezygnowałaby z tego. Bardzo możliwe, że zabójca został przez nią zignorowany lub odrzucony jako partner seksualny.

Ofiara początkowo nie stawiała oporu, potem jednak zaczęła się bronić, próbowała uciekać, co doprowadziło sprawcę do szału i eskalacji agresji. Ewa nie należała do osób sprytnych życiowo, nie wiedziała, jak zareagować, by osłabić tę agresję. Jej działania (opór, próba ucieczki) przyniosły odwrotny skutek – spotęgowały brutalność.

Na podstawie sposobu zadania śmierci oraz pozostawienia zwłok można stwierdzić, że sprawca posiada średnią, a nawet słabą inteligencję oraz niski poziom wykształcenia – podstawowe lub co najwyżej zawodowe. Należy go szukać wśród osób, które mają do czynienia z prostymi pracami. Jest to mężczyzna w przedziale wiekowym dwadzieścia do trzydziestu pięciu lat. Zna teren, gdzie dokonano zabójstwa, dobrze się tu czuje. Pochodzi z tych okolic.

Wywodzi się z ubogiej rodziny, która nie funkcjonowała prawidłowo. Niewykluczone, że w procesie wychowawczym występowała ambiwalencja postaw rodzicielskich. Sprawca ma rodzinę, prawdopodobnie żonę lub stałą partnerkę.

Cechuje go osobowość aspołeczna. W wielu dziedzinach życia nie akceptuje norm moralnych i społecznych; jest społecznie niedojrzały. W miejscu zamieszkania może mieć pozytywną opinię. Czuje się jednak samotny wewnętrznie – odrzucony przez środowisko. Nie należy do osób rozmownych. Nie dba o swój wygląd, jest nieatrakcyjny fizycznie. Całe życie był odtrącany przez kobiety. Stał się czuły na punkcie powątpiewania w jego męskość, podważania jego sprawności seksualnej. Ponieważ ma trudności w nawiązywaniu „normalnych" kontaktów seksualnych, ucieka się do zachowań sadystycznych. Sadyzm może charakteryzować jego kontakty seksualne, zwłaszcza jeśli współżycie mu spowszedniało lub w ogóle ustało.

Jest w stanie zaatakować tylko osobę uległą, podporządkowującą się, cichą, zamkniętą w sobie. Dobrze wyczuwa lęk ofiary. Choć cały czas jest agresywny, stara się kontrolować przebieg zdarzenia. To jednak jest niemożliwe ze względu na jego niski poziom intelektualny. To typ przestępcy zdezorganizowanego. W miejscu zbrodni nie zatarł śladów walki, nie zmył krwi, nie poukładał porozrzucanych przedmiotów. Nie pozorował innego motywu działania. Przeniósł ciało w ustronne miejsce, by opóźnić jego odnalezienie i zyskać czas na załatwienie sobie alibi.

Z miejsca zbrodni sprawca zabrał pamiątkę – torbę ofiary, którą później porzucił. To oraz sposób pozostawienia ciała wskazują, że jest to jego pierwsza zbrodnia na tle seksualnym. Prawdopodobnie wrócił na miejsce zdarzenia i ponownie przeżywał jego przebieg. Być może jednocześnie się onanizował.

Sprawca wykorzystał do dokonania zbrodni duży rozdzielacz elektryczny. Nie przyniósł go ze sobą. Użył przedmiotu, który był pod ręką. W swojej pracy mógł posługiwać się podobnego typu urządzeniami.

Śledczy wytypowali pięć osób, które w papierni zajmowały się elektrycznością. Do profilu pasowały tylko trzy osoby. Jedną z nich był dwudziestosześcioletni Damian Wieczorkiewicz, zatrudniony na stanowisku elektryka. Mąż, ojciec dwojga dzieci.

Jak się okazało, znał Ewę z podstawówki. Zalecał się do niej przed laty, lecz odrzuciła jego względy. Nie traktowała go jako poważnego kandydata, a potem ich losy się rozeszły. Po latach spotkali się w jednej fabryce. Wieczorkiewicz obserwował kobietę od dłuższego czasu. Aranżował „przypadkowe" spotkania. Ewa początkowo nie rozpoznała w nim kolegi ze szkoły. Kiedy jej o tym powiedział, niczego to nie zmieniło – nie wzbudził jej zainteresowania. Zinterpretował to jako kolejne odrzucenie.

W dniu tragedii miał wolne. Pojawił się w pracy, wiedząc, że Ewa będzie sama. Nie zamierzał jej zabijać, lecz zgwałcić. Do zbrodni doszło, ponieważ sytuacja wymknęła się spod kontroli. Sprawca nigdy nie przyznał się do zabójstwa, lecz ślady biologiczne zabezpieczone na miejscu zdarzenia potwierdziły jego winę. Został osądzony i skazany na dwadzieścia pięć lat więzienia.

ROZDZIAŁ VII

PODSUMOWANIE

Większość spraw, nad którymi pracowałem, zakończyła się wykryciem sprawcy. Nie jest to jednak wyłącznie moja zasługa. Profiler w Polsce nie pracuje sam. Pomaga policjantom w zawężeniu grona podejrzanych, ale to śledczy prowadzą dochodzenie i zatrzymują przestępcę. Dziś bardzo wielu policjantów, prokuratorów i sędziów wie, kim jest profiler i jak może pomóc. Jeszcze czternaście lat temu, kiedy zaczynałem wykłady i szkolenia, ludzie, słysząc ten obcy wyraz, jedynie otwierali oczy ze zdziwienia. Dziś moja praca jest coraz częściej doceniana, a śledczy sięgają po tę metodę na samym początku postępowania, kiedy psychologiczny portret nieznanego sprawcy jest najbardziej przydatny, a nie w ostateczności. Jestem dumny z tego, że razem z przyjaciółmi z Instytutu Ekspertyz Sądowych w Krakowie przyczyniłem się do popularyzacji profilowania.

Rodziny ofiar

Nie pamiętam twarzy wielu ofiar. Pamiętam za to wiele o nich samych. Ich sposób bycia, rytuały, grono przyjaciół, jakimi przedmiotami się otaczali, jak postępowali, jakie były ich marzenia i plany. Jeśli ofiarę porównamy do nitki prowadzącej do kłębka, to badanie jej życia jest sposobem na dojście do sprawcy.

Przez te wszystkie lata to jednak nie sprawcy byli dla mnie najważniejsi. Zgłębiałem ich umysły nie dlatego, że fascynuje mnie zbrodnia. Moim zadaniem jest pomagać tym, którzy potrzebują tego najbardziej: organom ścigania oraz rodzinom ofiar. Bliscy muszą wiedzieć, kto odebrał im dziecko, męża czy matkę. Ta wiedza jest nieoceniona, bo pozwala wyjść im z okresu żałoby po stracie ukochanej osoby i żyć dalej. Jeśli zagadka śmierci nie zostanie rozwiązana, wielu z nich nigdy nie dostanie takiej szansy.

Doskonale pamiętam kobietę, która dzwoniła do mnie dzień w dzień, przez trzy lata. Jej najmłodsza córka została brutalnie zamordowana i ta matka nie potrafiła bez niej żyć. Wciąż dzwoniła i pytała: „Co dalej z tą sprawą?". Któregoś razu rzekła: „Modlę się tylko o jedno. Żeby za mojego życia znaleziono człowieka, który to zrobił".

Nie potrafię oddać słowami, co ona czuła. Gdybym powiedział, że wiem, skłamałbym. Wiem jednak, po co ta wiedza była jej potrzebna: by mogła wreszcie żyć w spokoju. Dowiedzieć się, co się stało, dlaczego nie może z córką porozmawiać, spotkać się, nigdy już jej nie ujrzy, bo ktoś brutalnie przerwał jej życie. Człowiek inaczej odbiera śmierć bliskiej osoby, gdy ginie ona w wypadku samochodowym, a inaczej, gdy padnie ofiarą zabójstwa. Mając do czynienia z wypadkiem, może znaleźć winnego za tę śmierć: los, Boga, opatrzność. W przypadku zabójstwa, odpowiedzialność ciąży na nieznanej, ukrywającej się osobie. To rodzi spotęgowane poczucie krzywdy, ale i nienawiści. Dlatego rodziny ofiar tak bardzo pragną, by tego człowieka odnaleziono, by mogli zrzucić z ramion ten straszny ciężar i odpowiedzialnością obciążyć winowajcę. Matka dziewczyny nie jest niczemu winna. Dopóki jednak nie znajdzie się sprawca, będzie się czuła odpowiedzialna za śmierć córki Na szczęście sprawą zajęło się Archiwum X, na jaw wyszły nowe okoliczności i znów jest w toku. Mam nadzieję, że wkrótce zostanie wyjaśniona.

Innym razem odwiedziłem człowieka, któremu zamordowano żonę. Nagle do pokoju wszedł chłopiec, dokładnie w wieku mojego syna. Podszedł do mnie i usiadł mi na kolanach. Wtedy pomyślałem, co ja bym zrobił, gdyby ktoś zabił moją żonę. Czy potrafiłbym o tym rozmawiać? Jestem pewien, że chciałbym, aby tego człowieka złapano i osądzono, żeby nikogo więcej nie skrzywdził.

Flesze

Kiedy zaczynałem zajmować się profilowaniem, zastanawiało mnie, dlaczego tak niewiele kobiet próbuje swych sił w tej dziedzinie. W końcu kobiet psychologów jest najwięcej. Profilerki na całym świecie można policzyć na palcach obu rąk. Dziś znam odpowiedź na to pytanie. To zbyt wiele kosztuje.

Nazywam je *fleszami*. Są to wspomnienia ze spraw, przy których miałem okazję pracować. One przychodzą i odchodzą w najmniej oczekiwanym momencie. Jest to nieodłączna emocja towarzysząca pracy każdego profilera. Jestem tylko człowiekiem. Nie mogę po prostu wyjść z gabinetu i zamknąć za sobą drzwi. Nawet, kiedy uda się zatrzymać zabójcę i rozwiązać zagadkę zbrodni, to i tak zawsze czuję smutek, ból i bezradność.

Gdybym sam miał zagmatwane życie, prawdopodobnie nie mógłbym wykonywać tego zawodu. A może nawet popadłbym w alkoholizm lub pojawiłyby się zaburzenia psychiczne. Dlatego zawsze mówię młodym ludziom, którzy się do mnie zwracają o radę: „Jeśli nie masz poukładanych własnych spraw, nie myśl o profilowaniu, bo to niezwykle obciążająca dziedzina. Pochłania energię i czas. Na rozwiązywanie swoich traum nie ma tu miejsca". Dlatego jestem wdzięczny mojej żonie, Joannie, która od lat jest dla mnie ostoją i największym przyjacielem oraz dba o to, bym miał dokąd wracać. To dzięki jej wyrozumiałości i wsparciu mogę wciąż pracować.

Obowiązek

Zawsze znajdą się tacy, którzy przekroczą granicę światła i cienia. Nawet najzdolniejszy profiler nie może przewidzieć, kiedy z dokładnością zegarmistrza nastąpi kolejny atak sprawcy. Pewne jest tylko to, że jeśli nie uda się go ująć po pierwszym przestępstwie, będzie to robił dalej. Będzie napadał, gwałcił, podpalał, molestował.

Nie mogę zrobić nic, by zapobiec kolejnym zbrodniom. Jestem w stanie pomóc wyjaśnić, dlaczego w głowie zabójców zrodził się pomysł dokonania czynu oraz jak to się stało, że do niego doszło. Czasami wiem o każdym z nich więcej niż oni sami o sobie. Nawet to, co chcieliby ukryć.

Teraz jestem zasypywany nierozwiązanymi sprawami, które czekają na wyjaśnienie. Staram się temu podołać, bo wiem, jak to jest ważne. Na tym etapie mojej kariery nie mógłbym już odmówić wykonywania profili. Wejście w ten obszar psychologii to jak wejście w las. Im głębiej wkraczasz, tym jest ciemniej, gęściej i tym więcej przysłowiowych drzew – motywatorów, które sprawiają, że robię to dalej. Czuję się zobowiązany wobec rodzin ofiar i policjantów, z którymi współpracuję, a także, że praca profilera jest moim powołaniem, bo właśnie to robię najlepiej. Jako psycholog mogę spojrzeć na sprawę trochę inaczej niż śledczy, a ta wiedza jest czasami nieodzowna w ujęciu sprawcy.

Profilerzy

Do napisania tej książki namówiła mnie Katarzyna Bonda, która w swojej pierwszej powieści *Sprawa Niny Frank* głównym bohaterem uczyniła profilera. Wcześniej nie miałem potrzeby informowania wszystkich o arkanach tego zawodu. Przeciwnie, uważałem, że to dziedzina zarezerwowana tylko dla policjantów. Dziś wiem, że się myliłem. Im więcej o profilowaniu się mówi i pisze, tym lepiej i skuteczniej wiedzę tę wykorzystuje się w policji. A to jest moim głównym celem. Nie sława. Katarzyna Bonda uświadomiła mi, że ludzi zapewne zainteresuje profilowanie, ponieważ zbrodnia może dotknąć każdego z nas. Wysłuchała moich opowieści, a potem je spisała. Nasze rozmowy trwały ponad rok. Kolejny Kasia je spisywała. Wybraliśmy tylko wąski wycinek spraw, przy których miałem okazję pracować.

Chciałbym, by profilowanie stało się w Polsce co najmniej tak popularne jak badania wariograficzne, ponieważ moim zdaniem jest o wiele skuteczniejsze.

Nie obawiam się, że ta książka może być odebrana jako instruktaż dla przestępców, aby doskonalili swój zwyrodniały warsztat, ponieważ do każdej sprawy zbieram dane indywidualnie, a nie ma dwóch identycznych zbrodni. Nikt nie jest w stanie zaplanować wszystkiego, ze szczegółami i odegrać przedstawienia. A nawet jeśli – z łatwością ten zamiar odgadnę.

Bogdan Lach

Podziękowania

Szczególne podziękowania należą się mojej ukochanej żonie, Joannie Lach, bez wsparcia której nie tylko nie powstałaby ta książka, ale nie byłbym w tym miejscu mojego życia, w którym jestem. To jej zasługą jest, że zostałem profilerem, mogę wykonywać swój zawód bez uszczerbku, jak potrafię najlepiej. Dziękuję Ci, Asiu, za to, że czuwałaś nad moim intelektualnym i emocjonalnym rozwojem.

W trakcie mojej pracy zetknąłem się z wieloma błyskotliwymi i przenikliwymi policjantami. Wielu z nich przyczyniło się do zmiany sposobu zbierania, analizowania i wykorzystywania w śledztwie informacji. Na mój szczególny podziw zasłużyli: nadinspektor Kazimierz Szwajcowski, prokurator Agata Durbacz, nadkomisarz Grzegorz Marny, aspirant Szymon Sędzik, podinspektor Włodzimierz Najda, który nie tylko nie przeszkadzał, ale wspierał mnie w trudnych chwilach.

Bogdan Lach

Mojej magicznej mamie, o której dokonaniach prawdopodobnie już śpiewają piosenki na Wschodzie. Mając taką matkę, człowiek musi zostać pisarzem.

Mojemu bratu, na którym mogę polegać jak na Zawiszy.

Mojej wówczas rocznej córeczce, która była tak cudowna, że pozwoliła mi skończyć pisanie tej książki.

Dziękuję

Katarzyna Bonda

SPIS TREŚCI

Książkę wydrukowano na papierze
Creamy HiBulk 2.4 60 g/m²
dostarczonym przez ZiNG Sp. z o.o.

www.zing.com.pl

MUZA SA
00-590 Warszawa
ul. Marszałkowska 8
tel. 22 6211775
e-mail: info@muza.com.pl

Dział zamówień: 22 6286360
Księgarnia internetowa: www.muza.com.pl

Warszawa 2015
Wydanie I

Skład i łamanie: Magraf s.c., Bydgoszcz
Druk i oprawa: Opolgraf SA, Opole